Vertel me geen geheimen

Julie Corbin

Vertel me geen geheimen

the house of books

Oorspronkelijke titel
Tell me no secrets
Uitgave
Hodder & Stoughton, Londen
© 2009 by Julie Corbin. All rights reserved.

The right of Julie Corbin to be identified as the Author of the Work has been asserted by her in accordance with the Copyright, Designs and Patents Act 1988.

Copyright voor het Nederlandse taalgebied © 2010 by The House of Books, Vianen/Antwerpen

Vertaling
AnneMarie Lodewijk
Omslagontwerp
Mariska Cock
Omslagfoto
[image]store
Foto auteur
© Bruce Corbin
Opmaak binnenwerk
ZetSpiegel, Best

ISBN 978 90 443 2542 3
D/2010/8899/67
NUR 305

www.thehouseofbooks.com

Voor mijn ouders, Cynthia en Ian Henderson,
die mij altijd hebben aangemoedigd om te dromen.

Dankbetuiging

Het begint ergens; voor mij was dat met mijn verhuizing naar Forest Row en mijn kennismaking met twee geweldige lezers en aankomend schrijvers, Helen en Yvonne – wat hebben we een lol gehad!

Oprechte dank aan Andie Lewenstein en Catherine Smith – twee uitstekende leraressen, schrijfsters en bijzondere vrouwen die mij hebben aangemoedigd diep te graven, moedig te zijn en nooit op te geven.

Mijn schrijvende vrienden voor al hun geduldige feedback en voortdurende steun – Mel Parks, Ellie Campbell-Barr, Liz Yonge en Jo Turner – zonder jullie had ik het niet gekund.

Sigi, Cristina, Jannine, Dorothy, Krys, Jane en Mike – wat mis ik die dinsdagochtenden!

Ouders, kinderen en vrienden, van vroeger en nu, van de Ashdown House School – bedankt voor jullie belangstelling en enthousiasme – in het bijzonder Sarah en Rob, Glenys, wijze en geweldige Sue, Neville, Regan, Paddy, James en Julie, Anderley, Charlie, George, Haydon, Mike, Ed, Eifion, Bella, Carol, Lucy, Michelle, Ruby, Fiona Squire voor haar goede adviezen, Penny, Rachael, Liz, Helen Hill, alle kinderen in de eerste en tweede groepen – en ja, jij George Breare! (Glenys – je bent een juweel.)

Sandy Telfer voor zijn tijdige inbreng en Dave Morgan voor het feit dat hij de allereerste man was die het las(!).

Jason Jarrett voor zijn hulp bij het opzetten van mijn website en omdat hij de interessantste en meest onderhoudende Apple-Mac-expert aller tijden is!

Mijn agent Euan Thorneycroft die een wat minder boek heeft aangepakt en mij er vakkundig toe heeft aangezet bepaalde delen te herschrijven. Zijn inbreng was, en is, van onschatbare waarde.

Mijn redacteur Sara Kinsella en haar collega's Isobel Akenhead en Francine Toon – vriendelijk, warm en hartelijk – wie had ooit kunnen denken dat het schrijven van een boek zo leuk kon zijn?

Ik bedank mijn broer John, zijn vrouw Mags, mijn zus Caroline en haar partner Roland, met wie ik zoveel deel.

En als laatste, maar daarom niet minder belangrijk, bedank ik mijn man Bruce en mijn drie zonen Mike, Sean en Matt – die het niet erg vinden om op blikken soep en sandwiches te leven, met een vrouw en moeder die in zichzelf loopt te mompelen of midden in een zin afdwaalt – en die mij van begin tot eind zonder één keer te klagen hebben aangemoedigd. Jullie zijn alles voor mij.

Voorwoord

Ze zeggen dat iedereen een geheim heeft. Voor sommigen is het een stiekeme buitenechtelijke kus op een zwoele avond na twee of drie glazen wijn. Voor anderen is het dat meisje dat genadeloos gepest wordt met de vorm van haar neus of de klank van haar stem, net zo lang tot ze naar een andere school moet.

Sommigen van ons houden er echter geheimen op na die ons leven tot een leugen maken. Neem mij, bijvoorbeeld. Het lijk waar ik bang voor ben zit niet in mijn kast verstopt, maar ligt onder de grond. Haar naam was Rose en ze was negen jaar toen ze stierf.

Ik ga me niet verontschuldigen voor wat ik heb gedaan. Ik ga mijn verhaal vertellen zoals het is en zoals het was.

Dit is niet het begin, maar het is een goede plek om te beginnen…

•

1

Ik woon in Schotland, aan de oostkust, een paar kilometer voorbij St. Andrews. Het oosten van Schotland is vlakker dan het westen, de omgeving minder spectaculair. Wij hebben niet de grillige bergtoppen of naargeestige *glens*, vol dreiging door de verhalen over dode mensen. Wij hebben in plaats daarvan een vriendelijk glooiend en golvend landschap en de zee, die me kunnen opbeuren zoals een berg dat nooit zal doen.

En het weer is niet geweldig. Na een paar zonnige dagen worden we gestraft met de zeemist die binnen komt drijven vanaf de Noordzee, koud en zo dicht dat je op een gegeven moment geen hand voor ogen meer kunt zien. Maar vanavond is het precies zoals ik het graag heb en wanneer ik het avondeten heb klaargemaakt, sta ik bij de gootsteen de messen en de snijplank af te spoelen en zie een stelletje over het strand lopen, hun gezichten opgeheven om van de laatste zonnestralen te genieten.

De telefoon gaat. Ik droog mijn handen en neem op. 'Hallo,' zeg ik.

'Grace?'

Ik zeg niets terug. Ik heb het gevoel dat ik de stem herken, maar tegelijkertijd ook weer niet. Mijn hoofdhuid begint te tintelen en het gevoel breidt zich uit naar mijn gezicht. Met mijn vrije hand wrijf ik over mijn wangen.

'Grace?'

Ik zeg nog steeds niets. Ditmaal omdat ik weet wie het is.

'Ik ben het, Orla,' zegt ze.

Ik leg de telefoon neer, loop terug naar de gootsteen en pak de messen weer op, waarna ik ze afwas en een voor een langzaam en zorgvuldig afdroog voordat ik ze weer terugzet in het messenblok. Ik spoel de spaghetti af, schep hem om met olijfolie, leg er een deksel op en buk me dan om de ovendeur te openen. Het sap van de bessen is door de kruimeltaart omhoog geborreld en loopt in donkerrode riviertjes over de bovenste laag. Ik draai de oven uit en loop naar het toilet op de begane grond. Ik doe de deur achter me op slot en geef zo heftig en vaak over dat ik bloed proef.

De voordeur gaat open en valt weer dicht. 'Mam?' Ik hoor hoe Daisy haar schooltas in de gang laat vallen en naar de keuken loopt. 'Mam?'

'Ik ben hier.' Mijn stem trilt en ik schraap mijn keel. 'Ik kom eraan.' Ik plens wat water over mijn gezicht en kijk in de spiegel. Mijn ogen kijken me aan met grote, starende pupillen. Ik zie bleek en mijn schedel bonkt meedogenloos. Ik neem met een handjevol water twee Ibuprofen in en tel langzaam tot tien voordat ik de deur opendoe. Daisy zit op de onderste traptrede met de kop van onze hond Murphy op haar knie. Ze zit zachtjes voor hem te neuriën en wrijft over de achterkant van zijn oren. Zijn ademhaling vertraagt en hij bromt diep en tevreden.

'Hoe was het op school?' vraag ik.

Daisy kijkt naar me op. 'Je ziet er vreselijk uit. Heb je migraine?'

'Ik denk het.' Ik probeer te glimlachen, maar mijn hoofd doet te veel pijn. 'Waar is Ella?'

'Die loopt samen met Jamie naar huis.' Ze rolt met haar ogen, staat op en schopt haar schoenen uit. 'Ik snap niet wat ze in hem ziet. Wat eten we?'

'Spaghetti bolognese en vruchtentaart.' Bij de gedachte aan eten moet ik bijna weer overgeven. Ik leid mezelf af door me te bukken om haar schoenen in het rek te zetten, maar bedenk me wanneer de drummer in mijn hoofd tegen mijn slapen roffelt. Ik leun tegen de muur en probeer kalm te blijven, maar wanneer het drummen ophoudt hoor ik haar stem: *Ik ben het, Orla.*

Ik volg Daisy naar de keuken, waar zij een lepel saus uit de pan neemt. 'Lekker!' Ze lacht naar me, steekt haar armen naar me uit, kust me op mijn wang en slaat haar armen om mijn schouders. Ze is al zeker vijf centimeter langer dan ik en ik voel me heel klein, alsof zij ergens onderweg opeens de volwassene is geworden en ik het kind. 'Waarom ga je niet even liggen, mam? Het eten kan wachten.'

'Het gaat wel. Ik heb een paar pijnstillers genomen. Die beginnen zo te werken.'

'Als je het zeker weet.' Ze wrijft over mijn rug. 'Ik ga me even omkleden.'

Ik houd mijn hoofd een beetje schuin en schenk haar wat zij mijn O-Daisyglimlach noemt. Haar blouse hangt uit haar rok, haar stropdas zit scheef en ze heeft een gat in haar maillot. De manchetten van haar bijna nieuwe sweater beginnen al te rafelen.

'Ik ben niet van de uniformen,' zegt ze lachend tegen me.

Ik haal mijn hand door haar kortgeknipte haar en zij leunt er even tegen aan totdat ik haar zachtjes wegduw. 'Toe dan maar. Trek maar gauw je oude kloffie aan.'

Ze loopt de kamer uit en roept Murphy, die kwispelend met haar mee drentelt. Ik ga op een stoel zitten en probeer aan niets en niemand te denken. Het enige waarvan ik me bewust ben is mijn ademhaling en ik leg mijn hand op mijn borst en voel hoe elke ademhaling mijn longen eerst vult en dan weer leegmaakt.

Tegen de tijd dat Pauls autobanden over het grind op de oprit knerpen, voel ik me weer bijna rustig. Zijn portier valt dicht en ik hoor het gedempte geluid van zijn stem en vervolgens die van Ella, die antwoord geeft. Wanneer ze door de voordeur binnenkomen, loopt Ella half te praten en half te lachen. 'Zó bedoelde ik het niet, pap!' zegt ze. 'Het is een woordspelletje.'

Paul lacht. 'Ga me nu niet vertellen dat een van mijn dochters gevoel voor ironie begint te ontwikkelen. Het moet niet gekker worden!'

Ze komen de kamer binnen; Ella hangt aan zijn arm. Paul bukt zich om mij te zoenen. 'Alles in orde, schat?' Hij streelt mijn wang.

'Best hoor.' Ik ga staan en leg mijn hoofd tegen zijn hals. Meteen voel ik de tranen in mijn ogen springen en ik maak me van hem los. 'Hoe was het vandaag?'

'Het gebruikelijke uitstel bij de afdelingsvergadering, maar verder…' Hij stopt met praten. Hij kijkt naar me. Ik maak keurige stapeltjes van de brieven en rekeningen die op het dressoir liggen. Hij trekt me weer naar zich toe. 'Grace, je staat te trillen. Wat is er?'

'Gewoon hoofdpijn.' Ik druk mijn vingertoppen tegen mijn ogen zodat hij de uitdrukking erin niet kan zien. 'Gaat wel over.'

'Weet je het zeker?'

'Ja. Echt waar.' Ik schraap mijn keel. 'Combinatie van vermoeidheid en uitdroging.' Ik glimlach in de ruimte tussen zijn lichaam en het raam. 'Je kent me – ik drink nooit genoeg water.'

'Tja, alsof ik je dat al niet zo'n…'

'… honderd keer heb verteld.' Ik slaag erin hem in de ogen te kijken en zie niets anders dan oprechte bezorgdheid: geen argwaan of ergernis, alleen humor en een kalme vriendelijkheid, die me geruststelt. Ik waag het me nog eens tegen zijn hals te vlijen. 'Dank je.'

'Waarvoor?'

Ik kus hem vlak onder zijn oor en fluister: 'Omdat jij jij bent.'

Hij drukt me even tegen zich aan, laat me dan los en kijkt naar de tafel en naar Ella, die in de koelkast staat te rommelen. 'Is Daisy thuis?'

'Die is zich boven aan het omkleden.'

'Hoe is het vandaag met mijn vader gegaan?'

'Prima. Hij is naar de ijzerwarenwinkel in St. Andrews geweest. Kwam terug met een kofferbak vol spullen om het hek te repareren.'

'Geen vergeetachtigheid?' Hij doet zijn best niet bezorgd te klinken.

'Ik heb hem er niet over gehoord.' Ik wrijf van zijn schouder naar zijn hand en verstrengel mijn vingers met de zijne. 'Laten we ons niet bij voorbaat zorgen gaan maken.'

'Ik weet het.' Hij glimlacht geforceerd. 'Ik moet er alleen niet aan denken dat hij zou verdwalen en dat er niemand is om hem te helpen. Maar goed…' – hij opent de patiodeuren – 'ik zal hem even gaan roepen.'

Hij loopt naar buiten, naar het kleine appartement dat aan ons huis grenst en ik meng een dressing voor de salade.

'Gaan we al eten?' Ella kijkt me aan over het glas dat ze naar haar lippen brengt en neemt zo'n grote slok sap dat haar wangen opbollen.

'Ja. En het is klaar, dus eet alsjeblieft niets.' Ik sprenkel wat olie en citroensap over de groene salade. 'Ga jij je nog omkleden?'

Ze kijkt omlaag naar haar kleren. Ze draagt precies hetzelfde uniform als Daisy, maar op de een of andere manier staat het Ella heel modieus. De marineblauwe rok valt soepel om haar heupen en de plooien zwaaien heen en weer wanneer ze loopt en vallen dan tegen de voor- en achterkant van haar knieën. Ze heeft nooit gaten in haar maillots en haar stropdas zit altijd keurig in het midden. 'Ik hoef me niet te verkleden. Ik vind het goed zo.' Ze propt een plak koude ham in haar mond, pakt het pak sap, wil het in haar glas schenken, maar bedenkt zich en brengt het in plaats daarvan naar haar mond, waarna ze overdreven klokkend begint te drinken.

Ik zeg niets. Mijn hoofd doet nog steeds pijn, ik ben tot het uiterste gespannen – *Ik ben het, Orla* – en ik probeer altijd niet over álles ruzie te maken met Ella. Ik schuif langs haar heen en haal de warme schalen uit de oven.

'...en toen zei ik: "Doe geen moeite, jongeman, ik neem die bruine wel."' Ed komt samen met Paul binnen. 'Wat eten we, Grace?' roept hij, zich in zijn handen wrijvend. 'Dit vind ik altijd het fijnste moment van de dag.'

Ik kijk hem glimlachend aan. Ik ben dol op mijn schoonvader. Hij is nog een echte heer.

'Je ziet er een beetje moe uit, lieverd.' Hij pakt mijn handen. 'Kan ik je ergens mee helpen?'

'Je kunt de salade voor me mengen,' zeg ik tegen hem, terwijl ik zijn pezige gestalte omhels. 'Dan doe ik de rest wel.'

We gaan aan tafel om te eten. Paul en Ed zitten elk aan een kant van de tafel en de meisjes zitten tegenover mij. Bij het zien van eten draait mijn maag zich om en ik klem mijn kaken op elkaar tot de golf van misselijkheid wegebt. Ik schep op, geef mezelf een kleine portie en deel de borden rond. Iedereen bedankt me, behalve Ella. Zij is onder tafel druk bezig Murphy's kop op haar voeten te leggen. Paul kijkt omlaag naar de hond en stuurt hem naar zijn mand. Murphy negeert hem.

'Ik heb geen last van hem, pap,' zegt Ella tegen hem. 'Hij houdt mijn voeten warm.'

Paul glimlacht. 'Net als Bessie, hè, pa?'

'Dat was nog eens een hond,' zegt Ed.

Ik neem een hap spaghetti en eet automatisch, in beslag genomen door wat er zich in mijn hoofd afspeelt. Herinneringen breken uit hun schaal als eieren in een broedmachine: Orla doet een handstand in de zon en wanneer ik haar benen vastpak valt haar haar over mijn blote voeten; met onze armen om elkaars schouders geslagen doen we een driebeenswedloop, giechelend en duwend tot we hijgend op de grond vallen; zomermiddagen, rollend door de duinen totdat onze neuzen en monden kriebelen en vol zitten met zand; kooklessen, bloem op onze wangen, de deegroller als een wapen in haar hand; eindeloos schoenen, topjes, broeken, rokjes passen alvorens er ons zakgeld aan uit te geven. En dan de laatste keer dat we met z'n tweeën waren. De harde klap van haar hand op mijn wang.

'Is er nog meer, mam?' Daisy houdt haar bord op.

'Natuurlijk.' Ik schep nog wat op haar bord en geef het aan haar terug. 'Iemand anders nog een beetje?'

Ed steekt een hand uit en klopt zachtjes op de mijne. 'Het is zoals gewoonlijk weer heerlijk, Grace, maar ik houd liever nog wat ruimte voor mijn toetje, als je het niet erg vindt.'

Ik geef Paul nog een schepje en kijk naar Ella. Zij lijkt nog meer op haar bord te hebben dan toen ze begon. Ze schuift het een beetje heen en weer over haar bord, sorteert de ingrediënten soort bij soort en scheidt de tomaten van de olijven en de mozzarella van de basilicum. Wanneer ze de paprika uit de bolognesesaus begint te vissen, wend ik mijn blik af.

'Wacht maar tot jullie het huis uit gaan,' zegt Ed tegen de meisjes. 'Dan gaan jullie de kookkunst van je moeder pas echt waarderen. Let maar op.'

'Ik waardeer het nu al,' zegt Daisy, met een zijdelingse blik op haar zus.

Ella lijkt niets te hebben gehoord. Ze schuift haar bord weg en kijkt de tafel rond. 'Raad eens wie de hoofdrol in het toneelstuk heeft gekregen?' zegt ze.

'Welk toneelstuk?'

'*Romeo en Julia*, opa.'

'Ah!' Opeens, alsof er een wolk voor de zon drijft, wordt Eds blik wazig. Hij staart omlaag naar zijn vork, bekijkt hem van alle kanten en legt hem dan netjes naast zijn bord. 'Ik geloof niet dat ik weet waar die voor dient,' verklaart hij. Dan kijkt hij om zich heen en zegt: 'Waar is Eileen?'

'Eileen is hier nu niet, opa, en wij zitten met elkaar te eten,' zegt Daisy.

'Ja, natuurlijk. We zitten te eten.'

Hij kijkt bezorgd en ik voel zijn opkomende paniek. Ik leg mijn hand op de zijne.

'Maar waar is Eileen?' vraagt hij.

Hoe kunnen we hem vertellen dat zijn vrouw al vijf jaar dood is? In het begin probeerden we hem weer terug te krijgen naar het heden, maar het enige wat we daarmee bereikten was dat hij zijn verdriet weer helemaal opnieuw voelde, zo scherp als een mes dat door vlees snijdt.

'Mam is even bezig, pa,' zegt Paul tegen hem. 'Je eet vanavond bij ons.'

'O, ja.' Hij knikt bij zichzelf, probeert het te begrijpen en de woorden vast te houden. Hij kijkt mij aan. 'Is er een toetje, Alison?'

'Komt eraan,' zeg ik tegen hem. Op dit soort momenten ziet hij mij vaak voor zijn dochter aan en ik corrigeer hem niet.

'Hoe dan ook,' zegt Ella, zich tot haar vader richtend. 'Ik heb de rol.' Haar brede, opgewonden glimlach verlicht de hele tafel.

'Gefeliciteerd!' zeggen Paul en ik allebei tegelijk.

'Dat is fantastisch! En wie speelt Romeo?' vraag ik.

'Rob.' Ze haalt haar schouders op. 'Zelf zou ik hem niet hebben gekozen, maar meneer Simmonds schijnt hem de beste te vinden.'

'En hoeveel meisjes hebben er auditie gedaan voor Julia?'

'Een stuk of twintig.'

'En jij was de beste. Goed gedaan.' Paul steekt zijn hand uit en geeft haar een schouderklopje.

'Alleen maar omdat ze zo goed kan flirten,' merkt Daisy binnensmonds op.

'Ik hoor je heus wel,' zegt Ella.

'Nou, het is toch waar, of niet soms?'

'Ik weet niet of je het weet, maar er is echt wel wat voor nodig om te kunnen acteren en ik heb tenminste vriendjes. Als jij je niet als een pot zou kleden zou je misschien…'

'En als jij niet zo'n modegek was, zou je niet altijd geld van mij hoeven lenen.'

'Nou, en als jij een betere zus was, zou je blij voor me zijn,' bijt ze terug. In haar ogen wellen boze tranen op; ze schuift haar stoel naar achteren en stormt de kamer uit, de deur met een klap achter zich dichttrekkend.

Daisy kijkt haar na. 'Als ze net zo goed acteert, kan ik me voorstellen dat ze al die rollen krijgt.'

'Daisy!' zegt Paul met een zucht. 'Was dat nu echt nodig?'

Daisy krijgt een kleur. Ik geef haar haar toetje.

'Je moet je niet zo laten kennen,' gaat Paul verder, terwijl hij zijn lepel in de kruimeltaart steekt. 'Daar ben je te goed voor.'

Daisy's lepel blijft halverwege haar mond hangen. 'Waarom zou ik jaloers op haar moeten zijn? We zijn een eeneiige tweeling. Wij kunnen precies dezelfde dingen.'

'En daarom slaat het nergens op om elkaar zo op te jutten. Ik begrijp best dat jij die rol misschien ook wel wilde hebben...'

'Ik heb geen auditie gedaan,' zegt Daisy tegen hem, elke lettergreep duidelijk articulerend. 'Ik houd niet van toneelspelen.'

'Is dat een reden om Ella niet te steunen?'

'Ik steun Ella wel degelijk. Meer dan jij denkt.'

'Nou, zo ziet het er anders niet uit.'

Zijn toon is mild, maar Daisy kookt van woede. Ik wacht tot zij er nog een schepje bovenop doet, maar dat doet ze niet. Ze eet rustig haar toetje op en geeft mij het schaaltje. Haar handen zijn vaster dan haar blik en terwijl ze de kamer uit loopt, mompelt ze: 'Wat heeft het ook voor zin?'

'Daisy!' roept Paul haar na, maar ze negeert hem en hij werpt mij een verontschuldigend glimlachje toe. 'Sorry, schat. Je hebt heerlijk gekookt en nu zijn ze allebei boos. Ik snap niet wat Daisy zo nu en dan mankeert. Dit was hét moment voor Ella om te stralen, en zij heeft dat voor haar verpest.'

'Het zijn zusjes.' Ik haal mijn schouders op. 'Dat doen zussen nu eenmaal. Die kibbelen en maken ruzie. Wanneer Ella zo'n bui heeft kan ze net zo erg zijn.'

'Je hebt gelijk.' Hij geeft me met een spijtige blik zijn schaaltje aan. 'Ik maak het straks wel goed met Daisy. Wie heeft ooit beweerd dat het gemakkelijk is om vader en moeder te zijn?'

'Ik niet.' Ik denk aan mijn eigen ouders en de problemen die ik hun heb bezorgd. 'Maar jij krijgt het tenminste voor elkaar dat ze allebei dol op je zijn.'

'Vanavond is Daisy in elk geval niet dol op me.'

'Maar over het algemeen wel,' zeg ik. 'En ze respecteren je. Ik denk wel eens dat Ella liever zou hebben dat ik er niet was.'

'Dat verandert wel weer en voor je het weet ben ik degene op wie ze de pik heeft.' Hij buigt zich naar me toe en kust mijn wang. 'We komen er wel. We hebben elkaar. Dat is het allerbelangrijkste.' Zijn ogen vinden de mijne. Ze zijn zacht, zo grijs als duivenvleugels, en tegelijkertijd wijs en kalmerend; bijna vertel ik hem over het telefoongesprek. En meer. Maar ik kan het niet. Nu niet, nooit.

Hij kijkt naar de andere kant van de tafel. 'Wat denk je ervan, pa, zullen we een potje scrabbelen?'

Ed, die stilletjes zijn kruimeltaart zit te eten, klaart onmiddellijk op en ze gaan samen naar de woonkamer, het aan mij overlatend om de vaatwasser in te ruimen. Terwijl mijn handen het werk doen, zijn mijn gedachten heel ergens anders. Orla. Tot vanavond had ik meer dan twintig jaar niets van haar gehoord. Ik had de herinnering aan haar met zoveel succes weggestopt, dat ik amper aan haar had gedacht. Als jonge tieners waren we elkaars beste vriendin. We gingen overal samen heen, deelden dromen en ambities, overwinningen en mislukkingen. En toen, in het jaar waarin we allebei zestien werden, werd alles anders. Rose ging dood. En hoewel we de kans kregen om de waarheid te vertellen, grepen we die niet aan. We logen; elke leugen voedde de volgende, net zolang tot we een enorm, onoverbrugbaar geheim hadden gecreëerd.

Er wordt aangebeld en ik spring op, laat een bord vallen en zie het over de grond glijden alvorens het tot stilstand komt tegen de waterbak van de hond. Ik raap het op, zet het in de vaatwasser en loop naar de voorkant van het huis. Ik heb het afschuwelijke gevoel dat Orla daar zal staan en dat haar lichaam zich twee uur na haar stem zal materialiseren. Maar wanneer ik opendoe, zie ik tot mijn opluchting dat zij het niet is, maar Jamie, Ella's nieuwste vriendje. Hij kijkt me met een schaapachtige blik aan. Zijn haar staat in gelpieken rechtop op zijn hoofd en hij ruikt sterk naar deodorant.

Ella stormt de trap af en duwt me opzij. Ze draagt een strak, kort spijkerrokje en een topje dat haar middenrif bloot laat.

'Ella, we zijn in Schotland,' zeg ik tegen haar.

Ze heeft haar haar steil gemaakt en het valt kaarsrecht van haar voorhoofd omlaag, over één oog. Het andere oog staart me strijdlustig aan. 'Nou, én?'

'Straks bevries je nog. Trek alsjeblieft iets warmers aan.'

'Ik houd haar wel warm,' biedt Jamie aan en Ella giechelt. Zijn blik is openhartig, wellustig. Hij likt zijn lippen af en ik denk aan mijn mooie dochter, liggend in een zandduin, onder zijn zwetende puberlichaam. Ik wil hem achteruit de deur uit duwen en hem uit dit huis verbannen.

'Gaan jullie met z'n tweeën op stap?' vraag ik.

'Nee.' Zij schudt haar hoofd. 'Sarah, Mat, Lucy, Rob. Net als altijd.'

'Waar hebben jullie afgesproken?'

'Bij Di Rollo.'

'En dan gaan jullie allemaal naar het strand?'

Ze veinst een lachje. 'Duh.'

Ik kijk hen na. Hun heupen raken elkaar. Zijn hand glijdt langs haar rug omlaag en ze kussen elkaar onder een lantaarnpaal. Ik draai me om. Daisy staat naast me haar laarzen aan te trekken. 'Je vader bedoelde het niet zo kwaad,' zeg ik en ik streel haar hoofd.

'Dat weet ik wel, mam.' Ze haalt haar schouders op en toetst snel een sms'je op haar mobieltje. 'Ik ga nog even naar buiten. Ik ben voor donker thuis. En maak je geen zorgen om Ella,' roept ze over haar schouder. 'Die kijkt heus wel uit.'

Die kijkt heus wel uit? Een ongemakkelijk gevoel bekruipt me en nestelt zich in mijn maag. Ik wil Daisy nog iets naroepen, maar ze is al aan het eind van de straat. Ik doe de deur dicht, leun er even met mijn rug tegenaan en loop dan de trap op, naar Ella's kamer. Haar kaptafel is bezaaid met make-upspullen, verfrommelde zakdoekjes, watjes, kleingeld, oude buskaartjes, lege blikjes Cola Light, kaarsstompjes. De vloer ligt vol kleren, schone en vuile door elkaar. Haar schoolboeken liggen in een hoekje. Ik trek de la van haar nachtkastje open en zie een halfleeg pillenstripje op haar haarborstel liggen. Ik pak het en lees de naam. De pillen heten microgynon en bij elk pilletje staat een andere dag van de week. Ik probeer nuchter en logisch na te denken. Het lukt me niet. Ik blijf maar denken dat ze te jong is voor al die dingen die bij een volwassen leven horen: seks, verantwoordelijkheid, keuzes en consequenties. Een mijnenveld. Puur rationeel gezien, accepteer ik wel dat ze nauwelijks meer een kind is. Sterker nog, ze is even oud als ik was toen Orla en ik elkaar voor het laatst zagen: op het politiebureau, allebei doorweekt, in dekens gewikkeld, medeplichtig.

Ik leg de pillen terug in de la. Ik zal het er met Paul over hebben. Hij is nuchterder dan ik; hij is zelfverzekerder als ouder. Voor mij is het moederschap iets instinctiefs en mijn instinct vertelt me dat ik mijn meisjes voor vergissingen moet behoeden. Maar ik heb geen idee hoe ik dat het best kan doen – ik kan ze moeilijk opsluiten.

Het mobieltje in mijn zak begint als een parkiet te tsjilpen. Ik kijk naar de naam die op het schermpje verschijnt: Euan.

'Ha, Grace. Is Sarah bij jou?'

'Nee. Ze zijn met z'n allen naar Di Rollo.'

Hij zucht. 'Fijn. Ze is nog niet thuis geweest van school en ze moet leren voor haar geschiedenis morgen.'

'Je kunt haar daar natuurlijk gaan ophalen, maar…'

'Ik weet niet of ik mijn leven dan nog wel zeker ben. Sinds wanneer is het normaal dat ze niet meer alleen op vrijdag- en zaterdagavond uitgaan?'

'Zoals toen wij jong waren?'

'Ja.' Hij begint te lachen. We hebben wel vaker zulke gesprekken. Het gaat meestal zo van: toen wij zo oud waren hadden we het niet in ons hoofd gehaald om…

'Hoe is het er verder mee?' vraagt hij.

'Hoe het ermee is?' herhaal ik met een lach. Het klinkt alsof ik gewurgd word.

'Ik heb je vandaag gemist op het werk.'

'Ik ben met wat voorbeelden naar Margie Campbell in Perth geweest,' zeg ik en ik sluit mijn ogen om gedachten aan Orla en wat zij van mij weet te verdringen. 'Ze heeft me gevraagd het uitzicht vanuit haar ouderlijk huis in Iona te schilderen.'

'Geweldig.' Ik voel hem knikken. 'Je begint echt een lokale be-roemdheid te worden.'

'Misschien. Maar, Euan…' Ik zwijg, laat de telefoon op mijn schouder balanceren en vouw mijn armen voor mijn borst. 'Herin-ner jij je Orla nog?' zeg ik opeens.

'Ja?'

Ik voel de tranen achter mijn ogen prikken en druk mijn vingers ertegenaan tot ik sterretjes zie. 'Ze heeft me vanmiddag gebeld.'

'Shit.' Hij fluit. 'Wat wilde ze?'

'Ik weet het niet. Ik heb het gesprek afgekapt voordat ze kans had me dat te vertellen.' Ik probeer met mijn vingertopje een balpen-streep op de muur weg te wrijven. 'Ik schrok me dood van het ge-luid van haar stem. Ik dacht dat ik nooit meer iets van haar zou horen. Ik hóópte dat ik nooit meer iets van haar zou horen.'

'Denk je dat ze terugbelt?'

'Geen idee.'

Hij wendt zich af van de telefoon en ik hoor hem iets tegen Mo-nica, zijn vrouw, zeggen. 'Ze is op het strand. Oké, ga jij maar. Ja.' Nu spreekt hij weer in de telefoon. 'Ik vraag me af waarom ze je na al die tijd weer belt.'

'Op zes dagen na vierentwintig jaar,' zeg ik. 'Ik heb het uitgerekend.'

'Grace, niet doen,' zegt hij. 'Geen oude koeien uit de sloot halen.'

'Weet je nog toen we klein waren?' Ik fluister nu. 'Weet je nog hoe Orla er altijd in slaagde haar zin te krijgen, wat er ook gebeurde?'

'Ja, dat weet ik nog.' Het blijft even stil en ik vraag me af of hij hetzelfde denkt als ik. 'Kom je morgen werken?'

'Ja.'

'Tot morgen dan… en, Grace?'

'Ja?'

'Maak je geen zorgen.'

Ik geef geen antwoord. Hoe kan ik me geen zorgen maken?

'Grace?'

'Wat?'

'Het komt wel goed. Waarschijnlijk zat ze een beetje aan vroeger te denken, belde ze in een opwelling en doet ze het geen tweede keer.'

Ik wilde dat ik hem kon geloven. 'Maar hoe kon ze weten hoe ik na mijn huwelijk ben gaan heten? Hoe is ze aan mijn nummer gekomen? Denk je dat ze Monica heeft gesproken?'

'Monica heeft het er niet over gehad en ik denk dat ze dat zeker zou hebben gedaan. Ze heeft Orla nooit gemogen. Ze zou het je zeker eerst hebben gevraagd voordat ze haar je nummer zou geven.'

Dat denk ik ook. Als kinderen konden ze elkaar al niet uitstaan. Ik kan me niet voorstellen dat Monica bereid zou zijn Orla te woord te staan, laat staan dat ze haar zou willen helpen door haar mijn telefoonnummer te geven. Ik breek mijn gesprek met Euan af en ga in de deuropening staan kijken hoe Ed en Paul zitten te scrabbelen. Ze hebben mij niet in de gaten. Ze gaan helemaal op in het spel, vader en zoon, genietend van elkaars nabijheid. Paul speelt voor de winst, maar laat zich zoals gewoonlijk nergens op voor staan en lacht gewoon met Ed mee, geheel in de geest van hun zogenaamde rivaliteit. Hij is een goed mens, een geweldige echtgenoot en vader en ik houd meer van hem dan ik zeggen kan. Een leven zonder hem is ondenkbaar. Ik vraag me af wat ervoor zou moeten gebeuren om hem zover te krijgen dat hij niet meer achter me zou staan. Ik vraag me af hoever zijn liefde voor mij gaat. Ik vraag het me af, maar ik wil het niet weten.

15 juni 1984

Rose dringt zich naar voren en prikt met haar puntige vingers tussen de ribben van de andere meisjes. Ze protesteren niet. Ze gaan voor haar opzij omdat Rose' moeder onlangs is overleden en juffrouw Parkin ons allemaal heeft opgedragen extra lief voor haar te zijn. 'Rose zit in jouw patrouille, Grace, want ik weet dat ik op je kan vertrouwen,' zegt ze tegen mij.

Ik verveel me dood, maar probeer het niet te laten merken. Ik ben bijna zestien en kan niet wachten tot ik bij de gidsen weg kan, maar ik heb beloofd nog één keer mee op kamp te gaan. Er zitten vijf meisjes in mijn patrouille, allemaal onder de twaalf, en Rose, de jongste, is net negen geworden. Dat maakt haar een jaar te jong voor de gidsen, maar juffrouw Parkin is haar onderwijzeres op de basisschool en heeft haar toestemming gegeven er al zo jong bij te komen.

De meisjes staan allemaal met open mond naar me op te kijken, in afwachting van mijn instructies. 'Gaan jullie maar wat takken zoeken,' zeg ik tegen hen. 'En let erop dat ze droog zijn. Wacht even, Rose.' Voordat ze samen met de anderen weg kan rennen, pak ik haar arm en wijs naar haar veters, die los uit haar schoenen hangen. 'Eerst je veters vastmaken, anders struikel je erover.'

Ze kijkt bezorgd in de richting van de andere meisjes, die tussen de bomen verdwijnen.

'Maak je geen zorgen, je haalt ze wel in.' Ik buk me om haar te helpen.

'Dank je, Grace.' Ze glimlacht aarzelend en ik zie haar wijd uit-een staande tanden. 'Ik kan nog geen dubbele strikken.'

'Dat leer je nog wel.' Ik streel haar haren en geef haar een vrien-delijk zetje. 'Ga maar gauw.'

'Heb je je eindelijk van je schaduw bevrijd?' Orla komt naar me toe. Ze heeft haar handen in de zakken van haar korte broek en kauwt met halfopen mond op haar kauwgom.

'Ze valt wel mee. Ze wil alleen verschrikkelijk graag alles goed doen. Zo waren we zelf vroeger ook.'

'Jij misschien! Ik niet.' Ze haalt sigaretten en een aansteker uit haar zak. 'Maar haar vader is wel een lekker ding, hè?'

'Dat was me nog niet opgevallen.'

'Liegbeest!'

'In 's hemelsnaam!' sis ik, om me heen kijkend om te zien of er niemand meeluistert. 'Zijn vrouw is pas overleden.'

'Nou én?' Ze haalt achteloos haar schouders op. 'Dat maakt hem niet minder aantrekkelijk. Ga je mee?' Ze zwaait met haar sigaretten.

Ik schud mijn hoofd.

'Dan niet.' Ze werpt me een vuile blik toe. 'Lekkere vriendin ben jij.'

Ze beent met boze stappen weg en ik aarzel en ga haar bijna ach-terna, maar doe het toch niet. Ze doet al een paar weken vreemd. Ik weet niet wat haar mankeert en ze wil het me niet vertellen. Ik vermoed dat het iets met haar ouders te maken heeft. Die hebben huwelijksproblemen en Orla zit daar, als enig kind, precies tussenin.

Ik wil haar wel helpen, maar telkens wanneer ik dat probeer krijg ik een grote mond en maakt ze me duidelijk dat ik me met mijn eigen zaken moet bemoeien.

Ik loop tussen de bomen door naar het kampvuur. De bodem ligt bezaaid met eikels en dennenappels en de grond veert onder mijn laarzen. De lucht ruikt zoeter dan versgebakken brood of Euans pasgeboren neefje wanneer hij net in bad is geweest en met talkpoeder is ingewreven, en er waait een koel briesje door de takken. De andere patrouilleleidsters hebben zich al op de open plek verzameld en we staan nog een minuut of tien te kletsen voordat juffrouw Parkin ons komt vertellen wat we moeten doen. Ze ziet er gekweld uit. Haar haar piekt alle kanten uit en haar blouse is zo gekreukt dat het lijkt alsof ze er een paar weken in heeft geslapen.

Orla is weer helemaal vrolijk. Ze komt naast me staan en fluistert in mijn oor: 'Nog een dag of wat en ze is compleet doorgedraaid.'

'Orla, houd op met dat gebabbel!' blaft juffrouw Parkin en ze kijkt ook mij aan. 'Jullie tweeën zorgen voor de worstjes.'

De worstjes zijn verpakt in vetvrij papier en het zijn er meer dan honderd, strak en glanzend in hun velletjes. Ik laat ze op de schaal glijden. Ze zitten allemaal aan elkaar vast en ik zwaai ze om mijn hoofd als een cowboy met een lasso. Orla kijkt me aan en we beginnen te giechelen. Juffrouw Parkins voelsprieten prikken onmiddellijk weer in onze richting. Ze roept onze namen en wij richten ons op, zo stram als lantaarnpalen. Ik houd de worstjes vast en Orla snijdt ze los met het mes.

'Waar doet dit je aan denken?' vraagt Orla aan mij. Ze houdt er een voor haar korte broek, laat hem omhoog wijzen en zwaait ermee heen en weer.

'Aan Callum wanneer juffrouw Fraser zich naar voren buigt voor het bord,' zeg ik meteen en we komen niet meer bij van het lachen, een slordige wirwar van slappe armen en benen.

Wanneer we op de grond vallen geeft Juffrouw Parkin ons een tik tegen de achterkant van onze blote benen. 'Jullie zouden een voorbeeld moeten zijn voor de jongere meisjes,' zegt ze tegen ons. 'En schiet nu op, anders krijgen jullie patrouilles geen punten.'

We hijsen ons weer overeind en ik onderdruk opborrelende lachstuipen met gedachten aan hongerende kindertjes in Biafra en mensen die hun tenen kwijtraken door bevriezing of honden die worden geslagen en uitgescholden.

Het vuur brandt en wij leggen de worstjes op de geïmproviseerde grill. Het is mijn taak om ze om te draaien en dat doe ik heel zorgvuldig, terwijl ik de brandende vonken van mijn armen schud. Orla werkt om mij heen en is druk in de weer met borden en bestek. Af en toe, wanneer juffrouw Parkin de andere kant op kijkt, doet ze een uitval naar me en prikt me hard in mijn nieren. De vierde keer dat ze dit doet, duw ik haar naar achteren en valt ze op de grond, boven op een stapel takken. Ze blijft doodstil liggen, haar ledematen verwrongen in een parodie op de dood. Ik schenk er geen aandacht aan. Ik heb onlangs mijn eerstehulpinsigne gehaald en weet wanneer ik voor de gek word gehouden.

De worstjes zijn bijna gaar en ik schuif er alvast een paar naar de zijkant. De geur doet me het water in de mond lopen en eigenlijk wil ik spuwen als een jongen, maar juffrouw Parkin houdt ons in de gaten.

Monica en Faye staan met hun hoofden dicht bij elkaar geconcentreerd te werken. De een snijdt met een broodmes langwerpige broodjes open en de ander spuit er een golvend streepje ketchup over. Monica ziet er zoals gewoonlijk tot in de puntjes verzorgd uit, alsof ze zo bij de kapper vandaan komt. Ik vraag me af hoe ze dat doet.

Orla staat alweer. 'Ik had wel dood kunnen zijn,' zegt ze met een verontwaardigd pruilmondje.

'Was het maar waar,' zeg ik met geluidloos bewegende lippen tegen haar.

Ze pakt een worstje en bijt het puntje eraf. 'Zullen we vanavond stiekem naar de jongens gaan?'

Ik geef geen antwoord. De jongensclub kampeert driehonderd meter verderop, door het bos en aan de andere kant van het meer. Er zijn ook een paar jongens van onze school bij, zoals Euan, met wie ik nu vijf weken en zes dagen verkering heb. Hij is mijn buurjongen en we kennen elkaar van jongs af aan, maar dat heeft niet kunnen voorkomen dat ik voor hem ben gevallen. Het idee om samen met hem in zijn tent te zijn laat mijn hart bonken, maar ik wil Orla er niet bij hebben. Euan is van mij en ik ben niet van plan hem te delen.

Uiteindelijk gaan we allemaal zitten om te eten en voor het eerst die dag is iedereen stil. De witte broodjes met de worstjes smaken hemels. Het brood smelt op mijn tong en het warme worstje barst open en laat het zoute, sappige varkensvlees in mijn keel glijden. We verorberen drie van die vette happen per persoon en laten ons dan met onze rug tegen met truien zachter gemaakte rotsblokken zakken en vergelijken de omvang van onze buiken.

Tussen de bomen komt de schemering opzetten, werpt schaduwen achter ons en blaast een koude wind over onze vermoeide lichamen. Wanneer juffrouw Parkin zich even heeft omgedraaid, pakt Orla de ketchupfles, draait hem om en vormt woorden op de schaal, heel langzaam en doelbewust, letter voor letter, alsof ze een taart aan het versieren is. Ik ga rechtop zitten om te lezen wat ze heeft geschreven: *Rose! Mammie wil met je praten.*

Ik kijk haar aan. Ze is zo brutaal en schaamteloos als een wolf die op jacht is. Zonder haar blik van mij af te wenden, geeft ze Rose een por met haar voeten. Rose, die al half in slaap is, ligt opgekruld als een poesje naast mij. Ze wordt wakker en gaat zitten, één oog nog dicht.

'Wat is er?' zegt ze, over haar wang wrijvend.

'Er is een boodschap voor je, Rose!' Orla schudt haar nu helemaal wakker. 'Kijk! Hij komt van gene zijde.'

Ik grijp een te hard gebakken, aangebrand worstje en voordat Rose de woorden kan lezen, haal ik hem door de ketchup totdat er niets meer over is dan wat halve vormen en klodders.

'Nou!' jammert Rose en ik trek haar naar me toe.

'Ga maar weer lekker slapen,' zeg ik tegen haar, haar weer naast me neerleggend.

'Maar wat is gene zijde en wat stond er?' vraagt ze.

'Niks.' Ik kijk Orla woedend aan.

Zij kijkt even woedend terug. 'Spelbreekster,' zegt ze.

2

De volgende ochtend blijf ik tot bijna zeven uur liggen, dicht tegen Pauls rug aan, nagenietend van de intimiteit van de vorige avond. Na Orla's telefoontje was ik alert en onrustig, maar tegen de tijd dat ik in slaap viel, was het naar de achtergrond verdrongen. Zodra het potje scrabble was afgelopen en Ed zich klaar ging maken om naar bed te gaan, vertelde ik Paul dat ik erachter was gekomen dat Ella aan de pil was. Zijn reactie was, zoals ik al had verwacht, weloverwogener en minder angstig dan de mijne. Hij herinnerde mij eraan dat ze in elk geval verstandig is en over een paar dagen zestien wordt: nog niet volwassen, maar ook zeker geen kind meer. We bereiken er niets mee haar gedrag keihard te veroordelen, maar misschien bereiken we wel iets met een rustig gesprekje over hoe ze zich voelt en wat haar plannen zijn. We hebben afgesproken dat ik na school met haar zal praten en Daisy ook in het gesprek zal betrekken, zodat Ella niet het gevoel krijgt dat ik het alleen op haar voorzien heb.

Toen kwamen de meisjes thuis van hun avondjes uit en gingen we allemaal naar bed. Paul en ik lagen nog een poosje naast elkaar te praten over de mogelijkheid van een sabbatical in Australië. Paul is al veertien jaar hoogleraar in de mariene biologie aan de St. Andrews Universiteit, maar hij heeft nog wat tijd voor onderzoek te goed en heeft gesolliciteerd op een aanstelling aan de universiteit van Melbourne. Met een beetje geluk gaat het lukken en pakken we over twee maanden ons boeltje om naar Victoria te verhuizen. Pauls zus en haar gezin wonen daar al meer dan vijftien jaar en verheugen zich al op onze komst.

Paul en ik lagen een tijdje plannen te maken en ons voor te stellen waar we gaan wonen en hoe we onze vakanties gaan doorbrengen – duiken of paardrijden? Het Barrier Reef of de Blue Mountains? – en even later lagen we opeens te vrijen, zo'n soort getrouwde seks die tien minuten duurt maar een gevoel van liefde achterlaat dat dagen aanhoudt.

Daisy is de eerste die haar bed uit komt en ik ben de tweede, maak het ontbijt klaar en zwaai iedereen uit alvorens ik zelf de deur uit ga. Ik bof, ik kan lopend naar mijn werk. Ik roep Murphy en loop onze straat uit, naar het water. De haven is vanochtend verlaten en het is eb. De boten zijn al uitgevaren naar de diepere wateren van de Noordzee, waar de vissers schaaldieren en krabben vangen. De kademuur is meer dan tweehonderd meter lang en een meter breed en ik loop erlangs en geniet van de kracht van de wind die van zee komt en mij achteruit probeert te blazen. Af en toe vindt Murphy een geurtje dat zo onweerstaanbaar is dat hij er even aan blijft staan snuffelen en draai ik me om om naar ons huis te kijken. Het is heel lichtblauw geschilderd, de kleur van eendeneieren, en koestert zich in de zomerse zonneschijn. Er moet nodig wat aan de voortuin worden gedaan en het grind van de oprit ligt tot op de weg, maar in mijn ogen ziet het er volmaakt uit.

Wanneer ik het einde van de muur heb bereikt, loop ik het pad op, dat aan één kant wordt omzoomd door gele brem en aan de andere kant door een zandstrand. De zee is grijs en zwaar en beweegt ritmisch naast me als een tijdloze, geruststellende metgezel. Ik adem de zilte lucht in en kijk omhoog naar de hemel waar wolken langs het blauw naar de verre horizon drijven.

Ik ben dol op het weer hier. Het is niet een of andere achtergrond, het is helemaal echt. Soms komen op één dag alle vier de seizoenen langs, alsof ze auditie doen voor een rol in Gods toneelstuk. Verwarde toeristen trekken hun regenjassen en truien aan en uit, verbazen zich over de hitte van de zon, om twintig minuten later in hun rugzakken op zoek te gaan naar iets warms om hun kippenvel te bedekken.

Het water wordt hier nooit warm. Dat gebeurt gewoon niet. Dat maakt wetsuits tot zo'n geweldige uitvinding. Toen we klein waren hadden we die nog niet en als kinderen renden we de zee in, sloegen onze armen om onszelf heen, gilden, dansten in de golven en sprongen van de ene bevroren voet op de andere. Maar wat we altijd hebben is wind en een meter of honderd uit de kust zie ik al wat windsurfers bezig. Hun zeilen wijzen omhoog en strepen in alle primaire kleuren lopen als de penseelstreken op een kindertekening over de witte stof.

Het is een optimistische hemel en ik voel me zelf ook optimistisch. Er gaan allerlei gedachten door mijn hoofd – Orla, Ella, Ed, een triumviraat van zorgen – maar ik blijf er niet bij stilstaan. In plaats daarvan geniet ik van de wandeling, de ene voet voor de andere, Murphy op mijn hielen en de zeewind langs mijn wangen.

Wanneer ik de laatste hoek om kom zie ik Monica haar tas en jas in de kofferbak van haar auto leggen. Ik ga wat langzamer lopen. Het is laf, ik weet het, maar ik hoop dat ze al achter haar stuur zit en wegrijdt voordat ik dicht genoeg bij haar ben om iets tegen haar te kunnen zeggen.

Monica is een van die vrouwen die een licht werpen op mijn eigen tekortkomingen. Ze is een succesvolle en populaire huisarts. Ze kleedt zich prachtig: zijden blouses en perfect zittende pakjes. Ze doet aan pilates, ze loopt marathons, ze tennist en ze golft. Ze is helder, glashelder, over wat ze heeft en wat ze wil. Ze is georganiseerd. Haar kinderen vergeten nooit hun broodtrommeltjes of gymnastiekspullen en hebben altijd op tijd hun huiswerk af. En ze heeft totaal geen twijfels bij hun opvoeding. Ze weet precies wat ze nodig hebben: liefde, begeleiding en kansen. Ze drinkt niet meer dan één glas wijn op een avond, ze beperkt haar koffieconsumptie tot twee kopjes per dag en ze kiest altijd voor de caloriearme muffin.

We hebben een lange geschiedenis samen, beginnend op de lagere school toen ik, pas nieuw en helemaal alleen in mijn nieuwe rode overgooiertje, aan het witte, gesteven kraagje om mijn nek stond te frunniken. Het was lawaaierig. De jongens stonden te dringen en te duwen in de rij. Ik had pijn in mijn buik en ik vond de schoolmaaltijden er helemaal niet lekker uitzien – klonterige aardappelpuree, kool waarvan de rillingen me over de rug liepen en een enorme metalen bak vol vette sardientjes.

Het huilen stond me nader dan het lachen. Monica maakte plaats voor mij op de bank. Ze klopte op de lege plek en gebaarde dat ik naast haar moest komen zitten. In mijn borst welde een dankbaarheid op die mij deed glimlachen. Vervolgens vertelde ze me dat mijn schoenen vuil waren en dat ik ze vanavond toch maar eens moest poetsen. Misschien had ik zelfs nieuwe nodig?

Dat is Monica. Wat ze met de ene hand geeft, pakt ze met de andere terug.

Ik zie dat ze vanochtend geen haast heeft. Sterker nog, ze staat op me te wachten. Wanneer ik dichterbij kom, draait ze zich naar me om en lacht tegen de zon in. 'Ha, Grace. Ik heb begrepen dat felicitaties op hun plaats zijn?'

Ik schud mijn hoofd. 'Hoezo?'

'Euan zei dat je weer een nieuwe opdracht hebt.'

'O, dat.' Ik knik alsof ik het me opeens herinner. 'Margie Campbell.'

'Ja, Margie.' Ze laat haar hand over de lavendelstruik glijden. Murphy denkt dat ze hem wil aaien en komt kwispelstaartend op haar af. Zij duwt hem weg en begint met snelle, handige bewegingen de dode bloemen uit de lavendel te plukken. 'Geweldige vrouw, Margie. Echt iemand met gemeenschapszin. Ze steunt graag plaatselijke kunstenaars.' Ze kijkt naar me op. 'Goedschiks of kwaadschiks.'

'Mmm. Inderdaad.' Ik glimlach terug.

'Tom gaat vandaag niet naar school. Hij was vannacht ziek, dus hij blijft vandaag boven in bed.' Ze trekt het portier van haar wagen open. 'Laat Euan hem niet vergeten.'

'Komt in orde.'

'En als hij wat is opgeknapt, laat Euan hem er dan aan herinneren dat hij zijn pianolessen nog moet oefenen.'

'Oké.' Ik doe het hek open en loop erdoorheen.

'En om elf uur komt de glazenwasser. Zijn geld ligt op het aanrecht.'

Ik zwaai over mijn schouder en loop langs de zijkant van het huis. Het is opgetrokken uit grote, massieve stenen van grijs, zilver- en goudgeaderd graniet. Het is het soort steen dat mooi verweert en de klimrozen maken het beeld van een ideaal landhuis helemaal af.

Ik volg het kronkelende pad van stapstenen naar het einde van de tuin. Euan is architect en hij en ik delen een werkruimte. Hij heeft het zelf ontworpen, kort nadat ze terugkwamen uit Londen. Het huisje is modern, gebouwd van Scandinavisch vurenhout en is een en al ronde hoeken. Het dak is gemaakt van lagen cederhouten dakspanen die nauwelijks opvallen tussen de omringende bomen en staat in zo'n hoek dat er door vijf enorme veluxramen daglicht in de kamers valt. Er zijn twee kamers; in de ene werken we, de andere is een logeerkamer met een tweepersoonsbed en aangrenzende badkamer.

Wanneer ik naar de deur loop zie ik Euan al door het zijraam. Hij werkt aan een schuurverbouwing voor een van de plaatselijke juristen en staat voor zijn tekenbord. Hij draagt een T-shirt met NU NIET IK BEN BEZIG erop, een spijkerbroek en een paar sportschoenen.

Ik duw de deur open. Murphy blaft, rent op Euan af en springt tegen hem op. Euan worstelt hem weer op de grond en wrijft hem net zolang over zijn oren tot Murphy weer begint te blaffen. Intussen is Euans hond Muffin naar mij toe gekomen. Zij is ook een labrador, een zachtaardiger, rustiger uitvoering van Murphy, en zij drukt een rafelige slipper in mijn hand. Ik pak hem van haar aan en gooi hem door de kamer. Ze rent erachteraan en Murphy volgt haar voorbeeld, waarna zij in hun hondenmand in de hoek gaan liggen, met hun koppen op elkaars rug.

Euan draait rondjes met zijn armen, als een atleet die zich opwarmt. 'Fijne wandeling gehad?'

Ik knik. 'Het is een heerlijke dag buiten. Dus Tom is niet lekker?' Ik trek mijn jas uit.

'Verhoging, hoofdpijn, de hele nacht lopen overgeven. Wat zal ik ervan zeggen?' Hij wrijft beide handen over zijn gezicht. 'Hij is dertien. Ik dacht dat we die tijd nu wel hadden gehad.'

'Hoe laat ben je begonnen?' vraag ik.

'Om een uur of zes.' Hij gaat zitten. 'Heeft Orla nog teruggebeld?'

Ik schud mijn hoofd. 'Ik heb onderweg hiernaartoe lopen denken. Waar maak ik me eigenlijk druk om?' Ik hang mijn jas aan de kapstok en kijk hem aan om bevestiging te zoeken. Zijn blik verraadt niets. 'Waarom zou ze slapende honden wakker willen maken? Wat zou ze daar in vredesnaam aan hebben?' Ik controleer het waterpeil in de ketel en druk het knopje in om hem aan te zetten. 'Welke reden kan ze hebben om het verleden op te gaan rakelen? Waarom zou ze?' Ik adem uit. 'Koffie?'

'Graag.'

'Ik denk niet dat ze nog eens zal bellen.' Ik kijk hem aan en hij trekt vragend zijn wenkbrauwen op. 'Maar als ze het toch doet, zal ik haar meteen duidelijk maken dat ik niets meer van haar wil horen. In vredesnaam zeg, we zijn volwassen vrouwen. Wat kan ze doen? Me treiteren? Stalken? Ons geheim van de daken schreeuwen?' Ik staak mijn tirade, ga zitten en kijk recht voor me uit. 'Zal ik je eens wat vertellen? Ik denk dat ik wat overdreven heb gereageerd.'

'Nou...' Euan kijkt weifelend.

'Nee, dat denk ik echt. Ze schaamt zich waarschijnlijk voor het hele gebeuren en...'

Hij valt me in de rede. 'Ze schaamde zich anders nooit zo snel.'

'Misschien is ze wel veranderd.'

'Ben jij veranderd? Of ik?'

'Veranderd?' Ik denk even na. 'Ja... en nee.'

'Laat je niet door haar in de luren leggen. Je weet waartoe ze in staat is.'

Ik denk terug aan een aantal van de leugens die ze heeft verteld en de mensen die ze heeft gekwetst en huiver onwillekeurig. 'Denk je dat ze van plan is terug te komen naar het dorp?' Ik slik de brok in mijn keel weg. 'Denk je dat ze iets over Rose gaat zeggen?'

'Ik heb geen idee.' Hij kijkt bezorgd. 'Maar tenzij ze een persoonlijkheidstransplantatie heeft ondergaan, denk ik dat alles mogelijk is.'

Het is niet wat ik horen wil en ik zak onderuit in mijn stoel. 'Wat vind jij dan dat ik moet doen?'

'Je moet vriendelijk tegen haar doen. Erachter zien te komen waar ze op uit is.'

'Houd je vijanden te vriend, bedoel je?'

'Precies.'

'Denk je werkelijk dat zij misschien mijn vijand is?'

'Denk maar eens na. Denk aan hoe ze zich vroeger gedroeg.'

Ik denk erover na. 'Zo erg was ze toch niet?'

'Ze liet jou gewoon naar haar pijpen dansen.'

'Niet altijd,' zeg ik langzaam. 'Het kwam ook wel voor dat het oorlog was tussen...'

De vloer in de gang kraakt en we kijken allebei om. Tom is erin geslaagd om de tuin door te lopen en binnen te komen zonder dat wij er iets van hebben gemerkt. Hij loopt op blote voeten en krabt aan zijn kruis.

'Grace, ik voel me niet lekker.'

'Arme jij.' Ik kijk hem meelevend aan. 'Voel je je nog steeds zo rot?'

'Een heel klein beetje beter.' Hij kijkt me met half dichtgeknepen ogen aan. 'Het is veel te zonnig buiten.'

'Gesproken als een ware Schot! Wil je liever hier slapen?'

'Mag dat, pap? Ik ben thuis zo eenzaam.'

'Natuurlijk.' Euan geeft hem een klap op zijn rug en ik loop met hem mee naar de slaapkamer. Het bed is al opgemaakt en ik trek de dekens terug.

'Klim er maar in, knul,' zeg ik, op de vrolijke toon van een verpleegster. 'Slaap is de beste medicijn.'

'Het is zo zonde dat dit bed nooit wordt gebruikt.' Hij laat zichzelf erin vallen en grijpt een kussen om tegen zich aan te drukken. 'Wanneer we gasten hebben slapen ze altijd in het huis. Als ik achttien ben hoop ik dat pap mij het huisje geeft als vrijgezellenstekkie. In de twee kamers boven in ons huis is het licht genoeg voor hem om te werken.' Hij doet één oog open. 'En voor jou ook, Grace. Want tegen die tijd heb ik mijn eigen plek nodig voor als ik laat thuiskom en zo.'

'Het zou wel eens kunnen dat Sarah je voor is, Tom. Zij is twee jaar ouder dan jij.'

'Die blijft niet lang meer thuis. Die gaat regelrecht naar de universiteit.' Hij geeuwt. 'Mam werkt op haar zenuwen.'

'Tja, het valt niet mee om moeder te zijn,' zeg ik, de dekens rond hem instoppend. Ik denk aan Ella en voel een extra gewicht op mijn borst drukken wanneer ik inadem. 'Moeders kunnen soms helemaal niets goed doen.'

'Ik heb echt honger.'

'Je moet niet te snel weer gaan eten. Als je wakker wordt, maak ik wat voor je klaar, dat beloof ik.'

'Bedankt, Grace. Je bent geweldig.'

Ik streel zijn haar glad. Zijn lange wimpers liggen op de welving van zijn wangen, hij heeft sproeten op zijn neus en een brede mond die altijd lacht. Hij lijkt zo sprekend op Euan toen hij dertien was dat mijn hart ineenkrimpt.

Als ik thuiskom zijn de meisjes er al. Ze zitten in de woonkamer. Ella ligt op haar buik op de bank, met haar ogen dicht en haar wang op een schoolboek. Haar ene hand hangt vlak boven de grond en zoekt naar Murphy, die voor mij uit de kamer binnendringt; met haar andere hand draait ze een pluk haar om haar wijsvinger. Daisy zit schuin in een van onze gemakkelijke stoelen. Haar benen bungelen over de armleuning, ze heeft een scheikundeboek op schoot en wanneer ik binnenkom kijkt ze naar me op.

'Mam, wist jij dat Antoine Lavoisier, een scheikundige, tijdens de Franse Revolutie werd onthoofd en dat hij zijn vrienden had verteld dat hij zo lang mogelijk met zijn ogen zou blijven knipperen wanneer zijn hoofd eraf was?' Ze kijkt weer in haar boek. 'De laatste keer dat hij knipperde was vijftien seconden na zijn onthoofding.'

'Verbazingwekkend!' Ik glimlach. 'En pijnlijk, lijkt me.' Ik wrijf in mijn handen. 'Ander onderwerp, meiden! Dit lijkt me nu eens een mooi moment voor ons drieën om even te kletsen.'

'Oké.' Daisy slaat haar boek dicht.

'Ella, kunnen we even praten?'

Ze werkt zich op één elleboog omhoog en kijkt fronsend naar me op. 'Ik ben aan het leren.'

'Dat zie ik.' Ik knik bemoedigend. 'Maar misschien heb je even vijf minuutjes. Kan dat?'

Ze slaakt een vermoeide zucht en komt moeizaam overeind tot ze zit. 'Als het over mijn kamer gaat, dan ga ik die in het weekend wel opruimen. Daar heb ik geen hele preek voor nodig.'

'Nee, daar ging het me niet om,' zeg ik, terwijl ik op de armleuning van de stoel ga zitten. 'Het ging meer over vriendjes. Je weet wel, zoals jij en Jamie en wat je precies allemaal van plan bent.'

'O, jezus! Dit ga je niet menen.' Ze staat op en slaat haar armen voor haar borst. Ze draagt een spijkerbroek met gerafelde pijpen. Murphy steekt een poot uit om de rafels te vangen die over de vloer slepen. 'Ik ga hier heus niet naar jouw adviezen over jongens zitten luisteren.'

'Toe, Ella.' Ik steek mijn handen uit, met de palmen omhoog. 'Luister nu eerst even naar me.'

Ze lacht. Het is een spottend gegrinnik waardoor ik van mijn stuk word gebracht. 'Ik wed dat jij tot je achttiende een brave maagd was. Wat zou jij ons in vredesnaam over jongens kunnen vertellen?'

'Ik mag er dan zelf niet al te vroeg bij zijn geweest wat jongens betreft, maar ik zal je…' Ik bijt op mijn tong, haal diep adem en herinner mezelf eraan dat het hier niet over mij gaat en dat ik door Ella's tegenzin heen moet zien te komen en moet proberen een redelijk gesprek met haar te voeren. 'Waar het om gaat, Ella, is dat je heel snel volwassen wordt en…' Ik zwijg even en zoek naar de juiste woorden.

'En?'

'En dat het niet altijd zo'n goed idee is om dat proces te overhaasten,' zeg ik. 'Soms willen we te snel volwassen worden en kunnen we daardoor in de problemen raken.'

'We? Wie zijn we?' bijt ze terug.

'Jij, Ella. Jij.' Ik sta ook op. Het helpt niet erg – ze is per slot van rekening langer dan ik – maar het geeft me de mogelijkheid om heen en weer te lopen. 'Ik weet dat je niet graag hebt dat ik zo tegen je praat, maar het is nu eenmaal een feit dat je pas vijftien bent.'

'Zaterdag ben ik zestien,' zegt ze. 'Dan hebben we een feestje, weet je nog?'

'Het is nu eenmaal een feit,' ga ik verder, met een scherpere klank in mijn stem, 'dat je míjn dochter bent, dat je in míjn huis woont en dat ik graag wil dat je je gedraagt als elk ander fatsoenlijk meisje.'

Daisy schuift wat heen en weer op haar stoel en begint met haar tong tegen haar gehemelte te klikken.

Het leidt Ella af, maar slechts heel even, en wanneer ze me weer aankijkt doet ze dat met een kille blik, die er geen twijfel over laat bestaan dat ik op dun ijs sta dat het elk moment onder me kan begeven. 'Jij hebt in mijn kamer lopen rondsnuffelen.'

'Ik ben in je kamer geweest, maar ik heb niet lopen snuffelen.' Ik zie haar gezicht van ongelovig naar gekwetst gaan en vervolgens zie ik woede. 'Je bent mijn dochter en ik houd van je. Ik heb alleen maar het beste met je voor.'

Ze staat me nog steeds woest aan te kijken wanneer de telefoon gaat en Daisy opspringt om hem op te nemen.

'Time-out jullie twee,' zegt Daisy, terwijl ze mij de telefoon aanreikt. 'Mam, het is voor jou.'

Ik fluister: 'Wie is het?'

Ze haalt haar schouders op en ik kijk weer naar Ella. 'Kunnen we er straks nog verder over praten?'

Ze geeft geen antwoord. Ze werpt me nog een laatste vuile blik toe en dan zie ik haar weglopen en hoor haar de trap op rennen, naar haar kamer.

Ik pak de telefoon uit Daisy's uitgestrekte hand. 'Hallo?' zeg ik.

'Je dochter klinkt leuk.'

Bij het horen van Orla's stem krimpt mijn maag samen en vervliegt al mijn eerdere vastberadenheid sneller dan druppels water op een gloeiende plaat.

'Grace?'

Ik hang op en loop, met de telefoon in mijn hand, de keuken door en de drie treden af naar de bijkeuken. Binnen een paar seconden gaat hij weer over. Ik neem niet op. Ik schakel de beltoon uit en zie het schermpje oplichten als een kloppende hartslag en vervolgens stoppen. Ik sla mijn armen over elkaar en wacht. Een paar tellen later licht het schermpje weer op totdat na een aantal keren de verbinding automatisch wordt verbroken. De hele cyclus herhaalt zich meerdere malen en het begint me duidelijk te worden dat ze niet van plan is om op te houden. Wanneer het lichtje voor de tiende keer opflikkert neem ik op.

'Wat wil je?' Ik klink kalm, maar mijn knieën knikken en ik glijd langs de muur omlaag. Ik kom moeizaam overeind.

'Je dochter klinkt net als jij vroeger. Lijkt ze ook op je?'

'Wat wil je, Orla?'

'Bijkletsen,' zegt ze luchtig. 'Wat anders?'

'Liever niet,' zeg ik tegen haar. 'Bel me alsjeblieft niet meer.'

'Grace, doe niet zo raar.' Er klinkt verbazing in haar stem. 'Waarom kunnen we niet een keer bij elkaar komen? We zijn toch ooit vriendinnen geweest?'

'Ooit,' geef ik toe. 'Vierentwintig jaar geleden.'

'Maar we waren wel vriendinnen. Het klikte tussen ons. Goede vrienden zijn zeldzaam, of niet soms?'

'Ik heb genoeg vrienden. Ik ben heel tevreden zo.'

'Ik wil met je afspreken,' zegt ze, vastbeslotener ditmaal en ik bespeur staal achter die ogenschijnlijke vriendelijkheid.

'Nou, ik niet,' zeg ik resoluut. 'En ik wil ook niet dat je me nog eens belt.'

'Ik begrijp het niet.' Ze ademt hoorbaar in en uit en eindigt met een zucht. Ik wacht en ten slotte zegt ze: 'We hebben samen van alles meegemaakt. Toch?'

'Lang geleden. Al heel lang' – ik wil bijna zeggen dood en begraven, maar doe het toch maar niet – 'geleden,' besluit ik.

'Eén keertje maar. Spreek één keer met me af. Omwille van die goeie ouwe tijd.'

'En over welke goeie ouwe tijd hebben we het dan?'

'Wil je soms beweren dat we samen geen lol hebben gehad? Moet onze hele relatie dan gekleurd worden door wat er op het laatst gebeurde?'

Ik denk aan Rose. Hoezeer ze me vertrouwde. Ik voel het bekende verdriet rijpen als een gekneusde, oneetbare vrucht. 'Ja, dat denk ik wel.'

'Grace, ik ben veranderd.' Haar stem wordt een fluistering. 'Heus. Het is echt waar. Ik kan het je niet allemaal over de telefoon uitleggen. Het klinkt stom en misschien zul je me niet eens geloven.' Ze lacht en het geluid doet pijn aan mijn oor.

Met een bevende arm houd ik de telefoon een eindje bij mijn hoofd vandaan, zodat haar opgewonden stem wordt gedempt.

'Ik begrijp hoe dit moet overkomen, dat ik na al die tijd opeens contact met je opneem, maar luister alsjeblieft. Ik ben overgekomen om mijn moeder op te zoeken. Ze woont tegenwoordig in Edinburgh. In Merchiston. Mijn vader is een paar jaar geleden overleden.'

Ik houd de telefoon weer bij mijn oor. 'Dat spijt me.' Ik meen het.

'Ik mocht hem graag. Hij was altijd heel erg aardig voor me. En je moeder.' Ik denk even na. 'Die mocht ik ook.'

'Ik weet het. Het was heel verdrietig. Pa was heel erg ziek en had heel veel pijn, maar tegen het einde was hij heel rustig en, nou ja... uiteindelijk gaan we natuurlijk allemaal.'

'Je klinkt Amerikaans.'

'Is dat zo?'

'Je intonatie. Sommige woorden.'

'Canadees. Ik heb daar een tijdje gewoond.'

'Hoe is het met je moeder?'

'Goed, hoor. Ze is hertrouwd. Is heel gelukkig met haar nieuwe man. Murray Cooper. Hij is wat je noemt een goeie vent.'

Ik doe mijn best om een bittere klank in haar stem te horen, maar kan hem nergens ontdekken. Misschien is ze echt veranderd? Ik zet de gedachte van me af en denk aan wat Euan zei: *Probeer erachter te komen waar ze op uit is.* 'Waarom wil je me zien?'

'Dat is een lang verhaal, dat ik je beter onder vier ogen kan vertellen.'

'Waarom zou jouw verhaal iets met mij te maken hebben?' Ik probeer luchtig te klinken, maar mijn kaken trillen en mijn mond is droog, zodat elk woord aan de binnenkant van mijn wangen lijkt te plakken.

'Rustig maar, Grace. Het is niet wat je denkt,' zegt ze duister, maar niettemin met iets lacherigs in haar stem. 'Wat vind je ervan als ik morgen bij je langskom?'

'Nee,' zeg ik snel. 'Ik kom wel naar jou. En niet morgen. Donderdag komt me beter uit.'

'In Edinburgh?'

'Ja. Ik moet toch voorraden inslaan: penselen, acrylverf, dat soort dingen.'

'Schilder je nog steeds?'

'Waar zullen we afspreken?'

'Halverwege Cockburn Street heb je een klein restaurantje, aan de linkerkant. Eén uur?'

'Prima.'

'Ik verheug me erop.' Ik hoor haar glimlachen. 'Tot dan.'

Wanneer de verbinding wordt verbroken, begeven mijn knieën het en zak ik langzaam op de grond. Zo blijf ik wel vijf minuten zitten en probeer me te bedenken hoe bang ik moet zijn. Aan de ene kant klonk ze vriendelijk en belangstellend, aan de andere kant opdringerig en vastbesloten. Misschien wil ze echt alleen vriendinnen zijn, maar dat lijkt me onwaarschijnlijk. Orla heeft er altijd haar eigen agenda op na gehouden en was, zoals Euan me hielp herinneren, iemand die nooit opgaf voordat ze haar doel had bereikt. Terugdenkend kom ik al snel tot de conclusie dat ik, zelfs als ze nog maar half zo roekeloos en manipulatief is als vroeger, alle reden heb om bang te zijn. Ik moet heel voorzichtig zijn. Ik kan haar niet terug laten komen in mijn leven. Ze is een levende, ademende herinnering aan wat er jaren geleden is gebeurd en ik wil haar niet bij Paul en de meisjes in de buurt hebben – al was het alleen maar om wat ze van mij weet.

Juni 1978-1982

Orla's moeder is Française. Ze draagt chique zwarte pakjes met op maat gemaakte rokjes die net over de knie vallen en korte, rechte jasjes met vierkante zakken en grote knopen. Ze draagt bedrukte zijden sjaals die ze drie keer om haar hals slaat en in haar kraag stopt. Ze draagt geen panty's maar kousen en schuift haar voeten in schoenen met hakken van tien centimeter. Haar lippenstift is rood en ze bewaart hem in de koelkast. Haar parfum is zowel aards als exotisch en ik word erdoor aangetrokken. Tijdens de afwas zingt ze droevige liedjes. Ze rookt sigaretten, openlijk, uitdagend, en gooit haar hoofd achterover om rookkringeltjes naar het plafond te blazen. Ze noemt mij *'mon petit chou'* en streelt mijn haar alsof ik een poes ben, lange, weelderige strelingen die mij glimlachend naar haar doen opkijken. Wanneer ik op bezoek kom, kust ze me op beide wangen. Ze heeft korte woedeaanvallen, stampt dan met haar voet en zegt *'merde'*. Maar het volgende moment lacht ze alsof de hele wereld weer een en al vrolijkheid is. Wanneer Orla's vader thuiskomt van zijn werk kust ze hem op de mond en streelt met haar hand de voorkant van zijn broek, net zoals ze mijn haar streelt.

'Ze is een erg zelfzuchtige vrouw,' zegt mijn moeder.

'Een vreemde eend in de bijt,' zegt Euans moeder.

'God mag weten wat Roger in haar ziet,' zegt mijn vader. 'Ze flirt met alles wat los- en vastzit.'

Ik vind haar geweldig. Wanneer ik tien ben vraag ik haar of ze altijd al in Schotland heeft willen wonen. Ze gooit haar hoofd in haar nek en schatert het uit alsof ze nog nooit zoiets grappigs heeft gehoord. Dan kijkt ze me aan met een geheimzinnige blik. 'Kijk goed uit op wie je verliefd wordt, Grace,' zegt ze. 'Er zijn zoveel manieren om een leven te leiden.'

Ik mag haar bij haar voornaam noemen. 'On-zje-line,' zeg ik, elke lettergreep duidelijk articulerend.

Ze klapt in haar handen. 'Wat een perfect accent,' zegt ze.

Voor Angeline ben ik slim, mooi en de beste vriendin die haar dochter zich zou kunnen wensen.

Orla mag wijn drinken. Het wordt aangelengd met water – half om half – maar ze krijgt het in een echt wijnglas, zit met haar ouders aan tafel en er wordt naar haar geluisterd alsof ze een volwassene is.

Orla en ik zijn allebei enig kind, maar terwijl ik vaak thuis word gehouden en voortdurend dingen te horen krijg als 'te gevaarlijk', 'wees voorzichtig', 'pas op dat je niet valt' en 'kijk uit dat je geen kouvat', mag Orla midden in de winter in zee zwemmen, in plassen dansen en 's nachts buiten kamperen.

Wanneer ik tien ben zie ik Angeline topless in de achtertuin. 'In dit land,' zegt ze, 'moet je zo goed mogelijk gebruikmaken van de momenten dat de zon schijnt.'

Ik staar naar haar. Haar huid heeft de kleur van karamel en glimt van de olie, die naar kokos ruikt. Wanneer ze zich naar voren buigt om mijn wangen te kussen strijken haar tepels langs mijn arm.

En ze is katholiek. Ze draagt een zwart kanten mantilla over haar hoofd. Ze doet me denken aan Scarlett O'Hara in *Gejaagd door de wind* en wanneer haar donkere ogen mijn kant op flitsen voel ik me gezegend. Soms mag ik van mijn moeder met haar mee naar de kerk en zie ik haar bidden alsof haar leven ervan afhangt. Ze bidt in het Frans, prevelt de woorden op een snelle, monotone fluistertoon, en wrijft met haar vingers over de kralen van haar rozenkrans terwijl ze de hele ketting afgaat, tot ze weer bij het begin is. Ze steekt een kaarsje aan voor een beeld van de Maagd Maria en slaat een kruisje. Dan draait ze zich naar mij om en pakt mijn hand. 'IJsje?' zegt ze en ik knik en kijk glimlachend naar haar op.

Thuis eten we alledaagse kost. 'Eet maar flink,' zegt mijn moeder, wanneer ze me een dampend bord dikke soep aanreikt. 'Dan krijg je wat kleur op je wangen.'

Angeline trekt haar neus op wanneer ik het heb over cornedbeef en kool of gehakt met piepers. Ze zegt dat je *haggis* niet eens aan je hond zou mogen voeren. Ze gaat één keer per week naar Edinburgh om courgettes en aubergines te kopen, en paprika's, olijfolie en ansjovis. Soms eten ze voor de televisie. Gedroogde vruchten, abrikozen en vijgen, die ze in gesmolten Camembert dopen.

Orla besteedt veel tijd aan het negeren van haar moeder. 'Ik ben meer een vaderskindje,' zegt ze. Tegen de tijd dat we tieners zijn, hebben ze vaak schreeuwende ruzies. Orla scheldt en schreeuwt in rap, opgewonden Frans. Ze smijt net zo lang met kopjes en glazen tot haar moeder haar polsen vastpakt en haar door elkaar schudt. Op dat soort momenten staat Orla vaak onaangekondigd bij ons op de stoep en stormt naar binnen alsof ze er woont. Het maakt niet uit waar ik mee bezig ben: eten, in bad liggen, slapen zelfs, ze komt gewoon binnen en wordt hysterisch. Mijn moeder kalmeert haar dan, droogt haar tranen, hoort haar geklaag aan en voert haar zelfgebakken koekjes en cake. Vervolgens brengt mijn vader haar met de auto naar huis. Als ik zoiets zou doen, zouden ze me hebben verteld op te houden met die onzin, maar Orla komt ermee weg. 'Ze is nogal overgevoelig,' verklaart mijn moeder. 'Dat zal haar Franse bloed wel zijn.'

Wanneer ik veertien ben, maak ik samen met mijn oma een uitstapje naar Edinburgh. Oma zit op het toilet in warenhuis Jenners en ik sta op haar te wachten. Ik loop een eindje de lingerieafdeling op en laat mijn vingers langs een rek zijden nachthemdjes glijden met veel kant langs het lijfje en de mouwen.

Ik zie Angeline. Mijn hart maakt een sprongetje en op het moment dat ik mijn mond opendoe om haar naam te roepen, loopt er een man naar haar toe. Het is Monica's vader. Ik vraag me af wat hij hier doet. Ik zie hoe hij achter haar gaat staan, zijn armen om haar heen slaat en hoe zij tegen hem aanleunt zodat hij haar nek kan kussen. Ze fluistert iets in zijn oor en hij slaat zijn armen nog wat dichter om haar middel.

Dan ziet ze mij en trekt een van haar wenkbrauwen een heel klein stukje op. Ze legt een vinger op haar lippen en laat hem daar tot ik mijn eigen hand optil om haar na te doen. Dan glimlacht ze en werpt me een kushandje toe.

Ik weet niet wat ik ervan moet denken.

3

Ik ben helemaal alleen op het kerkhof. Door de wind geteisterde bomen bieden wel enige beschutting tegen de zilte lucht die verdampt van de zee, maar toch zijn veel van de grafstenen omgevallen en andere zijn verweerd of bedekt met mos, bezwijkend onder het weer en verwaarlozing. Zo niet deze steen. Deze staat rechtop en de gouden letters zijn goed leesbaar tegen een achtergrond van roze marmer.

ROSE ADAMS

1975–1984

VEILIG IN GODS HANDEN

Het graf is netjes onderhouden. Ik heb wat tere gele rozen meegebracht, tien stuks, met een crèmekleurig zijden lint eromheen. Ik zet ze in de vaas en trek een paar kleine onkruidjes uit de grond. Dan kniel ik neer, vouw mijn handen en sluit mijn ogen. Schuldgevoelens, spijt, verdriet en wroeging: ik heb ze de afgelopen vierentwintig jaar allemaal gekend, maar nu, na Orla's telefoontje gisteren, ben ik vooral bang. Bang om door de mand te vallen. Ik probeer te bidden, maar God en ik zijn nooit zo intiem geweest en ik heb niet het gevoel dat ik nu het recht heb een beroep op Hem te doen. In plaats daarvan richt ik me rechtstreeks tot Rose. Alsjeblieft, Rose. *Alsjeblieft. Ik heb mijn best gedaan. Alsjeblieft.* Het is niet veel, maar ik kan niets anders bedenken om tegen haar te zeggen.

Orla's stem klinkt nog in mijn oren en in gedachten herhaal ik steeds opnieuw wat ze heeft gezegd. En hoe meer ik erover nadenk, hoe meer ik me realiseer dat ze me gewoon in de richting stuurde die ze wilde, en me net zo lang aan de praat heeft gehouden tot ik instemde met een ontmoeting. Ik ben teleurgesteld in mezelf dat ik me voor haar karretje heb laten spannen, maar tegelijkertijd heb ik geen idee wat ik anders had moeten doen. Ze had het toch niet op-gegeven. Als ik haar gisteren niet te woord had gestaan, had ze me vandaag teruggebeld, en morgen en overmorgen weer, net zo lang tot ik met haar had willen praten. Ik kan alleen maar luisteren naar wat ze te zeggen heeft en hopen dat ze weer zal verdwijnen zonder schade te hebben aangericht. Eén ding staat vast: ik wil niet dat ze Paul en de meisjes ontmoet. Ik heb een leven, een goed leven, en daarin is geen plaats voor Orla.

Op de terugweg naar mijn auto blijf ik even bij het graf van Euans moeder staan.

MAUREEN ELIZABETH MACINTOSH
1927–1999
BEMINDE VROUW, MOEDER EN VRIENDIN

Het treft mij, zoals altijd, dat het streepje tussen de twee jaartallen niets zegt over het leven dat is geleid. Mo was de ultieme oermoe-der, bij iedereen geliefd en net zo betrokken bij mijn opvoeding als mijn eigen ouders. Ze baarde zes eigen kinderen: vier jongens en twee meisjes. Mijn eigen ouders daarentegen probeerden bijna twintig jaar lang een kind te krijgen en toen hun huwelijk het eind van zijn tweede decennium naderde zonder dat de baby waarnaar ze zo verlangden zich had aangediend, gaven ze het stilzwijgend op. Elke maand weer een tijd van rouw, een vloek, daar konden ze niet langer mee leven, zei mijn moeder, dus lieten ze hun dromen varen en dompelden zich onder in hun werk – mijn moeder in de uni-versiteitsbibliotheek, mijn vader als timmerman bij een plaatselijk aannemersbedrijf.

Mo en haar man Angus waren hun buren en hun kinderen waren een gezond, vrolijk stel, die zich, over het hek heen, een plekje in het leven van mijn ouders veroverden. Misschien had dat wel een heilzame werking. Mijn moeder bakte koekjes met de meisjes ter-wijl mijn vader de jongens met hout leerde werken. Hij leerde ze meten en zagen, timmeren en schuren, en vogelhuisjes, houten le-pels, letterkastjes en boekenplanken maken.

Juist in die periode dat ze het al hadden opgegeven, diende ik me opeens aan en ik werd geboren op de eenentwintigste trouwdag van mijn ouders. Maar na al dat wachten, hopen en bidden en vervolgens het opgeven kwam mijn moeder erachter dat de realiteit van het hebben van een kind vaak meer was dan ze aankon. Dus wanneer ik weer eens weigerde te eten of van het potje wegliep om in mijn broek te plassen, tilde Mo me op en nam me mee naar het buurhuis, waar ik opging in de menigte. Ik werd gewoon in de kinderwagen gezet, naast Euan, haar jongste en maar drie maanden ouder dan ik, of in de box in de keuken, waar ze tegen ons praatte terwijl ze groenten sneed of een kip braadde.

Toen ik naar de kleuterschool ging, begon mijn moeder weer te werken. Elke dag ontsnapte ik aan de intensiteit van ouderlijke bemoeienis die het leven van een enig kind nu eenmaal overschaduwt en liep naar huis met Mo en Euan om de middag door te brengen met hen en eventuele andere loslopende kinderen die onderdak nodig hadden. Ik bleef ook vaak eten. Euan en ik werden dan ondersteund door kussens, tot we groot genoeg waren om met onze kin boven het tafelblad uit te komen.

Had ik maar twee bossen bloemen meegenomen: ook een voor Mo's graf. In plaats daarvan moet ik me tevredenstellen met het wegvegen van wat aarde en dode bladeren van de steen. Ze is al bijna negen jaar dood, maar ik weet nog steeds hoe haar stem klonk. *Van sommige dingen is het niet de bedoeling dat we ze begrijpen, Grace. Sommige dingen moeten we gewoon accepteren.*

Ik denk aan de dingen die ik wel en die ik niet heb geaccepteerd en ik hoop dat zij, waar ze nu ook is, begrip heeft voor de keuzes die ik heb gemaakt.

Ik bevind me op twee minuten van het huis van mijn ouders en op de terugweg van de kerk ga ik even bij ze langs. Mijn vader staat op een ladder. Hij is dichter bij de negentig dan bij de tachtig, maar weigert het kalmer aan te gaan doen: *ik lig gauw genoeg in mijn kist en tot het zover is blijf ik gewoon doen wat ik altijd heb gedaan.*

Ik houd de ladder vast en roep omhoog: 'Hallo, daarboven!'

Hij kijkt tussen de sporten door omlaag. 'O, ben jij het, meisje. Moet je niet werken?'

'Ik heb foto's gemaakt.'

'Niet gek als je daar je geld mee kunt verdienen. Hoe kom je hier verzeild?' Hij klimt voorzichtig, voetje voor voetje, naar beneden. 'O, natuurlijk, de verjaardagstaarten. Voor het feest.' Hij trekt me stevig tegen zich aan. 'Je moeder heeft het al dagen over het glazuursel. Moet ze ze voor Daisy en Ella allebei roze maken, of alleen voor Ella?'

'Ella.'

'Dat zei ik ook al.'

Ik loop achter hem aan naar het bankje, waar hij zich met een plof op laat neervallen. Zijn voeten vliegen in de lucht.

'Kijk nu toch eens wat een uitzicht.' Hij haalt moeizaam adem; hij trekt een zakdoek uit zijn zak en hoest erin. 'Zo'n uitzicht is voor geen geld te koop.'

Mijn vader heeft het bankje boven op de heuvel gezet, met een ononderbroken uitzicht over het glooiende landschap en het water erachter. De lucht is helder en fris en op zee verdwijnt net een olietanker achter de horizon. De wind geeft de golven witte schuimkoppen die de rotsachtige kustlijn schoonspoelen, terwijl de zeemeeuwen hun schorre kreten laten horen en in groepjes op de wind zweven om vervolgens weer in het water te duiken voor vis.

Ik adem diep in en glimlach. 'Heerlijk is het hier,' zeg ik en ik zie dan opeens dat er zich een kleine rode vlek over zijn zakdoek verspreidt. 'Is dat bloed op je zakdoek, pap?'

'Wat zeg je?' Hij propt het bewijsstuk diep in zijn broekzak. 'Jij bent al net zo erg als je moeder. Jullie zoeken problemen waar ze niet zijn.'

'Pap?'

'Wat?' Hij doet zijn best om onschuldig te kijken, maar ik zie de onrustige schittering in zijn ogen.

Ik wil mijn armen om hem heen slaan, maar doe het niet. Ik voel zelf ook tranen achter mijn ogen prikken en sta op het punt mijn eigen problemen eruit te gooien. 'Zal ik binnen een kopje thee gaan halen?' vraag ik.

'Ze zal niet willen dat je haar stoort.' Hij maakt een smalend hikgeluidje. 'Ik heb daarnet ook geprobeerd een kopje te halen, maar ik kreeg de wind van voren.'

Ik leg een hand op zijn schouder en ga dan naar binnen. Mijn ouders hebben tientallen foto's in de gang hangen: Euan en ik tegenover elkaar in een Silver Crosswandelwagen terwijl we onszelf helemaal onder morsen met ijs; mijn vader en ik met een boekenplank die ik zojuist zelf heb gemaakt; de trouwfoto van mijn ouders, een onwaarschijnlijk jong stel voor de ingang van de kerk, schuchter hand in hand.

En helemaal achter aan de rij een foto van Orla en mij. We zijn net dertien en staan naast elkaar voor een hoog houten hek. We staan met onze armen om elkaars schouders en onze rijlaarzen en rijbroek zitten onder de modder. We grijnzen als idioten. Ik kan me die dag nog goed herinneren. We deden allebei mee aan de ponywedstrijden in het dorp en waren erin geslaagd bij elkaar vier rozetten en twee bekers in de wacht te slepen.

Ik buk me om de foto van dichtbij te bekijken. Het lijdt geen enkele twijfel dat we dikke vriendinnen zijn. Vermoeide armen en benen hangen tegen elkaar aan en ik leun met mijn voorhoofd tegen haar schouder. Ik heb het later ingehaald, maar op dat moment was ze bijna vijftien centimeter langer dan ik. Wanneer ik naar haar gezicht kijk, het zwarte, krullende haar, de donkere ogen en de open lach, voel ik iets onverwachts. Ik voel me blij. Morgen zullen we elkaar, voor het eerst in vierentwintig jaar, terugzien. Met een paar goedgekozen opmerkingen tegen de juiste mensen zou ze mijn hele wereld op zijn kop kunnen zetten en toch is er iets in mij wat ernaar uitziet haar te ontmoeten.

Ik sta op en leun geschokt tegen de muur, maar herinner mezelf eraan dat er geen ruimte is voor sentimentele gevoelens. Ik moet mijn verstand erbij houden en Orla kwijt zien te raken voordat ze weer in mijn leven binnen weet te dringen. Ik kan me hier geen vergissingen mee veroorloven.

Ik neem de foto van de muur en loop de keuken in, waar mijn moeder een taart met een doorsnede van dertig centimeter staat in te smeren met roze suikerglazuur. Wanneer ik de deur opendoe, kijkt ze verschrikt op. Ze heeft een vuurrode blos op haar gezicht en ze hijgt alsof ze zojuist heeft gerend.

'O, ben jij het, Grace,' zegt ze, om de tafel heen lopend om me te begroeten. 'Wat doe jij hier in vredesnaam?' Ze geeft me een plichtmatige kus, doet dan een stapje naar achteren en kijkt me geërgerd aan. 'Als je soms voor de taarten komt, daar ben ik nog niet mee klaar.'

'Ik weet best dat ze zaterdag pas klaar zijn.' Ik kus haar warme wang. 'Ik kom je heus niet opjagen.' Ik laat haar de foto zien. 'Vind je het goed als ik deze van je leen?'

'Natuurlijk.' Ze zwaait met haar spatel. 'Houd hem maar.'

'Dank je.' Ik laat hem in mijn handtas glijden, zonder precies te weten waarom ik hem wil hebben.

'Ik vraag me af hoe het tegenwoordig met Orla gaat,' zegt ze nonchalant.

Ik haal mijn schouders op. 'Geen idee. Ze heeft op een dag gewoon haar spullen gepakt en is verdwenen.'

'Ze heeft je wel geschreven, Grace.' Ze werpt me een scherpe blik toe. 'Jij bent degene die het contact heeft laten verwateren.'

Daar valt niets tegen in te brengen. Ik pak een paar bekers van de haken. 'Ik zat net met papa te praten. Ik kwam eigenlijk een kop thee voor ons halen. Waarom kom je er ook niet even bij zitten?'

'Nee, nee, nee! Ik moet hier de laatste hand nog aan leggen.' Ze bekijkt de gladheid van de glazuurlaag van verschillende kanten. 'Ga jij maar met hem praten. Hij heeft het belachelijke plan opgevat het huis te gaan schilderen. Ik moet de taarten nog afmaken en straks is het tijd voor de lunch. Je blijft toch wel eten?'

Ik aarzel. 'Alleen als het gelegen komt.'

Ze kijkt me fronsend aan. 'Sinds wanneer heb ik mijn eigen dochter de indruk gegeven dat haar bezoekjes ongelegen komen?'

'Zo bedoelde ik het niet, mam.' Ik hang theezakjes in de bekers. 'Natuurlijk wil ik graag blijven lunchen. Ik weet dat je veel werk hebt aan die taarten, dat is alles.'

'Ik maak de taarten voor de meisjes al sinds hun eerste verjaardag.' Ze steekt haar hand uit en haalt het theezakje uit mijn vaders beker. 'Niet díe thee, Grace! Geef hem maar pepermunt. Hij heeft de laatste tijd last van zijn maag.'

'Waar heeft hij dan last van?' Ik probeer achteloos te klinken, schenk het kokende water in de bekers en kijk haar recht in de ogen. 'Mam, is papa niet in orde?'

'Ach, je weet hoe je vader is.' Ze loopt langs me heen en pakt een mes uit de la. 'Die wil er niets van weten.'

Ik vraag me af of ik nog iets zal zeggen over het bloed op de zakdoek, maar ze is de keuken alweer uit en staat overdreven neuriënd in de voorraadkamer. Ik neem de thee mee naar buiten en ga naast mijn vader op het bankje zitten. 'Ik hoor dat je last van je maag hebt.'

'Wie, ik?' Hij kijkt achterom alsof er nog iemand in de buurt is. 'Niks aan de hand, hoor, ik ben zo gezond als een vis. Dat is gewoon een excuus voor je moeder om mij allerlei gezonde dingen op te dringen.' Hij neemt een slokje van de thee en vertrekt zijn gezicht. 'En hoe gaat het met mijn kleindochters?'

'Waarom laat je de dokter er niet eens naar kijken, pap? In zo'n speciale mannenkliniek, weet je wel?'

'Ik word oud, wijfie. Dat is het gewoon. Het heeft geen zin om van alles overhoop te gaan halen. Dat maakt het alleen maar erger. Kijk maar naar Angus. Nooit een dag ziek geweest, totdat het ziekenhuis hem in zijn klauwen kreeg. En Mo.' Hij schudt vermoeid zijn hoofd. 'Bij haar ging het net zo.'

'Alsjeblieft?' Ik pak zijn hand en leg hem op mijn schoot. 'Alsjeblieft, pap. Voor mij.'

'Nou… ik weet het niet, meisje.' Ik zie achtereenvolgens weerzin en ergernis op zijn gezicht, dan fronst hij zijn wenkbrauwen en ten slotte trekt hij ze op in een misschien. 'Jij hebt altijd goed je zin kunnen doordrijven.'

'Dat vat ik dan maar op als een ja,' zeg ik glimlachend.

'Maar hoe is het met de meisjes? Houden ze je een beetje bezig?'

'Met de meisjes gaat het prima,' antwoord ik, en ik bedenk dat Ella, sinds ik gisteren met haar heb gepraat, doet alsof ik lucht ben. Ik moet het gesprek over 'jongens' nog steeds afmaken en ik weet dat het een zware worsteling zal worden. 'Ella heeft de hoofdrol gekregen in *Romeo en Julia*, dus zet dat maar vast in je agenda.'

'Ik verheug me er nu al op.'

Voor het huis van de buren stopt een auto en er stapt een jong stel uit. We zwaaien naar elkaar. Ze lopen het paadje op en mijn vader slaakt een diepe zucht. 'Het is nooit meer hetzelfde geworden sinds Mo en Angus zijn overleden. In het voorjaar krijgen we alweer nieuwe buren.'

'Ik zal er ook nooit aan wennen, papa.' Ik leg mijn hoofd op zijn schouder en we kijken hoe de zee zijn handen uitstrekt naar de kust, zich terugtrekt en zijn krachten verzamelt om het nog een keer te proberen. 'De tijd en het tij wachten op niemand, hè?'

'Tja, het is niet anders.'

'Ik ga morgen naar Edinburgh. Kan ik nog iets voor je meenemen?'

'Waarom ga je in vredesnaam helemaal naar Edinburgh?' Mijn vader koestert een diep wantrouwen tegen elke vorm van reizen. Hij kan zich niet voorstellen waarom iemand zich verder dan een kilometer of vijftien buiten St. Andrews zou willen begeven. 'Trouwens, ik dacht dat je tegenwoordig alles kon laten bezorgen via het internet?'

'Ik snuffel graag wat rond in kunstwinkeltjes en galerietjes. Daar doe ik inspiratie op.' Ik zwijg even. In gedachten zeg ik de woorden: *Herinner je je Orla nog, pap? Ze heeft me twee keer gebeld. Ze wil me zien. Ik weet niet waarom, maar ik weet wel dat ik bang ben. Hoeveel houd je van me, pap? Hoeveel?* Ik sta op het punt om het er allemaal uit te gooien, maar net op dat moment zet mijn moeder een dienblad voor ons neer.

'Geneer je niet en tast toe.'

Mijn moeder maakt geweldige sandwiches en tegen de tijd dat ik naar huis moet gaan zit ik vol. Terwijl ik wegrijd, kijk ik naar hen in mijn binnenspiegel. Ze hebben een arm om elkaar heen geslagen en houden zich met hun vrije hand vast aan het hek.

Het is al twee uur wanneer ik het pad op loop naar mijn werk.

Euan zit aan de telefoon en ziet me binnenkomen. 'Natuurlijk. Geen probleem. We praten volgende week wel bij.' Hij legt de hoorn op de haak. 'Vrije ochtend?'

'Ik heb foto's genomen. Daarna ben ik naar het kerkhof geweest en heb ik geluncht bij mijn vader en moeder.' Ik laat mijn tas op de grond vallen. 'Is Tom weer beter?'

'Ja, die is helemaal beter.' Hij schuift zijn stoel van zijn bureau naar achteren en de wieltjes glijden over de hardhouten vloer. 'Hij is weer naar school.'

Ik loop naar hem toe en ga op de rand van zijn bureau zitten. 'Ze heeft weer gebeld.'

Zijn ogen worden groot en hij kijkt me aan. 'Heb je haar gevraagd wat ze wil?'

'Dat wilde ze niet zeggen.' Ik veeg wat kruimels van het bureau in de prullenbak. 'Ze zei dat ze me dat liever onder vier ogen wilde vertellen.'

'Wat heb je toen gedaan?'

'Ik heb afgesproken haar morgen in Edinburgh te ontmoeten.'

Hij kijkt naar de grond en denkt na.

'Ze zei ook dat het niet was wat ik dacht.'

Hij kijkt me weer aan. 'Dat zegt ze natuurlijk om ervoor te zorgen dat je komt.'

Die gedachte zit al de hele ochtend in mijn achterhoofd en de moed zinkt me in de schoenen wanneer ik haar door Euan hardop hoor verwoorden. 'Maar ik heb immers weinig keus? Ik moet wel gaan. En wanneer ze erachter komt met wie ik ben getrouwd...' Ik probeer te lachen. 'Dan zal ze toch zeker niets meer zeggen?'

Hij gaat voor me staan, met zijn handen in zijn zakken, en beweegt zijn schouders naar voren en weer terug. 'Ik acht haar tot alles in staat.'

Zijn borst bevindt zich voor mij op ooghoogte en ik verzet me tegen de opwelling om mijn hoofd ertegenaan te leggen en te huilen van angst en frustratie. 'Je hebt geen erg hoge dunk van haar, is het wel?'

'Ze veroorzaakt problemen, Grace. Dat heeft ze altijd al gedaan.' Hij legt een hand op mijn arm. 'Wil je dat ik met je meega?'

'Nee.' De palm van zijn hand voelt warm en zijn vingers liggen stevig om mijn bovenarm. Veilig. Ik schud hem af en loop weg, zodat het bureau tussen ons in staat. 'Het komt wel goed. Ik red me wel.'

'Misschien kan ik haar beter ompraten dan jij.'

'Dat betwijfel ik, Euan. Ze heeft jou nooit gemogen. Ik red het wel alleen.' Ik haal een keer diep adem. 'Ik weet zeker dat ik het kan.' Ik loop naar mijn eigen bureau en ga zitten. Er ligt een stapel foto's voor me klaar die ik door moet nemen. Het zijn uitzichten van

Margie Campbells huis in Iona: mijn volgende opdracht, een waarop ik me erg heb verheugd. Ik houd ervan de zee in al zijn kleuren en stemmingen te schilderen en zij heeft me de vrije hand gegeven om de foto's naar eigen inzicht te interpreteren. Het linnen is al geprepareerd en ik had eigenlijk gehoopt vandaag te kunnen beginnen, maar ik weet nu al dat ik me niet zal kunnen concentreren. Orla's beweegredenen nemen me te veel in beslag. Ik wil gewoon weten waar ik mee te maken heb en kan niet wachten tot morgen voorbij is, zodat ik verder kan met mijn leven.

Juni 1976

Euan en ik spelen in ons padvindersnest aan de rand van het bos. Hij zit nog maar net op scouting en heeft tegenwoordig altijd een zakmes en een touwtje in zijn zak. Hij oefent op zijn knopen en heeft mijn polsen vastgebonden en het touw om een boomstam heen geslagen. 'Ik ga even naar huis om iets te eten te halen,' zegt hij terwijl hij wegrent. 'Wacht hier maar op me.'

Ik wacht op hem. Aangezien ik vastgebonden ben kan ik niet veel anders doen, dus leg ik mijn hoofd tegen de boomschors en kijk hoe de mieren omhoog en over mijn handen lopen. Ik doezel weg naar de grens tussen waken en slapen en opeens hoor ik de stem van mijn moeder.

'Wat gaan we nu krijgen?'

Ik spring schuldbewust overeind. 'Euan komt zo terug.'

Mijn moeder worstelt met de knoop. 'Wat zijn dit voor spelletjes, Grace? Je zou jezelf eens moeten zien!' Mijn rok is omhoog gekropen tot bijna aan mijn middel en ze trekt hem omlaag. 'En dat zijn je nieuwe sandalen!' Wanneer ze de knoop los heeft, probeer ik het vuil eraf te vegen, maar mijn moeder schudt me ruw door elkaar, pakt me bij mijn arm en sleurt me mee naar de weg.

Mo doet open en veegt haar handen af aan haar schort. Zodra mijn moeder haar mond opendoet sterft de glimlach op haar gezicht. 'Ik heb Grace net gevonden.' Ze trekt me naar voren. 'Helemaal aan de andere kant van het veld, vastgebonden aan een boom. Alleen. Met haar rok praktisch om haar nek. Iedereen had haar daar kunnen vinden. Er had haar ik weet niet wat kunnen overkomen.'

Dan komt Euan naast Mo staan. 'Ik wilde net weer teruggaan.' Hij houdt een zakje boterhammen omhoog, een paar plakken zelfgebakken gemberkoek en twee flesjes limonade. 'Ik heb iets te eten gehaald.'

'De volgende keer, Euan, moet je Grace meenemen,' zegt Mo, terwijl ze zijn rechtopstaande haren gladstrijkt.

'Maar ik bewaakte ons nest,' zeg ik.

'Ja.' Euan kijkt fronsend naar onze moeders. Hij laat het eten op de grond vallen en trekt aan zijn vingertoppen tot zijn knokkels kraken. 'We hebben niets verkeerds gedaan.'

'Hij heeft haar vastgebonden aan een boom, Mo.' Mijn moeder verheft haar stem en Mo doet een stapje naar achteren. '*Vastgebonden* aan een *boom.*'

'Maar Lillian, een beetje vrijheid is juist…'

'En wie ben jíj om míj te vertellen hoe ik een kind moet opvoeden? Met Claire die altijd bij de jongens in het dorp rondhangt en George die laatst 's avonds dronken thuiskwam – en Euan! Wat dacht je van Euan? Altijd problemen!'

Mo's gezicht wordt witter dan haar frisgewassen lakens die aan de waslijn hangen te wapperen.

Mijn moeder kijkt op me neer. 'Je mag niet meer met Euan spelen.' Ze kijkt weer naar Mo. 'En voor na schooltijd zal ik voor andere opvang zorgen.'

Mijn moeder draait zich om en ik word half meegesleurd, het pad af. Wanneer ik omkijk zie ik dat Euan nog steeds zijn knokkels laat kraken en dan beukt hij tegen de deur en neemt Mo hem mee naar binnen.

De volgende dag op school wil hij niet met me praten. 'Ik heb een slechte invloed op je.' Hij schopt met zijn schoenen in de aarde, zodat het op zijn broek komt. 'Mam zegt dat ik je met rust moet laten.'

Ik vind het vreselijk en probeer uit te leggen dat ik mijn moeder wel weer op andere gedachten kan brengen. Hij luistert niet. Ik word eerst boos en dan ondraaglijk verdrietig en mijn borst voelt alsof ik er een harde stomp tegen heb gekregen. Ik doe niet mee met touwtjespringen. Ik schuifel met mijn nieuwe sandalen over de grond en kijk hoe Euan met de andere jongens voetbalt.

De hele volgende maand moet ik na schooltijd met Faye mee naar huis. Zij wil niet buiten spelen of in bomen klimmen. Ze zegt dat de zee te koud is om pootje in te baden. Ze heeft geen honden of kippen of Effie de geit en haar zus loopt me altijd te verbeteren. 'Het is niet loopte maar liep… Geen ellebogen op tafel… Het is ik líg, niet ik lég!'

We eten om vijf uur, maar ik wil niet eten, dus zit ik avond na avond met een vol bord voor mijn neus. Na een paar weken word ik moe en lusteloos en moet mijn moeder doen wat ze het allerergste vindt – vrij nemen van haar werk – omdat ik niet naar school kan.

Ik leg drie erwtjes op een bergje aardappelen en prak ze plat met mijn vork. 'Ik haat Faye en ik haat haar zus,' zeg ik. 'Ik ga daar niet meer naartoe.'

'Wil je dan liever naar dat nieuwe meisje, Orla?' vraagt mijn moeder, met haar veel te opgewekte stem.

Ik schud mijn hoofd. 'Ik ken haar nog niet.'

'En Monica? Dat is een lief, verstandig meisje.'

Ik begin zo hard te gillen dat mijn vader, die in de woonkamer zit, even komt kijken. 'Wat is hier aan de hand?'

Mijn moeder schuurt de pannen. Ze draait zich niet om en gaat gewoon door met boenen. 'Ze heeft het weer op haar heupen.'

'Dan moesten we misschien maar naar haar luisteren,' zegt mijn vader tegen mijn moeders rechte rug. 'Wat hebben we aan al die ellende?'

'Ellende? En wie veroorzaakt die ellende?' Met een klap zet ze de hogedrukpan op het aanrecht. 'Ze drijft altijd haar zin door.'

'Lillian!' buldert mijn vader en ik stop met moeite een vork vol eten in mijn mond. Het blijft in mijn keel steken en vormt daar een klont alsof ik zojuist een toverbal heb ingeslikt. 'Ze is acht jaar. Ze maakt zichzelf ziek. Slik je trots nu eens in en ga naar hiernaast, naar Mo.'

'Dat doe ik niet!' roept mijn moeder terug, terwijl ze zich eindelijk omdraait, haar mond vertrokken en haar ogen groot van woede.

'Dat doe ik niet, Mungo! Ik laat haar hier de boel niet regeren met haar woedeaanvallen en haar buien.'

Voordat mijn vader de kans krijgt om terug te schreeuwen, vlucht ik van tafel, de trap op, spuug de aardappels in het toilet, ga zitten en druk mijn handen stijf tegen mijn oren, tot ik het gedempte geluid van hun stemmen niet langer kan horen.

Een paar minuten later valt de keukendeur met een klap dicht. Ik ren naar het raam en zie mijn moeder over het pad Mo's tuin in lopen. Ik hoor slechts flarden van woorden… koppig… doodmoe van… was niet goed. Halverwege slaat mijn moeder haar handen voor haar gezicht. Mo strekt haar armen uit en omhelst haar zoals ze met kinderen doet. Ze geeft haar een zakdoek en mijn moeder snuit haar neus en komt weer naar huis. Ik houd mijn adem in. Ze komt mijn kamer binnen. Ze zegt niets, kijkt me alleen maar aan. Ik sla mijn armen om haar middel, zo stijf als ik kan, en ren dan de trap af. Mijn vader kijkt op van zijn krant en ik zie zijn glimlach wanneer ik langs hem heen vlieg. Ik ren het hek door, regelrecht in Mo's armen.

Zij lacht en duwt me weg. 'Straks gooi je me nog omver.'

Ik spring op en neer. 'Waar is Euan?'

'Bij de baai. En vergeet je emmer niet!' roept ze me na.

Al rennend gris ik de emmer mee en roep over mijn schouder: 'Ik houd van je, Mo,' waarna ik het strand op ren. De wind rukt aan mijn jurk, aan mijn haren. Ik ren op blote voeten, laat vochtige voetafdrukken achter in het zand en ik houd mijn armen wijd gespreid, als een vliegtuig.

Ik zie hem op zijn hurken in het zand zitten en iets bekijken in een getijdepoel. Ik roep hem, maar de wind tilt mijn stem op en voert hem mee. Wanneer ik bij hem ben kan ik amper een woord uitbrengen van opwinding en ik spring op en neer en draai op één been in het rond. 'Euan! Euan! Raad eens? We mogen weer met elkaar spelen! Mijn moeder heeft toegegeven. Ik ben in hongerstaking gegaan, net zoals ze in Ierland doen, en mijn moeder heeft toegegeven!'

Hij kijkt met samengeknepen ogen naar me op. Er zitten allemaal zandspikkels op zijn gezicht. 'Wie zegt dat ik nog met jou wil spelen?'

Ik blijf onthutst staan en voel de tranen achter mijn ogen prikken. 'Maar dat wil je wel,' zeg ik. 'Omdat wij elkaars beste vrienden zijn.'

'Misschien, ja. Maar dan wordt er niet meer gehuild en mag je me ook je onderbroek niet meer laten zien.' Hij grijnst. 'Tenzij je wilt dat ik hem naar beneden trek.'

'Dat is lomp!' Ik geef hem een duw en hij duwt terug. Ik val om en hij gaat boven op me zitten en houdt mijn armen vast. Zeewater golft om mijn voeten en ik probeer mijn hielen in het zand te zetten, maar ze glijden weg.

'Geef je je over?'

'Nooit!' Ik worstel en duw zo hard mogelijk, maar hij drukt mijn polsen in het zand en negeert mijn knieën die tegen zijn rug bonken.

'Geef je je over?'

Zijn gewicht drukt op mijn buik. 'Oké, oké! Ik geef me over!' zeg ik schoorvoetend. 'Maar alleen voor deze ene keer.'

Hij klimt van me af en komt naast me liggen, met zijn hoofd vlak naast het mijne. We blijven even liggen om op adem te komen en turen omhoog naar de wolken.

'Die grote ronde die op bloemkolen lijken' – hij wijst omhoog, een beetje naar links – 'dat zijn cumuluswolken en die daar, kijk, daar heel hoog in de lucht, dat zijn cirruswolken en die worden op bijna tien kilometer hoogte gevormd uit ijsnaalden.'

'Wie heeft je dat verteld?' vraag ik.

'Monica.'

'Monica!' Ik kijk hem aan en begin te giechelen. 'Heb jij met Monica gespeeld?'

Hij haalt zijn schouders op. 'Ze bleef maar achter me aan lopen. Ze weet heel veel. Ze weet zelfs alles van vissen.'

Ik knijp hem hard in zijn arm.

'Au!'

Ik spring overeind en begin te rennen.

'Ik kan je toch wel pakken,' roept hij. 'Wacht maar.'

4

Ik neem de late ochtendtrein naar Edinburgh. Ik probeer een tijdschrift te lezen en blader door artikelen met luchtige titels als: 'Mijn man heeft me verlaten voor een andere man' en 'Baby's die nooit leren ademen' alvorens te kiezen voor een stuk over voedsel met een lage glycemische index. Na een paar minuten leg ik het blaadje opzij. Ik kan me niet concentreren. Ik kan niet wachten tot ik er ben en alles achter de rug is.

Ik loop heen en weer door het gangpad. Het rijtuig is leeg, op één tiener na die vastzit aan een iPod en de hele reis zit te sms'en op haar mobieltje. Wanneer de trein over de spoorbrug de Firth of Forth oversteekt, blijf ik even staan om uit het raam te kijken. Het water is loodgrijs. Er is net een containerschip onder de brug door gevaren en ik begin de veelkleurige containers aan boord te tellen, die zo hoog opgestapeld liggen als bouwblokken. Het doet me aan het spelletje denken dat ik als kind speelde en dat bedoeld was om de eentonigheid van een lange reis te breken. De nummerplaten tellen die met een v beginnen, of de caravans die naar het noorden rijden. De rode auto's tellen, de vijfdeursauto's en de liggende koeien. Het aantal keren tellen dat ik aan Rose heb gedacht sinds haar dood. Duizenden keren. Tienduizenden. Te veel om te tellen.

De trein komt aan en ik ben de eerste die uitstapt. Waverley Station krioelt van de mensen en het geroezemoes echoot omhoog in de stalen dakspanten hoog boven mijn hoofd. Ik heb vijf minuten over en loop de boekwinkel binnen om een boek uit te kiezen voor Pauls verjaardag, twee weken na die van de meisjes. Ik weet al welk boek ik wil kopen. Het is een autobiografie van een beroemd musicus, een onderhoudend en onthullend verslag van zijn leven. Ik reken het boek af en loop naar buiten, de wind in, waar ik even blijf staan om mijn jas dicht te maken en omhoog te kijken naar Edinburgh Castle. Gebouwd op een stuk vulkanisch gesteente, kijkt het uit over de stad en de Firth of Forth daarachter. Soms ligt het er vriendelijk en zonovergoten bij, maar vandaag is het onheilspellend. Sombere grijze wolken omhullen de borstwering en werpen lange schaduwen op de grillige rotsen eronder.

Ik ontloop een groep toeristen die op weg zijn naar Princes Street Gardens en maak een trage klim naar Cockburn Street. Mijn maag rommelt en borrelt, alsof ik mezelf vanbinnen opeet, maar achter al die onrust schuilt nieuwsgierigheid. Ik wil haar zien. Ik wil weten wat ze de afgelopen vierentwintig jaar heeft gedaan. En het meest van alles wil ik weten waarom ze me heeft gebeld.

Op een meter of drie afstand zie ik haar opeens, vlak bij de deuropening. Ik verbaas me erover hoe ze eruitziet. Ze draagt geen make-up en haar zwarte krullen worden uit haar gezicht gehouden door een simpele haarband die het grijs bij haar slapen en haar voorhoofd accentueert. Haar kleren zijn eenvoudig – een spijkerbroek, een wit T-shirt, een marineblauw vest en platte veterschoenen. Boven in het kasteel gaat het kanon van één uur af en ik schrik daar zo van dat ik automatisch een stap naar voren zet en ze ziet mij, roept mijn naam, haast zich naar voren en kust me op beide wangen. Ze ruikt naar lavendel.

'Wat zie je er goed uit,' zegt ze tegen me, terwijl ze mijn ellebogen vasthoudt en een stap naar achteren doet.

We zijn even lang en staan oog in oog; de hare zijn diepbruin, bijna zwart, als pure chocolade.

'Je bent geen dag ouder geworden.' Ze lacht, laat haar blik over me heen glijden en schudt haar hoofd. 'De volwassenheid staat je goed, Grace. Kom!' Ze gebaart achter zich en begint achteruit te lopen, waarbij ze bijna over een stoelpoot struikelt. 'Ik heb hier in dit hoekje een tafeltje voor ons weten te bemachtigen.'

We gaan zitten. Ik voel me blij, verdrietig, nerveus, maar vooral heel erg ongemakkelijk. Ze ziet er nog helemaal uit als zichzelf, alleen de vonk ontbreekt. Op haar vijftiende was ze al betoverend, ondeugend, sexy. Alle jongens liepen met uitpuilende ogen en met een mond vol tanden achter haar aan en zij wierp hun af en toe glimlachjes toe die zo zwoel en zo veelbelovend waren dat ze wegsmolten in poelen van hormonen.

Terwijl ze me aankijkt houdt ze heel even haar adem in en dan blaast ze hem langzaam uit. 'Wat heerlijk om je weer te zien! Ik heb de afgelopen jaren zoveel aan je gedacht.' Even zie ik weemoed in haar warme blik.

'Heb je foto's van je gezin bij je?'

Ik heb nog geen woord gezegd en nu kan ik alleen maar ontkennend mijn hoofd schudden. Ik weet niet wat ik kan zeggen om dit vreemde gevoel te doorbreken.

'Ach, dat geeft ook niet. Hopelijk kan ik binnenkort een keer langskomen om hen persoonlijk te ontmoeten.' Ze lacht vrolijk. 'Laten we even een beetje bijpraten. Over de afgelopen twintig jaar.' Ze zet haar ellebogen op tafel en legt haar kin op haar handen. 'Begin maar waar je wilt.'

Haar blik is doordringend en ik pak de menukaart om ergens anders naar te kunnen kijken terwijl ik een antwoord probeer te bedenken. Voordat ik echter de kans krijg hem te lezen, grist ze hem uit mijn handen en zegt: 'Ik heb al iets voor ons besteld. Ik hoop niet dat je dat erg vindt.'

Ik vind het wel erg. Het is nogal aanmatigend van haar. Ze heeft zich automatisch het recht toegeëigend beslissingen voor mij te nemen, zoals ze dat ook al deed toen we kinderen waren. Het ontsteekt een gevoel van irritatie in mij. Het is een klein vlammetje, maar heet genoeg om mij de kracht te geven mijn stilzwijgen te verbreken en iets te zeggen. 'Heb je voor ons allebei besteld?'

'Ik wilde geen tijd verliezen. Het kan wel even duren voordat het eten wordt opgediend. Je weet hoe het gaat in dit soort kleine zaken; die kunnen zich vaak niet voldoende personeel veroorloven.'

Ik leun achterover en kijk nadrukkelijk om me heen. Er staat een twaalftal tafeltjes en er lopen drie serveersters rond. Ik overweeg op mijn strepen te gaan staan en alsnog mijn eigen lunch te bestellen, maar doe het toch maar niet. Dan gaat het nog langer duren en ik wil zo snel mogelijk weten wat haar bedoelingen zijn.

'En hoe is het jou vergaan?' vraag ik.

'Goed.' Ze haalt haar schouders op, op zo'n typisch Franse manier die me aan haar moeder doet denken. 'Ik heb overal gewoond en heb van alles gedaan. Maar niet zoiets zinvols als kinderen krijgen.

Dus vertel op! Ik weet dat je op z'n minst één dochter hebt. Nog meer kinderen?'

'Dus je bent de afgelopen vierentwintig jaar van de ene naar de andere plek gegaan? Dat is een hele tijd.' Ik neem een slok water. 'En dan heb je dus veel gereisd.'

'Dat kun je wel zeggen,' zegt ze. 'Het Verre Oosten, Australië, Peru, Italië, Mumbai, steeds voor een periode van een jaar of drie en vervolgens een hele tijd in Canada, waar ik twaalf jaar heb gewoond.'

'En is er een man in je leven?'

Ze rolt met haar ogen. 'Laten we het daar maar niet over hebben. Ik en langdurige relaties – altijd een ramp, dat wil zeggen, tot nu toe.' Haar gezicht verzacht en ze glimlacht verlegen.

'Tot nu toe?' vraag ik belangstellend. Misschien is dit waarom ze is teruggekomen. 'Ben je verliefd?'

'Zoiets, ja.' Ze kijkt peinzend voor zich uit. 'Ja, dat ben ik. Maar laten we het liever over jou hebben! Vertel me hoe het met je is.'

'Prima. Uitstekend.' Ik pak een stukje brood en scheur het in tweeën. 'Er gebeurt niet zoveel in mijn leven. Alles gaat zijn gangetje – je kent dat wel. De tijd gaat langzaam in het dorp.'

'Ik geloof er helemaal niets van!' Ze trekt een pruillip. 'Kom op! Vertel me over je kinderen. Hoeveel heb je er? Wat zijn hun hobby's? Hoe oud zijn ze?'

'Ik heb twee meisjes, een eeneiige tweeling, maar Daisy heeft kort haar en dat van Ella is lang. Ze hebben de ogen van hun vader en een heel eigen lach. Daisy is goed in exacte vakken en werkt graag met haar handen. Ella houdt van acteren. Zij is extraverter dan Daisy.' Ik houd even op met praten wanneer de serveerster een salade voor ons neerzet: buffelmozzarella, meloen en waterkers. 'Zaterdag worden ze zestien,' besluit ik.

'Zestien? Wauw!' Ze schudt haar servet uit en legt het op haar schoot. 'Geven ze een feestje?'

'Ja. In het dorpszaaltje. Dat heeft een likje nieuwe verf gekregen sinds jij bent vertrokken, maar verder is er niets veranderd. We hebben een dj gehuurd en een heleboel eten en drinken besteld.' Ik haal mijn schouders op. 'Alle kinderen doen dat tegenwoordig. Er is elk weekend wel een feestje.'

'Herinner je je mijn zestiende verjaardag nog?'

Ik knik. 'Ik dacht er gisteren nog aan. Eerst die ruzie met je moeder en toen dat hele gedoe met Monica. Ik hoop dat ons wat minder drama te wachten staat.'

'Ik heb het mijn moeder nooit vergeven.'

'Wat, nog steeds niet?'

'Ze moest altijd in het middelpunt van de belangstelling staan.' Ze trekt haar neus op. 'Maar ach, natuurlijk. Gebeurd is gebeurd.' Ze neemt nog een hap van haar salade en schuift het bord weg. 'Twee meisjes dus? Bijna volwassen.'

'Wat Ella betreft wel, ja.'

'Is ze lastig?'

'Dat niet echt, maar ze weet wel wat ze wil.'

'Net als haar moeder dus.'

'Ik ben nooit lastig geweest.' Ik kijk haar schattend aan. 'Ik heb hard mijn best moeten doen om jou bij te houden.'

'Ja, ik had zo mijn momenten, hè?' geeft ze toe. 'Godzijdank hoeven we geen vijftien te blijven.' De serveerster neemt onze borden weg en Orla haalt haar mobiele telefoon uit haar tas. 'Ik moet even snel bellen,' zegt ze en ze loopt het restaurant uit.

Het is een goede gelegenheid om haar te bekijken en dat doe ik dan ook. Ze is ontspannen en praat glimlachend in de telefoon. Ze ziet er volkomen ongevaarlijk uit. Geen spoor van het gekonkel en de boosaardigheid waar ze vroeger toe in staat was en ik begin me af te vragen waar ik me zo druk om heb gemaakt. Ze is niet meer de gevaarlijke, impulsieve Orla die ze vroeger was. Ze is een rustiger, meer beschaafde uitvoering, denk ik.

Ze komt weer terug naar haar plekje. 'En de rest van het oude clubje? Monica, Euan, Callum, Faye. Hoe is het hun vergaan?'

Het restaurant loopt vol voor de lunch. De serveersters laveren met de borden hoog boven hun hoofden tussen de tafeltjes door. Ons hoofdgerecht is rode poon met voorjaarsgroenten en alvorens antwoord te geven neem ik mijn eerste hap. 'Lekker,' zeg ik, wijzend met mijn vork.

'Mijn moeder komt hier vaak. Je weet hoe veeleisend zij was... en is.'

'Gaat het goed met haar?'

'Ja, heel erg goed. Ze is helemaal in haar element. Nieuwe man, bergen geld, druk sociaal leven.' Ze schudt haar hoofd. 'Ik vraag me wel eens af waarom mijn vader al die jaren alles van haar heeft geslikt. Zij was de reden waarom we uit het dorp weggingen, dat weet je.'

'Nee, dat wist ik niet.' Ergens in mijn achterhoofd had ik altijd gedacht dat het vanwege Rose was, omdat Orla en ik nooit in hetzelfde dorp hadden kunnen blijven wonen en elkaar dag in, dag uit onder ogen hadden kunnen komen, na wat wij hadden gedaan.

'Dacht jij dat het vanwege Rose was?'

Ik knik. Ze had altijd mijn gedachten kunnen lezen.

'Dat was het niet.' Ze kijkt langs me heen. Het mooiste aan haar zijn nog steeds haar ogen. Een mengeling van chocolade en karamel. 'Maar goed, vertel me over het clubje.'

'Faye is verhuisd…' Ik denk na. 'Een jaar of twintig geleden al. Ze woont op het Isle of Bute. Ze is getrouwd met een schapenboer. Volgens de laatste berichten heeft ze vier kinderen. Callum heeft het bedrijf van zijn vader overgenomen. Heeft een stuk of zes mensen in dienst op de boot en in de viswinkel. Hij is nog niets veranderd. Praat aan één stuk door en nog steeds gek op voetbal. Zijn zoon Jamie is Ella's vriendje. Euan is architect en Monica is huisarts.'

'Dus Euan woont nog in het dorp?'

'Mmm.'

'Ben je soms met hem getrouwd?' Haar ogen worden groter. 'Zeg dat het zo is!'

'Nee!' Ik kijk haar aan alsof ze gek is geworden. Ik wist dat dit eraan kwam. 'God! Dan was het net geweest alsof ik met mijn broer was getrouwd!'

'Grace, je hebt geen broer en de manier waarop jullie naar elkaar keken had niets te maken met de liefde tussen broer en zus.'

'Doe me een lol, Orla.' Ik veins een verveelde uitdrukking. 'Dat was honderd jaar geleden.'

'Maar is hij getrouwd? Zie je hem nog wel eens?'

'Hij is met Monica getrouwd.' Ik zeg het nonchalant, laat het als room van een warme lepel van mijn tong glijden.

'Wat, Euan en Monica?' Ze leunt achterover in haar stoel en kijkt me fronsend aan. 'Ik geloof je niet!'

'Mmm.' Ik laat een slok mineraalwater door mijn mond gaan. 'Ze hebben twee kinderen, een jongen en een meisje. Monica werkt in een praktijk in…'

'Wacht! Wacht!' onderbreekt ze me. 'Euan en Monica? Getróúwd? Dat slaat helemaal nergens op!'

'Tja, zo gaat dat met de liefde, nietwaar?'

'Euan mócht Monica niet eens.'

'Hoe weet jij dat?'

'Dat was overduidelijk!'

'Tja, zo gaan de dingen soms. Je denkt dat je iemand niet mag, dat je zelfs een hekel aan hem of haar hebt en opeens PATSBOEM!' Ik klap mijn handen tegen elkaar. 'Dan treft een van Cupido's pijlen doel en ben je verloren.'

'Wat vond jij ervan?'

'Ik? Ik was heel erg blij voor hem!'

'Was je niet jaloers? Jullie waren onafscheidelijk!'

'Dat is niet waar. Jij en ik' – ik wijs op haar en dan op mezelf – 'wij waren onafscheidelijk.'

'Euan hield van je,' zegt ze zacht. 'Dat zag ik al toen we zestien waren.'

Ik lach. Dit is lastiger dan ik dacht. 'Zoals ik al zei, we waren als broer en zus. Nog steeds.'

'Met wie ben jij dan getrouwd?'

'Met Paul. Hij werkt op de universiteit. Hij doceert mariene biologie.'

'Ken ik hem?'

Onze desserts zijn inmiddels opgediend en ik neem een hap van de zoete meringue, die openbarst met de scherpe smaak van frambozen. Even overweeg ik haar de achternaam van mijn man niet te vertellen, hem een beetje in te slikken of zelfs iets anders te verzinnen, maar mijn huwelijk is geen geheim; ze kan er gemakkelijk zelf achter komen. En ik hoop dat Euan het bij het verkeerde eind heeft. Als ze van plan is de waarheid over Rose' dood te vertellen, dan zal dit haar er zeker van weerhouden. 'Ik ben getrouwd met Paul Adams.'

Ze staart me aan. Ik zie haar mond verslappen en openvallen. Ik wend mijn blik niet af. Ik heb me hierop voorbereid. Ik heb het gerepeteerd. Ik wist al dat ze het niet eens zou zijn met de keuze die ik heb gemaakt. Ze is de eerste niet. Waarom denken mensen mij altijd beter te kennen dan ikzelf?

Ik blijf haar aankijken en uiteindelijk is zij degene die wegkijkt en haar waterglas naar haar mond brengt. Haar hand beeft en ze probeert hem stil te houden met de andere. 'Ik zal niet net doen alsof dat me niet verbaast,' zegt ze zacht.

'Dat zal best.'

Ze ademt uit. 'Paul Adams?'

Ik reageer niet.

'Grace?'

'Wat?'

'Dezelfde Paul Adams?'

'Ja.'

'De vader van Rose?'

'Ja.'

'Ik weet niet wat ik moet zeggen.' Ze leunt naar achteren en trekt aan haar haar. 'Ik weet gewoon niet wat ik moet zeggen.'

'Jij vindt hem een slechte keus. Waarom? Om wat er met Rose is gebeurd? We werden verliefd. We zijn getrouwd. We hebben de meisjes gekregen. Ik houd van hem – nog steeds. Dat is alles.' Ik vouw mijn servet netjes op op mijn schoot. 'En laten we er nu maar over ophouden.'

'Ben je gelukkig?'

'Ja, dat ben ik zeker.'

Ze kijkt me glimlachend aan. 'Dan ben ik blij voor je,' zegt ze. 'Echt waar. Je verdient het om gelukkig te zijn. Dat verdienen we allemaal.'

Ik kan niet geloven dat ze het meent. Ik wacht op wat er verder nog komen gaat, maar het komt niet. We eten onze desserts en ik leun naar achteren en wrijf over mijn maag. 'Lekker gegeten.'

Ze glimlacht flauwtjes.

'Logeer je bij je moeder?'

'Nee. In een klooster in de Borders.'

'Een klooster? Een katholiek klooster? Met nónnen?'

'Ja.'

'Dat meen je niet!' Ik begin te lachen.

'Kijk je daarvan op?'

'Eh… ja. Ik meen me te herinneren dat je moeder je met geen stok mee kon krijgen naar de kerk. Op je twaalfde noemde je jezelf al een atheïst, weet je nog?'

'Mmm. Dat was ik ook. Maar ik ben veranderd. Ik treed in het klooster als novice. Ik wil non worden.'

'Mooi… geweldig.' Ik haal mijn schouders op. 'Zolang jij er maar gelukkig van wordt.' Ik glimlach alsof ik het meen. Ik realiseer me dat ik het ook echt meen. Het lijkt absoluut niets voor haar, maar ik hoop echt dat ze gelukkig wordt. 'Verrassend, maar goed.'

'Verrassender dan dat jij met Paul Adams bent getrouwd?'

'Wat?'

'Verwacht je nu echt dat ik er niets meer over zal zeggen? Je overvalt me met zoiets en dan moet ik maar glimlachen en je gelukwensen?' Haar stem wordt harder. 'Paul Adams? Wat bezielde je verdomme? De vader van Rose? Jij bent getrouwd met de vader van Rose?'

Ik leun naar achteren en sla mijn armen over elkaar. 'Interessante woordkeuze voor een aanstaande non,' zeg ik rustig. 'Maar ik begon me ook al af te vragen wanneer de oude Orla zich weer zou laten zien.'

'Hoezo? Ik heb God gevonden, wat niet zo ongewoon is voor iemand van onze leeftijd. Jij daarentegen…'

'Je weet heel weinig over de volwassen Grace, Orla, net zoals ik heel weinig over jou weet.' Ik voel me opeens heel moe. Ik schuif mijn stoel naar achteren en dwing mezelf rechtop te gaan zitten. 'Laten we dus maar ophouden met mooi weer spelen en vertel me nu maar eens precies waarom je contact met me hebt opgenomen.'

'Oké.' Ze haalt diep adem, schuift haar waterglas weg en leunt met haar ellebogen en onderarmen op de tafel. 'Je zult er niet blij mee zijn, maar je moet goed onthouden dat ik je geen kwaad hart toedraag.'

'Voor de draad ermee.'

'Ik voel de behoefte om mijn fouten recht te zetten. En ik wil het goed maken met de mensen die ik heb gekwetst.'

Het begint in mijn vingertoppen en vriest zich een weg onder mijn huid naar binnen, net zo lang tot ik zit te beven. 'Wat wil je daar precies mee zeggen?'

'Ik ben te biecht gegaan bij de priester. Nu moet ik alles nog opbiechten tegen de mensen die ik pijn heb gedaan.' Haar toon is zo luchtig als een suikerspin. 'Wat er met Rose is gebeurd, dat was wreed. Wat wij hebben gedaan was verkeerd en vervolgens hebben we het nog erger gemaakt door tegen onszelf en de politie te liegen.'

'En dat vertel je míj?' Ik weet niet of ik moet lachen of huilen. 'Sinds wanneer heb jij het recht om zo hoog van de morele toren te blazen?'

'Niet boos worden, Grace.' Ze probeert mijn hand te pakken. Ik trek hem weg. 'Het gaat hier niet om jou en mij. Het gaat erom dat ik moet doen wat juist is.'

'Ik heb de tol betaald, Orla, echt waar.' Ik praat zacht. 'Ik mag dan niet helemaal eerlijk zijn geweest tegen mijn familie of de gemeenschap, maar ik ben altijd eerlijk geweest tegen mezelf.' Ik zwijg even en kies mijn woorden heel zorgvuldig. 'Ik heb elke zonde die ik eventueel heb begaan goedgemaakt.'

'We moeten boete doen.'

'Ik ben niet katholiek,' breng ik haar in herinnering. 'En wat mij betreft gaat dit niet over godsdienst, maar over doen wat juist is.'

'Wat mij betreft ook.' Ze laat haar hoofd naar één kant zakken. 'Ik moet doen wat juist is. Dat begrijp je toch wel?'

'En wat houdt dat precies in?'

'Dat ik het Paul moet vertellen.'

'Waarom? Waarom zou je dat in vredesnaam willen doen?'

'Om hem de kans te geven het af te sluiten.'

'Ten koste van zijn huwelijk?' Ik ga steeds harder praten. Ik voel dat de vrouwen aan het tafeltje naast ons naar me kijken. 'Van het geluk van zijn dochters?' Ik kijk haar vol afgrijzen aan. 'We hebben afgesproken dit geheim te houden.' Ik sla met mijn vuist tegen mijn borst. 'Paul is mijn man. We hebben samen twee dochters. Als jij hem de waarheid vertelt over wat er die avond is gebeurd, verwoest je ons leven. Is dat wat je priester je heeft geadviseerd? Is dat werkelijk wat jouw God wil?'

'Verplaats jezelf nu eens in mijn situatie.' Haar stem is fluweelzacht en haar ogen zijn zo zwart en glanzend als gloeiende teer. 'Ik wil met een zuiver geweten het klooster in.'

Ik sta op en pak mijn handtas van de vloer. 'Ik wist wel dat je niet veranderd was. Je bent er bijna in geslaagd me voor de gek te houden, maar ik wist verdomme wel dat je niet veranderd was. Jij bent je moeders dochter. Alles gaat altijd alleen maar om jou.' Ik zoek in mijn tas, vind mijn portemonnee, gris er dertig pond uit en leg die met een klap midden op tafel. 'Ga terug naar waar je vandaan bent gekomen, Orla. Blijf bij me uit de buurt en blijf bij mijn gezin uit de buurt. Ik waarschuw je.'

Wanneer ik me omdraai pakt ze mijn pols vast. 'Tien dagen. Meer krijg je niet. Of je vertelt het Paul zelf, of ik doe het. De keus is aan jou.'

Ik ruk me los en zeg, zonder me wat aan te trekken van de andere lunchers, met harde stem: 'Als je aan mijn gezin komt, kom je aan mij, Orla.' Ik blijf haar een paar tellen lang strak aankijken. Ze kijkt onbevreesd terug. 'Ik zal niet aarzelen je pijn te doen. Ik meen het. Dus díe keus is aan jou.'

Ik verlaat het restaurant en haast me terug naar het station. Ik realiseer me dat ik het boek heb laten liggen dat ik voor Paul heb gekocht, maar ik kan moeilijk teruggaan om het te halen. Ik weet dat ik huil, maar het kan me niet schelen. Ik spring op de eerste de beste trein naar huis en vraag me af wat ik nu in vredesnaam moet doen. Ik heb het altijd, altijd geweten. Ik heb altijd geweten dat dit me zou achtervolgen. Ik rijd van het station naar huis, mijn handen strak om het stuur geklemd.

Tegen de tijd dat ik de oprit op rijd zit mijn hoofd zo vol angst, spijt en stel-dat dat ik ermee tegen de muur zou willen beuken om mezelf buiten bewustzijn te slaan. In plaats daarvan trek ik een fles pinot grigio open en kijk hoe de wijn in het glas klotst. Tegen het aanrecht geleund drink ik achter elkaar een heel glas leeg en schenk mezelf een tweede glas in, en nog een. Mijn leven, mijn meisjes, mijn man, mijn huis, mijn hond, zelfs mijn leunstoel lijken het mooiste wat een mens zich maar kan wensen en ik weet dat ik het allemaal ga kwijtraken.

Ella komt de keuken binnen. 'Waar ben jij geweest?'

'Edinburgh.'

'Jezus! Dat had je wel eens kunnen zeggen. Dan had je die spijkerbroek mee kunnen nemen die ik zo graag wil hebben.' Ze duwt met haar voet de koelkastdeur dicht en kijkt me onderzoekend aan. 'Wat, nu al aan de drank? Het is nog maar halfvijf.'

Ik begin een beetje beneveld te raken. Er opent zich een weldadige afstand tussen mijzelf en de woorden in mijn hoofd. Oké, Orla is een kreng, maar ik vind wel een manier om haar haar mond te laten houden. Dat lukt me wel. Misschien kan Euan me helpen. Ik ben niet helemaal eerlijk geweest tegen Orla. Na de dood van Rose hebben we een verbond gesloten om het nooit iemand te vertellen, maar ik heb dat toch gedaan. Ik heb het Euan verteld. Een paar dagen nadat ik het had gedaan. Ik kon het niet voor me houden. Als geheim was het zoveel groter dan ikzelf.

Mijn ledematen voelen zwaar en slap en ik maak een draaiende beweging met mijn hoofd, om de spanning in mijn schouderspieren wat te verlichten.

'Nou?' Ella staat naar me te kijken. 'Hoe zit dat met dat drinken?'

Opeens heb ik het gevoel alles in de hand te hebben. 'Ella' – ik glimlach – 'we moeten nog steeds met elkaar praten.'

'Nou, kennelijk ben je in mijn kamer geweest, dus waar moeten we het dan nog over hebben?' Ze leunt met haar rug tegen het aanrecht en slaat haar armen over elkaar. 'Je weet dus dat ik aan de pil ben en dat bevalt je niet en je mag Jamie niet. En wat dan nog!' Ze lacht spottend. 'We leven niet in de negentiende eeuw. Meisjes kiezen hun eigen vriendjes. En Daisy was trouwens degene die voorstelde dat ik de pil zou gaan slikken. Ze is dus toch niet zo volmaakt als jij denkt.'

'Dat is mooi. Ik ben blij dat jullie elkaar goede raad geven. Zusjes horen elkaar te helpen en zal ik je eens wat vertellen? Je hebt gelijk.' Ik zwaai met het glas in haar richting. 'Wat maakt het uit wat ik ergens van vind? Ga maar lekker je gang! Doe wat je wilt, leef je leven zoals je het zelf wilt, dan kom je er vanzelf wel achter.'

Ik schenk mijn vierde glas wijn in, gooi de lege fles in de afval-emmer en wanneer ik haar weer aankijk zie ik dat er een onrustige blik in haar ogen verschijnt, die haar dwingt iets te zeggen.

'Wat mankeert jou?'

'Wat mij mankeert?' Ik begin te lachen. 'Wat mij mankeert? Dat zal ik je vertellen! Ik ben dat gedrag van je helemaal zat. Wil je zo graag volwassen zijn? Dan zal ik je als een volwassene behandelen.' Ik draai me om en rommel net zo lang achter in de bestseklade tot ik vind wat ik zoek.

'Rook jij?' Ze kijkt me ongelovig aan.

'Wat? Denk je dat jij daar ook al het monopolie op bezit?' Ik houd haar het pakje voor. 'Wil je er ook een?'

'Mam!'

Ik steek een sigaret op, inhaleer diep en houd mijn adem een paar tellen in alvorens de rook naar het plafond te blazen.

Ze begint mijn symptomen op haar vingers na te tellen. 'Je hebt gehuild, je rookt en je slaat glazen wijn achterover alsof het 't einde der tijden is.'

'Alsof het 't einde der tijden is?' lach ik. Het klinkt half verdwaasd. 'Je slaat de spijker precies op zijn kop!'

'Jezus, mam, ben je ziek? Zal ik papa bellen?' Er rolt een traan over haar rechterwang en ze veegt hem in haar haar.

Ik wuif haar weg. De wijn kalmeert me, neemt mijn remmingen weg en zorgt ervoor dat ik alles wil opbiechten. 'Nee, niks aan de hand. Ik ben niet ziek. Het is alleen…' Ik zwijg. Ik kan haar alleen vertellen wat ik voel door haar de waarheid te vertellen. En dat kan ik niet doen. Wanneer ik mijn dochter aankijk, weet ik dat zij er nooit achter mag komen. Nooit. 'Heus, er is niets aan de hand. Ik zwelg gewoon een beetje in zelfmedelijden.' Ik haal mijn schouders op. 'Dat heb je wel eens.'

Ze slaat haar armen om me heen en ik voel haar vrouwenlichaam tegen me aan drukken.

'Dat hoort er nu eenmaal bij als je volwassen bent.' Ik trek een verontschuldigend gezicht. 'Af en toe voel je je een mislukkeling of een rotmens en zou je willen dat je dingen anders had gedaan.'

'Maar jij doet nooit iets verkeerd, daarom werk je me juist zo op mijn zenuwen!' roept ze. 'Je hebt altijd geduld met mij, ook al zou je me huisarrest moeten geven of het aan papa moeten vertellen. Je verliest nooit je geduld met opa, zelfs niet wanneer hij heel erg in de war is en je alles honderd keer moet herhalen en je bent lief en je lacht en je kunt schilderen – je bent de beste kunstenares die ik ken en je ziet er goed uit! Je bent een *milf!*'

'Wat is een milf?'

Haar ogen worden groot. 'Ach, zeg alsjeblieft dat ik je dat niet hoef uit te leggen!'

'Nu zul je wel moeten – en bovendien zijn we allebei volwassen.'

'*Mother I would Like to Fuck.*' Ze vertrekt haar gezicht. 'Dat zei Jamie.' Ze begint te lachen. 'Het spijt me, mam, maar eigenlijk is het een compliment.'

'Ja, dat denk ik ook.' Op de een of andere manier staat ze toe dat ik haar haren streel. 'Maar kom je me wel opzoeken in de gevangenis?'

'O, mam, hou toch op!' Ze duwt me weg. 'Alsof jij ooit iets hebt misdaan!'

15 juni 1984

Bliksemschichten verlichten de hemel en ik tel de seconden – één… twee… drie… vier – tot de donderslag losbarst boven de tenten. Het regent zo hard dat het water op mijn wangen prikt. Ik zoek een weg over blootliggende boomwortels en gevallen takken en houd mijn zaklantaarn omlaag gericht, vlak voor mijn voeten, om te kunnen zien waar ik loop. Het kost me slechts een paar minuten, maar tegen de tijd dat ik bij Orla ben zit mijn haar tegen mijn hoofd geplakt en loop ik te soppen in mijn laarzen. Zij staat bij het meer op me te wachten. Het meer is verboden terrein omdat het maar honderd meter verwijderd is van de plek waar de jongens van de jeugdvereniging kamperen. Ergens achter de bomen zitten Euan, Callum en een paar andere jongens in hun tentjes hoogstwaarschijnlijk dronken te worden.

Orla staat steentjes in het water te gooien. Ik zie er eentje een stuk of zes keer over het wateroppervlak scheren voordat het zinkt.

'Je mag hier wel een goede reden voor hebben,' roep ik tegen haar zodra ik binnen gehoorsafstand ben. 'Parky vilt ons levend als ze ons hier op dit tijdstip betrapt.'

'Ach, neem toch eens wat risico in het leven, Grace,' roept ze terug, terwijl ze nog een steen gooit. 'Wat is het ergste wat ze kan doen? Ons uit de gidsen gooien?' Ze draait zich om en kijkt me aan. 'Zou ons dat iets kunnen schelen?'

'Niet echt,' geef ik toe.

Orla verwijt me vaak dat ik altijd voor de veiligste weg kies; en ook dat ik me te veel aantrek van wat andere mensen denken. Ik deel haar 'ze-kunnen-allemaal-doodvallen'-benadering niet. Ik zou willen van wel, maar ik voel de last van verwachtingen. Ik ben het langverwachte kind, mijn ouders' oogappel. Ik ben Grace. Ik ben beleefd. Ik ben vriendelijk en attent. Ik veroorzaak nooit problemen op school. Ik haal goede cijfers. Ik doe altijd wat ik moet doen.

Het is bijna middernacht en terwijl de wolken langs de hemel jagen, verschijnt opeens de maan, vol en glanzend als een zilveren munt. Maar het blijft gieten en het bos is vol waterige geluiden: de regen druipt, klatert, bruist, kolkt en beukt op de bladeren totdat ze doorbuigen onder het gewicht en hun lading in een plasje op de grond laten vallen. Het water loopt van mijn haar op mijn wangen en verder omlaag naar mijn lippen. Het smaakt koud en fris. Ik houd mijn hoofd naar achteren en drink het, zonder acht te slaan op het nat dat mijn mond mist en via mijn hals in mijn kleren loopt. Nog even en ik zal het steenkoud hebben.

'Wat is er dan, Orla? Wat?' roep ik tegen haar. 'Wat wilde je me vertellen?'

Ze komt naast me staan en fluistert keihard in mijn oor. 'Het gaat over Euan.'

'Wat is er met Euan?'

'Ik heb hem voor je uitgeprobeerd.'

Ik begrijp er niets van en frons. 'Wat bedoel je?'

'Ik heb hem voor je uitgeprobeerd. Hij zou wat beter mogen kussen, maar verder…' Ze stopt met praten, kijkt omhoog alsof ze nadenkt over de geheimen van het universum, kijkt mij dan weer aan en roept: 'Verder hebben we een goed nummertje gemaakt.'

Ik staar haar aan en mijn maag voelt zo hol alsof hij is leeg gelepeld door een chirurg. Ik ben doorweekt tot op mijn huid, maar voel toch iets branden in mijn keel.

'Wat is dat nou voor gezicht?' Ze lacht. Het water druipt van haar wimpers, neus en haar en van de uiteinden van haar glimlach, die veelbetekenend en sluw is. Geniepig, zou mijn vader zeggen. 'Je kijkt alsof je net hebt gehoord dat je hond dood is.' Ze geeft een duw tegen mijn schouder en mijn voeten glijden weg op de modderige waterkant. Ik val op mijn knieën en weet nog net te voorkomen dat ik met mijn gezicht op de grond smak. De natte aarde ruikt bitter en ik hoest achter mijn hand, sta weer op, zet mijn voeten stevig tussen een rots en een pluk heide en strijk mijn haar uit mijn gezicht en achter mijn oren. Orla staat weer steentjes te scheren. Ze weet van de prins geen kwaad. Ik moet schreeuwen om de afstand tussen ons te overbruggen.

'Heb jij seks gehad met Euan?'

'Wat?' Ze houdt haar hand bij haar oor. 'Ik versta niet wat je zegt!'

Ik steek mijn hand uit, grijp haar vast en trek haar naar me toe. 'Heb jij seks gehad met Euan?' herhaal ik. Ze kijkt me recht in de ogen. Ik zie wrok, woede en iets anders wat ik niet herken. 'Hoe kon je, Orla? Jij kan iedereen krijgen! Hoe kón je?'

'Hij stelt niets voor,' zegt ze tegen mij. 'Maak een keer een wip met hem, dan heb je dat gehad.'

Ik voel iemand aan mijn rug trekken. Ik houd Orla vast en draai me om. Daar staat Rose. Haar lippen bewegen, maar ik kan niet goed horen wat ze zegt. Ik versta de woorden verdwaald en slapen, maar meer niet.

'Ga terug naar de tent, Rose!' brul ik in haar gezicht en zij schrikt en deinst achteruit, maar laat mijn jas niet los. Ik draai me weer om naar Orla.

'Hij stelt niks voor. Vergeet hem!' roept ze. Ze lacht, haar trekken hard en woest in het licht van de maan. Ze schudt haar hoofd en het water sproeit alle kanten op. Ik besef dat ze hiervan geniet. Ze heeft dit heel opzettelijk zo gepland en heeft dit moment uitgekozen om het me te vertellen. We zitten midden in de rimboe. Ik kan nergens naartoe.

'Kreng dat je bent.' Ik zeg de woorden zo zacht dat ik ze zelf niet eens kan horen. Rose staat weer aan me te trekken en ik draai me om en duw haar hard van me af, de modderige waterkant op. Dan draai ik me weer om naar Orla. 'Kreng dat je bent. Smerig, vuil kreng!' Ik geef haar een harde klap. Ze valt bijna om, maar weet op het laatste moment haar evenwicht te bewaren en richt zich op. Ik sla haar nog een keer en deze keer valt ze op haar knieën en blijft zo zitten. Ze slaat niet terug. Ze laat zich net zo lang door mij slaan tot mijn handen pijn doen en ik geen kracht meer in mijn armen heb.

Ik ga terug naar het kamp, struikelend over rotsblokken en gevallen takken. Tot twee keer toe glijd ik uit op de natte bodem en val op de grond, waarbij ik mijn schenen stoot en mijn wang openhaal. Ik sta weer op en loop verder tot ik het kamp heb bereikt. Monica staat voor de voorraadtent. 'Het leek me beter om deze spullen af te dekken,' zegt ze, terwijl ze plastic dozen ontbijtgranen en kookbenodigdheden onder de tentluifel schuift. 'Anders wordt alles zo nat. Als je wilt kun je me helpen.'

Ik negeer haar, rits mijn tent open en zoek in het donker mijn slaapzak. Ik trek mijn natte kleren uit en gooi ze in de hoek. Mijn handdoek zit boven in mijn rugzak. Ik droog me af en trek mijn pyjama aan. Overal om me heen klinkt het geluid van zware, rustige ademhaling. Mijn knokkels doen pijn en ik wrijf eroverheen. Ik doe het automatisch, want ik wil niet nadenken en probeer het moment uit te stellen waarop ik in huilen zal uitbarsten.

In mijn slaapzak, opgerold als een foetus, denk ik na over wat er zojuist is gebeurd. Orla is – was – mijn beste vriendin. We waren toch vriendinnen? Hoe kon ze? En Euan? Hoe had híj het kunnen doen?

Ik trek de slaapzak ver over mijn hoofd. Ik neem me voor met geen van beiden ooit nog een woord te spreken. Ik heb Orla niet nodig en Euan ook niet.

5

Sophie, de psychiatrisch verpleegkundige, komt vanochtend langs, dus zijn Paul en ik allebei thuisgebleven van ons werk. Paul zit scripties na te kijken in zijn werkkamer en ik sta in de keuken flensjes te bakken, waar Ed zo dol op is. Het houdt me bezig, maar niet bezig genoeg. Ik kan gisteren niet uit mijn hoofd zetten: de rampzalige lunch in Edinburgh, Orla en haar onthulling. Ze wil non worden. Van alle onwaarschijnlijke mensen ter wereld heeft Orla besloten de sluier aan te nemen. Als tiener was ze niet alleen ongelovig, maar was ze ook een pestkop en vaak een leugenaar en bedriegster. Ze had niets gevoeligs of zachts en wanneer ik erop terugkijk, verbaast het me dat ik nog zo lang vriendinnen met haar ben gebleven.

Ik kan haar laatste opmerking maar niet vergeten: tien dagen. Ik heb tien dagen om Paul te vertellen hoe Rose is gestorven en anders komt Orla het voor me doen. Maar ik heb geen idee hoe ik het hem moet vertellen en word helemaal gek van het piekeren. De optimist in mij hoopt dat ze uit zichzelf op andere gedachten zal komen. Voordat we elkaar gisteren weer zagen, wist ze niet dat ik met de vader van Rose ben getrouwd. Daardoor zal ze toch wel van gedachten veranderen? In haar plaats zou ik dat zeker doen, maar dan herinnert de pessimist in mij me eraan dat ik Orla niet ben. En ook al spraken haar woorden van afsluiten en geweten, toch hadden haar toon en haar gelaatsuitdrukkingen iets heel anders gezegd. Tegen de tijd dat ik wegging had ze zitten gniffelen. Ik weet het zeker.

Ik probeer me op het positieve te concentreren – op de een of andere manier hebben Ella en ik ons in tijden niet meer zo nauw met elkaar verbonden gevoeld als gistermiddag. Zij en Jamie zijn nog niet zover gegaan dat ze al echt seks hebben gehad, maar ze was bang dat het opeens zou gebeuren en wilde geen risico nemen. Ze zijn van plan de extra veilige methode te gebruiken: condooms en de pil. De dokter heeft haar de bijwerkingen uitgelegd, maar ze voelt zich prima. Ze slikt de pil nu pas twee weken en voelde zich wel een beetje huilerig, maar ja: 'Ik ben nu eenmaal geen gemakkelijk mens, hè, mam?' zei ze.

'Ik bewonder je openhartigheid,' zei ik tegen haar. En toen lachten we alsof we dikke vriendinnen waren.

Ik verwacht niet dat het blijvend is, maar het is zo'n sprong in de goede richting dat ik ervan wil genieten, me erin wil koesteren en me wil verheugen in het feit dat ik het eindelijk eens goed kan vinden met mijn dochter. En dat kan natuurlijk niet vanwege Orla. Ik weet dat ik het met haar helemaal verkeerd heb aangepakt: kwaad het restaurant uitlopen was niet zo'n goed idee. En nu is er nog niets beslist.

Wanneer ik door het keukenraam naar buiten kijk, zie ik Ed een van de bloemperken wieden. Hij zit op zijn knieën op een matje en verplaatst zo nu en dan zijn gewicht op de andere knie. Hij heeft jicht in zijn gewrichten en ik weet dat tuinieren pijnlijk voor hem is, maar dat hij het heel graag doet. 'Ik kan niet uren achter elkaar in een stoel zitten en nietsdoen,' zegt hij. 'Ik ben dan wel oud, maar nog niet der dagen zat.'

Ik bewonder zijn moed en de pure koppigheid. Waarmee hij doorgaat. Elke dag is er een, is zijn lijfspreuk en op dit moment lijkt me dat een heel goede.

Paul komt de keuken binnen en begint aan de broodrooster te morrelen. 'Volgens Ella is hij kapot.'

'Ze heeft de rookmelders ermee laten afgaan toen jij met Murphy was gaan wandelen, maar volgens mij zat hij gewoon klem,' zeg ik tegen hem. 'Ze stopt er telkens van die dikke theebroodjes in.'

Hij neemt het apparaat mee naar de achterdeur en keert het daar ondersteboven boven de compostbak om alle kruimels eruit te schudden. Ik blijf even naar hem staan kijken. Hij is twaalf jaar ouder dan ik, maar afgezien van het feit dat we zijn opgegroeid met andere muziek, kan ik niet zeggen dat ik ooit iets van het leeftijdsverschil heb gemerkt. We hebben er gewoon nooit een punt van gemaakt. Net als bij de meeste stellen heeft ook ons huwelijk zijn ups en downs gekend, maar ik heb nooit getwijfeld aan mijn liefde voor hem of aan de keus die ik heb gemaakt door met hem te trouwen.

Wanneer hij de broodrooster terugzet, pak ik zijn beide handen vast. 'Waarom gaan we niet wat eerder naar Australië? Nu? Dit weekend?'

Hij begint te lachen. 'Ik heb nog geen reactie gekregen van de universiteit.'

'Maar je wordt natuurlijk niet afgewezen. Die aanstellingsbrief is alleen maar een formaliteit.'

Hij lacht weer. 'Laten we liever niet op de zaken vooruitlopen, schat.'

'Waarom niet?' dring ik aan. Opeens lijkt dit mij de gemakkelijkste oplossing. Orla zal ons toch zeker niet naar Australië volgen? 'Laten we gewoon eens iets spontaans doen.'

'Maar het schooljaar van de meisjes is nog niet afgelopen. Ella moet ons nog imponeren met haar vertolking van Julia.'

'Ze vindt het vast niet erg. En morgen geven ze hun verjaardagsfeestje. Dan kunnen ze meteen afscheid nemen van hun vrienden en vriendinnen.' Ik sla mijn armen om hem heen en houd mijn hoofd dan wat naar achteren om naar hem op te kunnen kijken. 'Denk je eens in! Dan kunnen we al die dromen gaan waarmaken die we samen hebben.'

'En dat gaan we ook zeker doen! Maar pas over een paar maanden.'

'Toe.' Ik forceer een glimlach. 'Ik wil zo graag samen zijn als gezin.'

'Maar we zijn al samen als gezin en jij moet Margie Campbells schilderij nog afmaken en we moeten het huis nog verhuren.' Hij legt zijn handen om mijn gezicht en kust me. 'En ik moet op mijn werk nog het een en ander afronden. Er zijn nog zoveel kleine dingetjes te regelen.'

'Paul, ik…' Ik zwijg, want ik heb geen idee wat ik nu moet zeggen. Na al die jaren, kan ik er moeilijk zomaar plompverloren mee voor de dag komen. Toen ik net getrouwd was, had ik een theorie dat ik hem ooit zou vertellen wat er met Rose was gebeurd en dat onze band zo hecht was dat hij me zou kunnen vergeven. Er zou zich een moment voordoen, een kans, een verlossende opening in tijd en ruimte waarin ik zou kunnen stappen. Maar hoewel we natuurlijk wel over Rose praten, breekt dat moment van de waarheid nooit aan en in de loop van de tijd heb ik moeten accepteren dat ik het hem nooit zal kunnen vertellen.

Hij wacht rustig af wat ik verder wil zeggen. Ik herinner me dat ik ooit eens iets heb gelezen over de noodzakelijke attributen voor een geslaagd huwelijk: geduld, humor, genegenheid… en vergevingsgezindheid. Ik weet dat Paul met de eerste drie gezegend is. Maar vergevingsgezindheid is wel heel veel gevraagd en ik weet hoe hij denkt over verantwoordelijkheid. Hij heeft altijd willen weten wie er verantwoordelijk was voor Rose' dood en ik weet dat hij, als hij daar ooit achter komt, zou willen dat die persoon ter verantwoording werd geroepen. Wat ik niet weet is wat hij zou doen als ik die persoon was.

'Wat scheelt eraan? Ik zie dat je je ergens zorgen over maakt.' Hij trekt plagerig aan mijn haar. 'Voor de draad ermee.'

'Paul…' Ik aarzel en herinner mezelf eraan dat de waarheid, als die eenmaal boven water is gekomen, nooit meer weggestopt kan worden. Ik zal de rest van mijn leven met de consequenties moeten leven. Mijn huwelijk zal voorbij zijn, mijn leven zal voorgoed veranderen en de meisjes – hoe moet het met de meisjes?

'Grace?'

Ik moet iets zeggen, maar ik weet niet wat. Ik kan het risico niet nemen hem over Rose te vertellen en over mijn aandeel in haar dood, maar op de een of andere manier moet ik hem toch waarschuwen voor Orla. 'Het gaat om een bedreiging – niet van ons leven,' stel ik hem snel gerust, want ik weet hoe bang hij altijd is voor de veiligheid van de meisjes, 'maar van ons geluk.'

Hij glimlacht weifelend en schudt zachtjes zijn hoofd. 'Wat voor bedreiging?'

'Het verleden. Iets uit het verleden.'

'Wat dan?'

'Niet meer dan een moment. Een moment in de tijd waarop ik iets verkeerds heb gedaan.'

Hij denkt even na. 'Je hebt toch niet stiekem grote schulden gemaakt?'

'Nee, ik...'

Hij tilt mijn kin op zodat ik hem recht in de ogen kijk. 'En je hebt ook geen verhouding?'

'Nee. Het is alleen dat... Nou ja... Even hypothetisch: als iemand naar jou toe zou komen om over mij te praten,' zeg ik haastig, 'om je iets naars over mij te vertellen, iets wat je nog niet wist en ook nooit hebt kunnen vermoeden, zou je dan luisteren?'

Hij kijkt me verbaasd aan. 'Is dat een serieuze vraag?'

'Ja.' Ik leun tegen het aanrechtblad en wacht tot hij heeft nagedacht. Hij is een wetenschapper. Hij is een man van feiten en bewijsmateriaal. Ik heb hem niet veel gegeven om mee te werken, maar hij is toch zo beleefd erover na te denken.

'Hypothetisch dus?' Hij trekt zijn wenkbrauwen op en ik knik. 'Iemand komt naar me toe en vertelt me iets wat jij hebt gedaan en over wanneer hebben we het dan?'

'Een tijd geleden.'

'Voordat wij elkaar kenden?'

'Ja.'

'Is het een misdrijf? In de ogen van de wet?'

'Waarschijnlijk wel.'

'Maar je bent ermee weggekomen?'

'Ja – of nee, eigenlijk niet!' zeg ik snel. 'Ik ben er niet mee weggekomen. Zo lijkt het misschien wel, maar ik heb het wel goed gemaakt.' Ik haal aarzelend adem. 'Ik denk dat ik het goed heb gemaakt.'

'Dat is mooi.' Met de rug van zijn hand streelt hij mijn wang. 'En nee, ik zou niet luisteren naar wat iemand me zou willen vertellen. Als jij ervoor kiest het me niet te vertellen, dan respecteer ik dat.' Hij haalt zijn schouders op. 'Maar vreemd vind ik het wel, Grace.' Uit zijn glimlach spreekt verwarring die grenst aan gekwetstheid. 'Ik dacht dat wij geen geheimen voor elkaar hadden, maar goed.' Hij knikt resoluut. 'Het is gebeurd voordat wij elkaar leerden kennen en ik respecteer je recht op privacy.'

'Dank je.' Er wellen tranen op in mijn ogen en ik probeer ze weg te knipperen.

'Waar komt dit zo opeens vandaan?'

'Herinneringen…' Ik haal mijn schouders op. 'Je weet hoe dat gaat. Het zal de leeftijd wel zijn.'

'Eén ding.' Hij fronst. 'Je hoeft me de details niet te vertellen, maar ik wil wel graag weten waarom – waarom je het mij niet kunt vertellen.'

Zijn blik is vriendelijk en bemoedigend. We zijn al meer dan twintig jaar bij elkaar en ik kan het aantal keren dat we elkaar hebben gekwetst op de vingers van één hand tellen. Zoals de dag dat ik Ella kwijtraakte op het strand in Frankrijk en hij kwaad werd vanwege mijn onvoorzichtigheid en de maanden nadat we terug naar Schotland waren verhuisd toen ik wegzakte in een depressie en hem soms naar me zag kijken, bang om me aan te spreken op mijn apathie omdat ik dan misschien helemaal zou breken. 'Ik kan het je niet vertellen,' fluister ik. 'Omdat ik bang ben dat je dan niet meer van me zult houden.'

Hij strekt onmiddellijk zijn armen naar me uit en ik klem me aan hem vast als een zeepok aan de romp van een vissersboot. Zo blijven we meer dan een minuut staan, tot ik ben uitgehuild en dan houdt hij me een eindje voor zich zodat hij me recht in de ogen kan kijken. 'Luister, ik ken je. Ik weet dat je een goed mens bent. Dus wat het ook is – het maakt niet uit! Ik zal nooit ophouden van je te houden. Nooit.'

Zijn woorden raken me diep en even wordt mijn angst wat minder, maar ik weet meteen dat dit gevoel niet blijvend is.

Hij kijkt over mijn schouder naar de voorkant van het huis. 'Dat klinkt als de auto van Sophie. Ben je daar nu wel voor in de stemming? Zal ik haar vragen een andere keer terug te komen?'

'Nee, het gaat wel.' Ik schenk hem een betraande glimlach. 'Sorry dat ik zo ingewikkeld doe.'

'Ik neem aan dat dit iets is wat gaandeweg belangrijker is geworden dan waar het alles bij elkaar om gaat.' Hij trekt me nog even tegen zich aan. 'Dus laten we het maar gauw vergeten.'

Hij loopt weg en laat een koude plek achter waar hij heeft gestaan. Ik plens wat water in mijn gezicht, loop naar de achterdeur om een paar keer diep adem te halen, knipper mijn tranen weg en als Sophie de keuken binnenkomt heb ik een glimlach voor haar klaar.

'Hoe gaat het ermee, Grace?' Sophie is klein en donker en straalt uit al haar poriën kalmte en deskundigheid. Ze houdt haar hoofd een beetje scheef. 'Gaat het wel? Je hebt een kleur.'

'Prima, hoor. Dit heeft niets met Ed te maken. De beproevingen van het opvoeden van een paar tieners. Je kent dat wel.' Ik voel me wel schuldig dat ik de meisjes de schuld geef, maar het is het gemakkelijkste antwoord.

'Zover ben ik zelf nog niet. De mijne zijn nog maar twee en vier. Twee jongens en dan nog degene die hierin zit.' Ze streelt beschermend over haar buik. 'Zo te voelen is het weer een voetballertje. Handig voor de afgedragen kleren.'

'Twee schepjes suiker, hè?'

Ze knikt.

'Geniet er maar van zolang ze nog klein zijn.' Ik geef haar een beker thee. 'Het is voorbij voordat je het weet. Het ene moment rennen ze nog rond in luiers en even later torenen ze boven je uit en vertellen ze je in niet mis te verstane termen wat ze van je denken.'

'Hoe is het ermee, Sophie?' Ed komt binnen en geeft haar een hand. 'Ik ben nog even in de tuin bezig geweest. Van zulk lekker weer moet je gebruikmaken.'

We gaan allemaal zitten en Sophie haalt Eds gegevens uit haar tas. 'Vorige maand hebben we het gehad over de geheugenproblemen en de verschillende hulpmiddelen die je zou kunnen gebruiken om je daarbij te helpen.'

'Ja.' Ed haalt zijn notitieboekje uit zijn achterzak. 'Ik schrijf alles op zodat ik niet vergeet wie er bij me langs is geweest en wat er is gezegd, dat soort dingen. En Grace is zo lief geweest wat lijstjes voor me te maken. Hier heb ik ze.' Hij slaat een pagina op. 'Dit is een lijst van alle telefoonnummers die ik nodig zou kunnen hebben.' Hij zet zijn leesbril op. 'Deze bladzijde herinnert me eraan wat ik moet doen als ik verdwaald ben. En hier staat wat ik moet doen voordat ik naar bed ga: de televisie uitzetten, alle deuren en ramen dichtdoen en meer van die dingen.' Hij glimlacht wrang. 'Hoewel ik er natuurlijk weinig aan heb als ik vergeet dat ik, wanneer ik iets vergeet, in mijn notitieboekje moet kijken. Wat dan?'

Sophie heeft een heel repertoire van geruststellende uitdrukkin-

gen en daar gebruikt ze er nu een van. 'Hopelijk gaat dat niet gebeuren, Ed. Het gaat allemaal om ritme en routine.' Ze begint over
iets anders. 'En ben je er nog op uit geweest?'

'Ja. Ik ga twee of drie keer per week bowlen.' Hij kijkt mij aan.
'En ik heb hier veel te doen.'

'Ed is van onschatbare waarde voor ons gezin,' zeg ik. 'Tuinieren,
nieuwe deurklinken, helpen met de boodschappen – hij doet alles
waar wij niet aan toekomen. Ik zou niet weten hoe we het zonder
hem zouden moeten redden.'

Ed glimlacht dankbaar en Sophie schrijft wat in zijn dossier. 'En
hoe gaat het met je geheugen?'

'Nou ja, dat laat me af en toe in de steek. Ik ben niet meer de
man die ik vroeger was, maar over het algemeen red ik me wel. Op-
tellen is moeilijk en soms weet ik niet meer wie mensen zijn.'

'We doen bijna elke avond een potje scrabble,' zegt Paul. 'Dat
helpt pa bij het onthouden van woorden.'

'En we verheugen ons op Australië,' zegt Ed. 'Dat vergeet ik heus
niet! Die brief kan nu elke dag komen.' Hij slaat met zijn vlakke
hand op Pauls knie. 'Ik heb er alle vertrouwen in dat Pauls sollicita-
tie succesvol is geweest en dan gaan we bij mijn dochter Alison in
de buurt wonen, zodat de twee gezinnen veel tijd met elkaar kunnen doorbrengen.'

Sophie begint vragen te stellen over Australië en ik haak af en
merk dat ik zonder echt te luisteren op de juiste momenten kan
glimlachen en knikken. Maar de stem in mijn hoofd is vasthouden-
der en hoezeer ik de gedachten ook probeer te verdringen, ze keren
als een boemerang terug. Ik probeer te bedenken wat ik zeker weet
en wat slechts een vermoeden is. Orla wil intreden in een klooster
en voordat ze dat doet wil ze haar geweten zuiveren. Als ze de waarheid vertelt over die avond, word ik ontmaskerd. Het resultaat zal
rampzalig zijn.

Mijn poging het Paul te vertellen was een fout die ik niet nog een
keer kan maken. Het is zo'n automatisme voor me om steun bij
hem te zoeken, maar dit is iets waarmee hij me niet kan helpen. Ik
heb vastgesteld dat hij van me houdt en helemaal aan mijn kant
staat, maar dat is een schrale troost, want het feit blijft dat ik hem

misleid. Hij heeft zijn steun toegezegd zonder alle feiten te kennen. Als hij op de hoogte zou zijn van de aard van mijn geheim, weet ik zeker dat hij zich afschuwelijk verraden zou voelen. Ik betwijfel of hij het me ooit zou kunnen vergeven. In plaats van mezelf te verzekeren van zijn liefde, voel ik me alleen maar ellendiger dan eerst. Het bedrog stapelt zich op − ik heb het gevoel dat ik me op een spekgladde helling bevind en mezelf in veiligheid moet zien te brengen voordat het te laat is.

16 juni 1984

Een van de jongste meisjes valt op mijn hoofd. 'Au! Angela!' Ik duw haar van me af en wrijf over mijn schedel.

'Sorry, Grace.' Ze begint te giechelen. Ze heeft één been in een broekspijp en springt rond in de beperkte ruimte tussen de slaapzakken. 'Ik probeer mijn spijkerbroek aan te trekken.'

'Ga zitten voordat je op iemand anders valt.' Ik haal wat kleren uit mijn rugzak en trek ze aan. Lynn slaapt nog. Mary en Susan zijn zich aan het aankleden. 'Waar is Rose?'

'Ik denk dat ze naar de wc is,' zegt Angela tegen mij. Ze heeft nu allebei haar benen in één broekspijp gewurmd en baant zich moeizaam een weg door de tent. Ze valt languit op de slapende Lynn, die onmiddellijk om zich heen begint te slaan en een beker water omstoot, over de aantekeningen voor Mary's kampeerinsigne heen. Nu wordt Mary boos. Ik ben hier niet voor in de stemming. Ik heb amper geslapen en toen ik eindelijk sliep zag ik in mijn dromen steeds Orla's gezicht voor me, meer dan levensgroot en dubbel zo wreed.

Mijn eigen gezicht voelt opgezet, mijn huid staat strak van de opgedroogde tranen en ik pak mijn toilettas, rits de tent open en ga naar buiten, waar de zon de grond net begint te verwarmen. De zware regenval heeft grote plassen achtergelaten tussen de tenten. De stapel brandhout is kletsnat. Dat belooft niet veel goeds voor het ontbijt.

Het is al zeven uur en de meeste groepsleiders zijn op. Gisteravond lijkt heel onwerkelijk. *Heb ik het me misschien ingebeeld?* Ik kijk om me heen of ik Orla ergens zie. Op de een of andere manier heeft ze wat droog hout gevonden en ze is samen met een paar meisjes van haar groepje een vuur aan het aanleggen. Ze zit er op haar knieën naast en probeert de vlammetjes leven in te blazen. Een van de meisjes stelt haar een vraag en ze kijkt op. Op één wang is het begin van een blauwe plek te zien en naast haar rechteroog zit een kras waar mijn ring haar huid heeft opengehaald. Ik heb het me dus niet ingebeeld. Mijn maag draait om wanneer haar woorden opeens weer naar boven komen. *Ik heb hem voor je uitgeprobeerd. Hij zou wat beter mogen kussen, maar verder hebben we een goed nummertje gemaakt.*

Ik ben bijna weer helemaal opnieuw in tranen en ben blij wanneer juffrouw Parkin op haar fluitje blaast. 'Opstellen in groepen, meisjes. Wie heeft er ontbijtcorvee?'

De patrouille van Faye steekt de handen op.

'Boterhammen met spek voor iedereen, lijkt me. Begin maar. Alles wat jullie nodig hebben kunnen jullie vinden in de voorraad-tent.' Ze kijkt naar de anderen. 'Sandra, stop je hemd in je broek. Angela, houd op met dat gegiechel. Grace? Waar is Rose?'

Ik kijk om me heen en zie nu pas dat ze geen deel uitmaakt van de kring. Dat is vreemd, want vanaf het moment dat we in het busje zijn gestapt is ze niet van me weg te branden geweest. Ik kijk over de hoofden van de andere meisjes heen, in de verwachting haar uit het bos tevoorschijn te zien komen, zeulend met takken of water. Iets nuttigs. En dan komen opeens de details van gisteravond weer bij me naar boven. Ik herinner me dat ik haar heb genegeerd toen ze me iets kwam vertellen. En ik heb haar geduwd. Opeens weet ik het weer. Behoorlijk hard en als ze haar knie heeft geschaafd of haar elleboog heeft gestoten zou ik haar boven het geluid van al die regen niet hebben gehoord. Misschien zit ze ergens te mokken.

'Ik ga haar wel even zoeken, juffrouw Parkin.' Ik stap uit de kring. 'Ze zal wel ergens haar laarzen zitten poetsen of zoiets.'

'Vlug een beetje, Grace. Orla, jij gaat met haar mee.'

Ik ben al aan de rand van het bos. 'Ik ga wel alleen,' roep ik achterom. 'Ze is vast vlakbij.'

Orla is wel de laatste die ik nu bij me in de buurt wil hebben. Ik denk aan Euan met zijn tong in haar mond, zijn handen over haar hele lijf. En de rest. Ik huiver. Verdomme. Hoe heeft hij het kunnen doen? Hij heeft verkering met mij.

Orla moet rennen om me in te halen. 'Wacht even!'

Ze is bijna bij me. 'Rot op, Orla.' Ik duw haar weg. 'Ik praat niet meer met jou.'

'In vredesnaam, zeg!' Ze richt zich op en grijpt mijn arm. 'Ik heb je maar wat lopen stangen! Ik ben niet echt met hem naar bed geweest. Hij vindt jou leuk! Dat weet toch iedereen!'

Ik sla mijn armen over elkaar en kijk haar aan. Ik wil haar geloven, maar ik heb haar zo vaak zien liegen: tegen leraren, tegen ouders en tegen andere kinderen. Ze kan liegen als de beste. Ze verzint geen uitgebreide, gedetailleerde leugens en juist die eenvoud maakt ze zo geloofwaardig.

'Hoe weet ik dat je niet liegt?' zeg ik.

'Omdat we vriendinnen zijn. Beste vriendinnen.' Haar haar hangt wild om haar schouders en de krullen springen alle kanten op. Op de blauwe plek en de schram na is haar gezicht bleker dan normaal en de gedachte komt bij me op dat zij waarschijnlijk ook niet veel heeft geslapen.

Maar het zijn haar ogen die haar verraden. Die kijken ongemakkelijk. Droevig zelfs. Ik herinner me nog iets anders. 'Waarom vocht je gisteravond niet terug?' vraag ik aan haar.

'Omdat je het recht had me te slaan.'

'Maar je zegt net dat je het niet hebt gedaan.'

'Dat is ook zo.'

'Waarom heb je dat gisteravond dan niet gezegd?'

'Omdat. Omdat…' Ze steekt haar handen in de achterzakken van haar spijkerbroek en haalt haar schouders op. 'Omdat ik het had verdiend.'

Ik begrijp er niets van, maar heb toch medelijden met haar. Ze ziet er ongelukkig uit, doodongelukkig. 'We hebben het er later nog wel over. Nu moeten we eerst Rose vinden. Ik ga wel bij het meer kijken.'

Ik loop weg over de platgeregende varens en Orla houdt haar handen aan weerszijden van haar mond en roept: 'Rose! We gaan ontbijten!'

Er is toch wel een last van me afgevallen en ik haal een paar keer diep adem. Ik ben er niet helemaal van overtuigd dat ze de waarheid spreekt, maar alles ziet er niet meer zo somber uit als gisteravond. Ik besluit mijn gezicht en handen even snel af te spoelen, ga aan de rand van het water op mijn knieën zitten en haal de zeep uit mijn toilettas. Mijn moeder heeft me een stuk Yardleyzeep meegegeven, lelietjes-van-dalen: Zonder fatsoenlijke wasgelegenheid kun je maar beter iets meenemen wat lekker ruikt.

Ik droog me af aan mijn T-shirt en ga met mijn rug tegen een rotsblok zitten. Het enige wat ik hoor zijn Orla's stem en een paar merels die druk bezig zijn in de bomen. Het is ongewoon windstil en de zon verwarmt mijn gezicht. Ik voel mezelf langzaam wegdoezelen en sta snel op. Ik veeg automatisch met twee handen zand en bladeren van mijn billen en kijk het meer rond, maar van Rose is geen spoor te bekennen.

Vlak voor me, een meter of vier het water in, zie ik een jas. Ik kan de voorkant niet zien, maar hij ziet eruit als een van de onze. We hebben allemaal dezelfde donkerblauwe regenjas met het embleem van de gidsen en het nummer van onze afdeling op de linkervoorkant. Angela's moeder werkt in de fabriek en via haar hebben we korting gekregen.

Achter mij komt Orla tussen de bomen vandaan. 'Hier is ze niet. Laten we gauw teruggaan, voordat we onze boterhammen mislopen.' Ze komt naast me staan. 'Wat ruikt er zo lekker?'

'Lelietjes-van-dalenzeep.' Ik raak met mijn voet mijn toilettas aan. 'Je kent mijn moeder – die let op details.'

'In tegenstelling tot de mijne,' zegt Orla, met een sombere uitdrukking op haar gezicht. 'Die heeft niet eens in de gaten dat ik een weekendje weg ben.'

Ik wijs voor ons uit. 'Een van de meisjes is haar anorak verloren.'

'Die halen we straks wel op,' zegt ze, maar ik loop al takken te zoeken en gooi de korte weer weg tot ik er een gevonden heb die lang genoeg is.

'Ik denk dat ik er wel bij kan,' zeg ik. Ik trek mijn schoenen en sokken uit, rol mijn broekspijpen op en waad het water in. De tak haakt in de jas. Ik probeer er een ruk aan te geven, maar krijg er geen beweging in. 'Hij zit ergens aan vast. Ik moet verder het water in.' Ik kom uit het water en trek mijn spijkerbroek uit.

'Je hebt mijn gezicht wel echt pijn gedaan, weet je.' Orla hangt lui tegen een rots en wrijft over haar wang. 'Het doet hartstikke zeer.'

'Net goed. Moet je maar niet van die rare dingen lopen vertellen.' Ik gooi mijn T-shirt op mijn spijkerbroek en waad nog wat verder het meer in. Het koude water komt nu tot boven mijn knieën en ik houd mijn adem in. 'Ik hoop dat degene van wie die jas is dit weet te waarderen.'

'We zullen haar de pannen laten uitschrobben,' zegt Orla. 'Parky heeft voor vanavond Ierse stoofschotel op het menu gezet. Stoofschotel bij het kamperen! Dat mens is knettergek!'

Wanneer het water tot aan mijn dijen komt blijf ik staan. De jas drijft nog geen meter bij me vandaan en de beweging van het water veroorzaakt wat golfjes. De mouw van de jas glijdt een beetje opzij. Ik wil hem pakken met mijn stok, maar stop dan en knipper één, twee, drie keer met mijn ogen. Elke keer als ik mijn ogen opendoe zie ik precies hetzelfde. Er steken vingers uit de mouw.

'Schiet nou op!' Orla begint ongeduldig te worden. 'Ze zit nu waarschijnlijk alweer in het kamp de laatste plakken spek op te eten.'

Ik draai me om. 'Orla, in… ik…' Mijn stem stokt.

'Wat nou?' Ze fronst en kijkt naar het uiteinde van de tak. 'Wat gaan we…' Ze rent het water in en samen pakken we het lichaam, slepen het mee naar de waterkant en leggen het op het droge.

Wanneer we haar omdraaien slaken we allebei een gil. Het is Rose. Mooie, blonde Rose. Haar gezicht is grijsblauw en opgezwollen en haar haren zitten vol groene slierten en kleine splinters hout.

'Shit, shit, shit. Grace! Shit.'

Ze is stijf en koud. Ik rol haar op haar zij en druk op haar rug om het water uit haar longen te krijgen. Er druppelt wat naar buiten. Ik rol haar weer op haar rug en druk op haar hart. Dan voel ik waar de onderkant van haar borstbeen zit en begin met hartmassage. Al tellend druk ik op haar borst… vijf, zes, zeven en blaas lucht in haar mond. De stank uit haar mond is misselijkmakend, maar ik slaag erin niet te kokhalzen. 'Ga juffrouw Parkin halen, Orla!' Zeg ik tussen het beademen door. 'We hebben hulp nodig.'

'Grace, ze is dood.' Ze trekt me bij haar weg. 'Dat zie je toch wel? Ze is al een hele tijd dood.'

'Dat kan niet.' Ik frons, loop achteruit, veeg mijn handen af aan mijn blote benen en staar naar Rose, die nu alleen nog een lichaam is. Haar ogen zijn wezenloos, leeg, ontdaan van de geest die Rose tot Rose maakte. Ik kan niet denken. Er zit niets in mijn hoofd. Geen woorden die me dit helpen begrijpen. Ik kijk om naar Orla.

'Jij hebt…' Haar ledematen schokken en haar hele lichaam is verwrongen. Ze grijpt haar haren en jammert.

Ik leg mijn T-shirt over Rose' gezicht. Het voelt niet goed dat haar ogen open zijn en dit allemaal zien.

'Jij hebt het gedaan.' Orla slaat haar hand voor haar mond. 'Jij hebt het gedaan.'

'Waar heb je het over!' Ik weet niet wat ik hoor.

'Toen je haar duwde!'

'Wat?'

'Was ze in de tent toen je terugkwam?'

'Dat weet ik niet.'

'Denk na, Grace.' Ze kijkt me met grote, koortsachtige ogen aan. 'Denk na.'

Ik denk terug. Ik heb niet gekeken of Rose in haar slaapzak lag. Ik heb bij niemand gekeken. Het is niet eens bij me opgekomen. Ik was overstuur. En daarvoor, de herinnering aan Rose' handen op de rug van mijn jas. Ik zie hoe ik me omdraai, op dezelfde plek waar we nu staan. Ze probeerde me iets te vertellen, maar ik kon haar niet verstaan en gaf haar niet de kans haar woorden te herhalen.

Ik kijk naar mijn handen. Opeens krijg ik een zwaar gevoel in mijn onderbuik. 'Christus! Ik heb haar een duw gegeven. Ik heb haar van de waterkant geduwd.'

Orla jammert en begint heen en weer te ijsberen, grote lange stappen waardoor ze over stenen en graspollen struikelt; ze wankelt even en herstelt zich weer. 'Denk na, denk na, denk na.' Ze beukt met haar vuist tegen haar hoofd. 'We moeten onze verhalen op elkaar afstemmen.'

Het gonst in mijn oren. 'Ze is dood.' Ik besef de gruwelijkheid van wat ik zojuist heb gezegd en ik begin te trillen, draai me om naar een struik en geef over. Na een paar keer hevig kokhalzen is mijn maag leeg; het maagzuur brandt in mijn keel.

'We moeten rustig blijven.' Ze pakt mijn schouders vast en drukt haar vingers in mijn huid. 'Ze kunnen je beschuldigen van moord.'

'Moord?' Ik veeg met de rug van mijn hand mijn mond af. In gedachten zie ik mijn toekomst voor me: de gezichten van mijn ouders, mijn naam in alle kranten, gevangenistralies. Mijn lichaam wordt zwaar, ik zak door mijn benen.

Orla vangt me op, drukt onze heupen tegen elkaar aan en duwt me met mijn rug tegen een boom.

'Maar het was een ongeluk. Jezus, Orla. Het was een ongeluk,' zeg ik tegen haar. Ik kijk omlaag naar Rose' lichaam op de grond. 'Zoiets zou ik toch nooit expres doen.' Ik voel hoe een enorme druk zich over mijn borst verspreidt, zodat er geen ruimte overblijft voor lucht. Ik kan niet meer ademen, houd mijn nek vast en probeer te hoesten, maar dat lukt niet.

Orla slaat me hard in mijn gezicht. Mijn tanden bijten in mijn tong en ik vertrek mijn gezicht en slaak een kreet van pijn.

Orla schudt me door elkaar. 'Luister! Ze kunnen je toch vervolgen. Houd je mond over gisteravond. Geen woord. Grace?' sist ze. 'We hebben niets gezien. We hebben niets gehoord. Hoor je wat ik zeg?'

6

De dj staat aan een kant van het zaaltje. Achter hem flitsen lichten die van kleur veranderen en beelden vormen op het plafond. Daisy draagt een spijkerbroek en een simpel zwart haltertopje en haar gezicht straalt met een soort iriserende blijdschap. Ella draagt een legging met luipaardprint, platte gouden schoentjes en een zwart strak rokje. Haar T-shirt is knalroze en op de voorkant staat in glitterletters SUPER BITCH. Haar haar hangt los op haar rug en aan een kant van haar gezicht steekt er een neporchidee in. Ze zijn allebei omringd door vriendinnen en maken cadeautjes open. Daisy legt de cadeaupapiertjes opgevouwen naast zich neer op de tafel; Ella gooit ze op de grond.

Ik laat ze hun gang gaan en rangschik de hapjes op schalen naast de flessen limonade en kartonnen bekertjes. Dan breng ik een volle vuilniszak naar buiten en steek een sigaret op. Ik heb hem al half opgerookt en begin er net genoeg van te krijgen de angstige gedachten weg te denken die telkens weer de kop opsteken, als ik Euans stem achter me hoor.

'Wat? Ben jij weer begonnen?'

'Alleen wanneer ik erg veel stress heb,' zeg ik tegen hem.

Hij loopt de treden af om bij me te komen staan en ik bied hem het pakje en de aansteker aan. Hij neemt er een sigaret uit, steekt hem aan en kijkt omhoog naar de hemel en de ontelbare sterren die schitteren en flonkeren en dichtbij genoeg lijken om aan te raken.

'Hoe is het in Edinburgh gegaan?'

'Slecht,' zeg ik. 'Stel je het slechtste scenario voor en dan nog twee keer zo erg.'

Hij blaast een sliert rook uit zijn mond, over mijn hoofd. 'Gaat ze Paul vertellen hoe Rose is gestorven?'

'Ja.'

Ik voel hem ineenkrimpen. 'Shit.'

'Ik weet het.' Ik haal mijn schouders op alsof het hopeloos is. 'En dat allemaal omdat ze haar geweten wil zuiveren. Ze wil non worden.'

Hij lacht ironisch. 'Dat is gelul. Zij wordt net zomin non als ik.'

'Ik weet zelf ook niet of ik haar geloof, maar er zullen best nonnen zijn die als onruststokers beginnen tot ze het licht zien.'

'Zij was wel wat meer dan een onruststoker. Ze was wreed en gemeen en gevaarlijk. Ze was gevaarlijk, Grace.' Hij wijst met zijn sigaret naar mij. 'En ze was altijd het meisje dat je achter de fietsenstalling wel even kon pakken.'

Ik kijk hem aan. 'Heb jij Orla achter de fietsenstalling gepakt?'

'Dat had ik kunnen doen.'

Ik verstijf. 'Dat hád je kunnen doen?'

Hij heeft het benul om schaapachtig te kijken.

'Nou, heb je het wel of niet gedaan?'

'Dat zou wel kunnen. Nou ja, niet achter de fietsenstalling…'

'Dat zou wel kúnnen?'

Hij zucht. 'Ja, dat heb ik gedaan.'

'Dat heb je me nooit verteld. God, Euan! Wat bezielde je?'

Hij probeert me aan te raken, maar ik deins voor hem terug. 'Het betekende niets voor mij, en voor haar nog minder, dat kan ik je verzekeren. En trouwens, wat doet het ertoe?' roept hij.

'Niet zo hard!' Ik kijk achterom, de traptreden op, maar alles is rustig. 'En wanneer ben je met haar naar bed geweest?'

'Het was meer dan twintig jaar geleden! Het was mijn eerste keer. Ik was geil.'

'Wanneer precies, Euan?'

Hij haalt zijn schouders op.

'Was het voordat Rose stierf?'

'Dat weet ik niet meer.'

'Nou, dan probeer je het je te herinneren!'

'Wat heb jij?' Hij steekt zijn hand naar me uit en streelt het kippenvel op mijn arm. 'Wat is er aan de hand?'

'Alsjeblieft.' Ik dwing mezelf kalm te blijven. Ik vraag me af waarom Euan en ik het hier nooit eerder over hebben gehad. En dan weet ik het. Omdat ik haar geloofde. Ik geloofde haar toen ze me de volgende dag vertelde dat ze het had verzonnen. Ze had geen seks gehad met Euan. Waarom zou ze ook? 'Probeer het je te herinneren.'

Hij tuurt in de verte en denkt even na. 'Het was toen we grotten gingen onderzoeken in Yorkshire voor aardrijkskunde. We kampeerden in tenten op een veldje naast de jeugdherberg. Je weet hoe het ging, zodra de lichten uitgingen mochten de jongens niet meer bij de meisjes komen en andersom, maar wij deden het toch en toen' – hij trekt één wenkbrauw op – 'op de een of andere manier vielen Orla en ik samen op de slaapzakken. De anderen waren buiten aan het rotzooien. Ik was alleen maar wat aan het voelen.' Hij zwijgt. 'Zij leek heel goed te weten wat ze deed. Ze leidde me bij zichzelf naar binnen. Het was…'

'Ze had het zo gepland,' zeg ik tegen hem. 'Ze wist hoe dol ik op je was.' Ik begin heen en weer te lopen langs de vuilnisbakken en tel de data af op mijn vingers. 'Dus in maart werd jij zestien. In april ging je op grottenonderzoek. En 5 mei kregen wij verkering. Rose stierf op 15 juni.' Ik ga op de onderste trede zitten omdat mijn benen me niet langer willen dragen. 'Waarom ben je nooit met mij naar bed gegaan?'

'Jij had geen aardrijkskunde.'

'Ik bedoel niet precies op dat moment,' zeg ik. 'Ik bedoel wanneer dan ook. Destijds,' voeg ik eraan toe.

'Grace.' Hij kijkt me droevig aan en steekt een hand naar me uit, maar ik ben te ver weg en hij laat hem weer zakken. 'Toen Rose eenmaal was gestorven? Toen was het voorbij.' Hij haalt zijn schouders op. 'Toen had je nog maar één doel voor ogen.'

Hij heeft gelijk, maar het doet pijn om het hem hardop te horen zeggen. Ik kan hem niet aankijken. 'Ik moet even naar het toilet.' Ik ga naar boven, loop glimlachend langs een stel tieners en stap de toiletruimte binnen. Wanneer ik mijn handen sta te wassen zie ik mezelf in de spiegel. Ik zie eruit alsof ik al dagen niet heb geslapen. Mijn ogen staan niet stil. Ze schieten van links naar rechts, alsof ik op zoek ben welke richting ik op kan vluchten. Hoe komt het dat de loop van mijn leven uiteindelijk afhankelijk is gebleken van zo'n ordinaire keuze: aardrijkskunde of geschiedenis? Als ik erbij was geweest, was Euan niet met Orla naar bed gegaan. Daar ben ik van overtuigd. En dan hadden we nergens ruzie over hoeven maken.

Maar ook al had hij het gedaan, hoe zat het dan met de avond waarop Rose was gestorven? Als het niet zo hard had geregend, zou ik de plons hebben gehoord toen ze in het water viel en had ik haar er weer uit kunnen vissen. Als juffrouw Parkin haar in een andere groep had geplaatst, die van Monica of van Faye bijvoorbeeld, was ze mij niet komen zoeken. Als ik griep had gehad – die heerste toen erg – en niet mee had gekund op kamp, of als ik nooit bij die stomme padvinders was gegaan, had Rose nu nog geleefd.

Een serie gebeurtenissen, een serie keuzes en uiteindelijk een gevolg dat zo afschuwelijk was dat het me mijn hele volwassen leven is blijven achtervolgen.

Ik ga weer naar buiten en zie dat Euan er nog staat. 'We hebben ruziegemaakt over jou,' zeg ik tegen hem. Ik leun met mijn hoofd tegen de koude stenen en schuif naar hem toe tot mijn schouder zijn bovenarm raakt. 'Ze zei dat ze seks met jou had gehad. En de volgende dag ontkende ze het weer. Toen zei ze dat ze me alleen had willen stangen.'

'Ze heeft altijd goed kunnen liegen.'

'Gisteren heb ik geprobeerd het Paul te vertellen.' De herinnering vervult me met een nieuw soort angst en ik begin te hyperventileren. 'Ik kon mezelf er niet toe brengen het te zeggen, maar als ik haar niet op andere gedachten kan brengen zal ik het hem toch moeten vertellen voordat zij het doet.'

'Niet doen. Daar moet je niet eens aan dénken.' Hij grijpt me bij mijn schouder en probeert me met zijn ogen te kalmeren. 'Eerst moeten we maar eens met haar gaan praten.'

'Ik heb het helemaal verkeerd aangepakt, Euan.' Ik voel me leeg, alsof ik totaal geen vechtlust meer overheb. 'Zal ik je eens wat vertellen? Misschien is het ook wel tijd dat ik opsta en zeg dat ik een vreselijke, vreselijke vergissing heb begaan. Ik heb een klein meisje een duw gegeven en toen is ze gestorven.'

'Misschien is ze helemaal niet gestorven omdat jij haar hebt geduwd, Grace.' Dit heeft hij al eens eerder gezegd en net als al die andere keren wil ik hem maar al te graag geloven, maar er is te veel ruimte voor twijfel.

'Ik ben het zo zat om het te moeten verbergen. Echt, ik meen het.' Ik begin weer heen en weer te lopen. 'Vind je ook niet dat Paul het verdient om de waarheid te weten. Het was zijn dochter, Euan. Zijn dóchter.'

'Dingen opbiechten mag dan goed zijn voor de ziel, maar het is niet altijd goed voor je relaties. Denk eens aan wat er zou gebeuren.' Hij kijkt naar de grond en dan weer naar mij. 'Je houdt toch van Paul?'

'Ja.'

'Dus moet je je huwelijk zien te behouden,' zegt hij op vlakke toon. 'Jouw liefde voor hem en zijn liefde voor jou. Het geluk van de meisjes. Je gezin moet op nummer één staan.'

Hij heeft gelijk en het doet me goed het te horen. Ik knik, trek mijn schouders naar achteren en haal een paar keer diep adem. 'Maar hoe kan ik Orla tegenhouden?'

'Laat mij je helpen. Twee weten meer dan één.'

Een gevoel van opluchting maakt zich van me meester en wordt snel gevolgd door een herinnering, een waarschuwing. Euan en ik: wij zijn niet altijd goed voor elkaar. 'Weet je het zeker?'

'Ja.' Hij komt tegenover me staan en zegt zacht: 'We zijn toch vrienden?'

Zijn been raakt het mijne en ik doe meteen een stap naar achteren en struikel bijna in mijn haast om de afstand tussen ons te bewaren.

'We moeten dit wel koosjer houden.' Ik probeer luchtig te klinken. 'Je weet…'

'Ik weet het,' valt hij me in de rede en even zie ik hoe zijn ogen zich vernauwen. 'We hebben een verhouding gehad. Maar dat was jaren geleden.' Hij haalt zijn schouders op. 'Dat ligt allemaal ver achter ons.'

'Oké.' Ik steek mijn handen in de achterzakken van mijn jeans. 'Ik wil alleen maar dat we elkaar goed begrijpen.'

'Orla bedreigt jou en jij hebt hulp nodig. Dat is alles.' Hij haalt opnieuw zijn schouders op. 'Dat is alles. Geen bijbedoelingen.'

'In dat geval stel ik je hulp heel erg op prijs.' Ik geef hem snel een knuffel. 'Dank je.'

'Graag gedaan.'

'Nou. Hoe kunnen we haar tegenhouden?'

'We bedenken wel iets.' Hij spreidt zijn armen. 'Koste wat kost.'

We staan een meter bij elkaar vandaan en blijven elkaar een hele tijd staan aankijken. Opeens hoor ik achter mij het geluid van Pauls stem en ik loop onmiddellijk van Euan weg en begin met onhandige, bevende handen een vuilniszak dicht te binden

'Volgens mij staat ze buiten. Ja, hier is ze! Grace!' Hij lacht breed. 'Kijk eens wie ik hier heb!'

Opeens komt Orla door de achterdeur naar buiten en komt naast Paul op de bovenste trede staan. Mijn adem stokt en ik sta haar net zo lang aan te staren tot ik wel gedwongen ben om door te ademen. Ze kijkt glimlachend op ons neer, rent dan de treden af, slaat haar armen om me heen en omhelst me alsof ik haar verloren gewaande zus ben. 'Grace! Wat heerlijk om jou weer te zien!'

Ik houd mijn armen slap langs mijn zijden en zeg niets. Eerlijk gezegd ben ik zo geschokt, zo volkomen overrompeld dat ik geen idee heb wat ik zou moeten zeggen.

Ze laat me los, slaat haar armen om Euan heen, doet dan een stapje naar achteren en neemt hem van top tot teen op, alsof ze van plan is hem te kopen. 'Euan Macintosh!' zegt ze. 'Het leven moet je wel gunstig gezind zijn geweest. Je bent geen spat veranderd!'

'Orla? Wat een verrassing!' Hij tovert een halfslachtig glimlachje tevoorschijn. 'Wat voert jou naar het dorp?'

'O, je weet hoe het gaat. Ik ben altijd dol geweest op feestjes. Ik was toevallig in de buurt en liep hier rond, op zoek naar alle oude plekjes, toen ik Daisy buiten tegenkwam. Ik had aan één blik genoeg om te zien dat zij een dochter van Grace was!' Ze kijkt me lachend aan. 'Het was alsof ik terugging in de tijd.' Ze laat Euan los en pakt mijn handen vast. 'Het lijkt als de dag van gisteren dat wij allebei nog zestien waren.'

Ik trek mijn handen weg en proef bitter speeksel in mijn mond. Ik kan haar niet aankijken. Ik weet zeker dat ik haar dan bij haar haren zou grijpen en haar door elkaar zou rammelen tot haar tanden uit haar mond vallen en haar ruggengraat als een pudding in elkaar zakt.

Paul kijkt naar onze gezichten en voelt de spanning. 'Nou, dan ga ik maar naar binnen, zodat jullie fijn herinneringen kunnen ophalen. Goed?' Hij kijkt mij vragend aan.

Ik kijk terug. Ik wil hem beschermen. Ik wil hem vastpakken en hem op het hart drukken vooral niet te geloven wat Orla zegt, dat hij niet met haar alleen mag zijn, dat zij een slecht mens is. Dat ze net zal doen alsof ze het alleen maar doet om eerlijk te zijn en hem een kans te geven het af te sluiten.

Ik pak zijn arm en duw hem voor me uit. 'Ik ga mee naar binnen.' We lopen het trapje op en treffen daar de meisjes aan in de keuken.

Ella slaakt een gilletje wanneer ze Paul ziet. 'Ik vroeg me al af waar je zat! Kom op, pap, je mag met me dansen.' Zonder acht te slaan op zijn protesten sleept ze hem mee en Daisy, die al een blos heeft van het dansen, wendt zich tot mij.

'Je oude vriendin lijkt me heel aardig, mam.' Ze slaat een glas cola achterover. 'Papa heeft haar uitgenodigd om volgende week zondag te komen lunchen.'

'Hij heeft wat?'

Daisy schiet in de lach. 'Rustig, mam! Wat sta je nou te piepen?'

'Heeft papa haar uitgenodigd om te komen lunchen?' vraag ik, in de hoop haar verkeerd te hebben verstaan.

'Nou ja, eigenlijk nodigde ze zichzelf een beetje uit. Ze zei iets over dat ze zo graag eens met jou zou bijkletsen en dat we misschien een keer samen konden eten en toen zei papa dat ze gerust eens langs mocht komen en toen zei zij wat dacht je van zondag en toen zei papa oké.'

Mijn mond valt open. Ik kan het bijna niet geloven. Orla heeft het voor elkaar gekregen zondag te worden uitgenodigd en dat is precies tien dagen nadat we elkaar in Edinburgh hebben getroffen. Ze meent het. Ze is echt van plan Paul over die avond te vertellen. Nu dringt het pas goed tot me door hoe ernstig dit is. Ik word overvallen door een golf van duizeligheid, zak op mijn hurken en stoot mijn hoofd tegen het keukenkastje.

Daisy trekt me overeind. 'Wat is er, mama?' Ik houd mijn handen tegen mijn slapen en zij trekt ze weg zodat ze mijn gezicht kan zien. 'Is alles in orde?'

'Ja, hoor. Het spijt me.' Ik haal diep adem en dwing mezelf te glimlachen. 'Papa en ik wandelen straks naar huis. Dan kunnen jullie verder feesten.'

'Best. Maar kom je eerst nog even dansen?'

'Nee, ga jij maar fijn dansen. Geef je vader waar voor zijn geld.'

Ik loop achter haar aan naar binnen en kijk vanuit een hoekje toe hoe ze zich bij Ella en Paul voegt. Ze staan even te praten, de meisjes lachend en opgewonden terwijl Paul zijn hoofd schudt en zijn meest onwillige gezicht opzet. Daisy laat zich niet uit het veld slaan, roept een verzoekje naar de dj en even later lokt een ritmische beat de meeste tieners de dansvloer op. De meisjes pakken ieder een arm van Paul en beginnen hem wat danspassen te leren. Binnen een paar minuten heeft hij de bewegingen onder de knie, maar hij beweegt lomp en onhandig en de meisjes onderdrukken hun gegiechel en trekken hem net zolang heen en weer tot hij het goed te pakken heeft.

Ik wil graag meedoen, maar ik weet dat ik dat niet kan doen. Ik verdien hen niet. Mijn handen trillen en ik steek ze in de zakken van mijn jeans. Meteen verspreidt het trillen zich naar de spieren van mijn dijen, via mijn benen omlaag en naar mijn voeten. Dit is mijn gezin. Ik ben echtgenote en moeder, maar ik verberg een geheim dat zo groot is dat het, als het uitkomt, al het goede teniet zal doen wat ik de afgelopen vierentwintig jaar heb gedaan, en verwachten dat Paul me zal vergeven is net zoiets als verwachten dat de maan voor mijn voordeur neer zal vallen.

Ik kijk naar mijn gezin en op datzelfde moment weet ik zeker dat ik alles zal doen om dit te behouden. Ik loop naar de achterkant van de zaal om Orla te zoeken. Ze staat in de keuken met Euan en Callum, die ook bij ons op school heeft gezeten.

'Maar het huwelijk dan, en kinderen?' zegt Callum. 'Heb je niet het gevoel dat je veel gaat mislopen?'

'Mijn spirituele leven is alles voor me. Ik heb echt het gevoel dat ik mezelf heb gevonden.' Ze lacht verlegen en kijkt naar mij.

Ik kan haar niet aankijken. Ik wil dat ze weggaat. Heel simpel. Ik bal mijn vuisten langs mijn zijden en heb het gevoel dat ik klaar ben om ze te gebruiken.

'Ik heb heel lang rondgezworven,' vervolgt Orla. 'Ik was de weg kwijt. Ik heb met mannen samengeleefd die…' – ze zwijgt even en kijkt Euan aan terwijl ze naar het juiste woord zoekt – '… onsympathiek waren. Ik ben zo lang bezig geweest het onhaalbare haalbaar te maken en het ondenkbare aanvaardbaar, maar nu heb ik eindelijk mijn plekje gevonden. In het klooster.' Ze glimlacht alsof het haar zojuist is geopenbaard. Ze heeft dezelfde blik op haar gezicht als in het restaurant. Alsof ze verliefd is.

'En hoe moet het dan met seks?' Hoewel hij normaal gesproken een verlegen, lieve beer is, vermoed ik dat Callum stoutmoedig is geworden van een paar donkere biertjes. Hij leunt op het aanrecht, staart haar aan en lijkt een voor een al haar gelaatstrekken in zijn geheugen te prenten. 'Je hebt toch af en toe behoefte aan een wip?'

Ze schenkt hem een moederlijke blik. 'Er is meer in het leven dan seks, Callum.'

'Ik zeg ook niet dat er niks anders is. Maar het is wel een belangrijk deel van het leven. Jezelf tot uitdrukking brengen als volwassene. Alle lichaamsdelen in topvorm houden.' Hij steekt zijn hand op. 'Niet dat ik zo deskundig ben op dat gebied. Ik ben gescheiden en leid een eenvoudig leven. Niet veel tijd voor spelletjes.' Nu begint hij er een grapje van te maken en Orla lacht. 'Wat vind jij ervan, Euan?' Hij draait zich om naar Euan en geeft hem een knipoog. 'Zeg eens dat ik gelijk heb.'

'Ik denk dat het heel persoonlijk is,' zegt Euan. Hij staat links van mij. Hij heeft een worstenbroodje in zijn ene hand en een kop thee in de andere. 'Jij lijkt me niet iemand die zich aangetrokken voelt tot een leven van zelfopoffering, Orla.' Hij haalt glimlachend zijn schouders op. 'Maar ieder zijn meug.'

'Ik weet het!' Ze laat een vrolijk, meisjesachtig gegiechel horen. Hoewel ze niet echt staat te flirten – ze is niet helemaal de oude Orla – geniet ze zichtbaar van de aandacht. 'Al die wereldse streberij en wedijver en ambities en waarvoor?' roept ze uitdagend. 'Een snellere auto, een groter huis, de allernieuwste snufjes? Daarmee heb ik het gehad.'

'En het hebben van een geloof bevrijdt je van dat alles?'

'Ja, dat denk ik wel. Het is echt.' Ze grijpt naar haar borst. 'Geloof jij dan niet in God, Euan? Voel jij niet dat achter dit alles een hogere macht zit?'

'Ik geloof niet, maar ik ben ook niet ongelovig,' zegt hij. 'Kansen dienen zich aan als golven op het strand. Zo gaan de dingen. Zit daar een God achter? Ik weet het niet.'

'Dus jij hebt je eigen lot in handen?'

'Ik geloof in persoonlijke verantwoordelijkheid.'

'Echt waar?' Haar stem klinkt heel licht en haar volgende woorden kan ik maar net verstaan. 'Persoonlijke verantwoordelijkheid en integriteit gaan hand in hand, of niet soms?'

'Ik leid mijn leven zo goed als ik kan. Gericht op de toekomst.'

Ze kijkt eerst naar mij en dan weer naar Euan. 'Dus zonder achterom te kijken?'

Hij schudt zijn hoofd. 'We kunnen het verleden niet overdoen, Orla. Iets wat kapot is kun je maken. Maar iets wat is gedaan, kan nooit ongedaan gemaakt worden. Wat heeft het voor zin oude koeien uit de sloot te halen?'

'Schadeloosstelling...' Ze denkt even na. 'Verlossing.'

'Kan verlossing helend zijn wanneer je er anderen mee kwetst?'

Ze laat deze vraag in de lucht hangen tot hij steeds zwaarder lijkt te worden om onze hoofden. De seconden tikken voorbij en ik voel dat het steeds moeilijker wordt om in te ademen.

'Heb ik soms iets gemist?' Callum kijkt hen met een onzeker glimlachje aan, maar het lukt hem niet hun aandacht te trekken. Ze staren elkaar aan alsof ze door hun blik af te wenden hun nederlaag zullen toegeven. 'Sinds wanneer is het opeens zo serieus?'

'Callum, ik geloof dat de dj een paar sterke armen nodig heeft om hem te helpen met de geluidsboxen,' zeg ik wanneer ik eindelijk mijn stem terug heb.

'Dat is een karweitje voor mij.' Hij propt een handvol chips in zijn mond en loopt naar de deur. 'Ik ben zo terug.'

'Er zijn vierentwintig jaar voorbijgegaan, Orla. We zijn niet meer de mensen die we vroeger waren. Als je je dreigement ten uitvoer brengt verwoest je niet alleen het leven van Grace, maar ook dat van haar hele familie. Wil je dát op je geweten hebben?'

Het enige geluid in de ruimte komt van de ventilator in de hoek van de keuken. Er waait wind door naar binnen en de bladen draaien heen en weer. Ten slotte glijden haar ogen weg en kijkt ze mij aan. 'Dus hij is nog steeds je ridder op het witte paard?'

Ik geef geen antwoord.

Haar mond trilt en ze bijt op haar lip, kijkt naar haar voeten, strekt de ene, dan de andere en begint rondjes te draaien met haar rechterenkel alsof ze zich opwarmt voor een oefening. Dan kijkt ze hem weer aan. Het is een blik die zegt: weet je zeker dat je het tegen mij wilt opnemen? Euan toont geen enkele weifeling. Hij staart gewoon terug en alleen daarom houd ik al van hem.

'Wat wil je dan dat ik doe, Euan? Wat wil je dan?'

Ik geef onmiddellijk antwoord: 'Dat je weggaat. Dat je door die deur daar loopt en nooit meer terugkomt.'

'Maar ik ben er nog maar net.'

'Je komt zomaar ongevraagd binnenvallen op het feestje van mijn dochters.'

'Daisy zei dat het geen enkel probleem was.'

'Daisy is beleefd.' Ik zeg de woorden langzaam en nadrukkelijk en zie een waarschuwende schittering in Euans ogen. 'Ze zal je niet vertellen dat je moet opsodemieteren!'

'Rustig aan, Grace!' Callum is terug. Hij lacht geforceerd. 'Ik heb de dj een handje geholpen. Waarom gaan we niet met z'n allen naar de pub? In de Anchor hebben ze tot tien uur happy hour.'

'Ik neem Pauls uitnodiging om zondag te komen lunchen terug,' vervolg ik. 'Je bent niet welkom in mijn huis.'

'Heb jij het recht om zijn uitnodiging in te trekken?' Ze pakt haar handtas van de grond. 'Dit gaat niet zomaar weg, Grace.'

Ze loopt de keuken uit en ik volg haar en zie haar regelrecht de dansvloer op lopen naar Paul en de meisjes. Ze lijken allemaal blij haar te zien. Daisy pakt haar hand en Ella slaat zelfs haar armen om haar heen. Even later beweegt ze op de maat met hen mee en staan ze samen te lachen alsof ze elkaar al jaren kennen. Dan gooit ze haar armen in de lucht en wiegt, openlijk provocerend, voor Paul heen en weer. 'Een schootdansende non,' zegt Euan in mijn oor. 'Gekker moet het niet worden.'

Ik voel een kokende woede in me opwellen en loop naar voren. 'Niet doen.' Hij houdt mijn pols vast. 'Ze wil juist dat je een scène schopt. Gun haar die lol nu niet.'

Ik klem mijn kiezen op elkaar en wacht tot de muziek is afgelopen. Wanneer dat gebeurt, kust ze hen alle drie op beide wangen, waarbij ze Paul tot het laatst bewaart. Ze legt haar handen op zijn bovenarmen, laat ze omlaag glijden over zijn onderarmen en pakt zijn handen vast, maar laat hem heel slim los voordat hij ongemakkelijk begint te kijken. Dan loopt ze naar de deur en ik volg haar naar buiten, het trapje af, naar haar auto.

'Dit gaat niet zomaar weg.' Ze roept de woorden over haar schouder. 'Dat begrijp je toch wel?'

'Wat er die avond is gebeurd blijft tussen ons tweeën,' zeg ik. 'En daarmee uit.'

'Of bedoel je tussen ons drieën?' Ze kijkt achterom, waar Euan in de schaduw staat. 'Je hebt het hem verteld, hè?'

Ik geef geen antwoord.

'Euan weet dat jij het hebt gedaan. Heb ik gelijk of niet? En toch blijft hij het voor je opnemen. Of is er meer aan de hand?' Haar stem wordt zachter. 'Ik zag hem net naar je kijken. Wat was dat voor blik?' Ze kijkt naar de lucht, denkt even na en knipt dan met haar vingers. 'Ik weet het al! Smachtend. Dat was het. Het was een smachtende blik.'

'Je moest maar eens gaan.' Ik klem mijn kaken stijf op elkaar. 'Het kan op dit tijdstip nog behoorlijk druk zijn op de brug.'

'Het is echt het beste om eerlijk te zijn.' Ze doet haar best om spijtig te kijken. 'Leg je last toch neer.'

'O, alsjeblieft zeg!' Mijn geduld begint nu echt op te raken. 'Bespaar me dat schijnheilige gebazel! Wat had je je voorgesteld? Een gezellige zondagse lunch waarbij we met z'n allen rond de tafel gaan zitten en onze geheimen met elkaar delen? En wanneer jij je bekentenis aflegt bij Paul, wat denk je dan precies dat er met mijn huwelijk zal gebeuren?'

'Paul is een erg redelijke man. Volgens mij onderschat je hem.'

'En volgens mij moet jij ophouden mijn leven overhoop te halen!' Ik sta nu te schreeuwen. Ik kan er niets aan doen. Het voorzichtige stemmetje in mij herinnert me eraan dat anderen zo wellicht kunnen horen wat ik zeg, maar ik ben te kwaad om me daar druk om te maken. Ik wil haar dwingen in haar auto te stappen en weg te rijden, heel ver weg.

'Waar haal je het idee vandaan dat je mij kunt tegenhouden?' Ze opent haar portier. 'Ik doe dit met de beste bedoelingen, Grace. En jij? Kun jij hetzelfde zeggen?'

'Ja, dat kan ik. Het gaat hier om mijn gezin.' Ik kijk opzij, een ogenblik afgeleid door Monica. Zij staat aan de overkant van de straat naar ons te kijken, haar armen stijf voor haar borst gevouwen.

'Vroeg of laat moeten kinderen leren dat hun ouders niet onfeilbaar zijn.'

'O, vind je?' Ik kijk weer naar Orla. Ik knik. 'Is dat waar het hier om gaat? Feilbare ouders? Jouw moeder? Is dat het, Orla? Is het soms míjn schuld dat jouw moeder het met iedereen deed? Is het míjn schuld dat jij haar naar de kroon probeerde te steken? Hoeveel jongens heb je in de vierde klas precies geneukt?'

Ze krimpt ineen.

Ik houd niet op. 'Dave Meikle, Angus Webb, Alastair Murdoch.' Ik tel ze op mijn vingers af. 'O ja, en Euan niet te vergeten. Die was speciaal voor mij.' We staan met onze gezichten vlak bij elkaar, zo dichtbij dat we om dezelfde zuurstofmoleculen moeten vechten. 'Als jij de schuld op je wilt nemen voor Rose' dood, dan ga je je gang maar, maar je gaat mij er niet in meeslepen.'

'Ik hoef je er niet in mee te slepen. Je zit er al middenin en ik ga de waarheid vertellen, of je dat nu leuk vindt of niet.'

Ze trekt met een elegant gebaar het portier open en stapt in haar auto. Ik heb zin om een trap tegen haar voorwiel te geven, maar houd me in. Ik doe bewust een stap naar achteren. Ik wil dat ze weggaat. Nu meteen. Revanche nemen is geen optie. De motor start en ze rijdt weg.

'Wat doet zíj hier?' Monica is de weg overgestoken en staat naast me. Ze is bleek en haar ogen zijn groot en ongerust. 'Wat wilde ze? Waarom ben je kwaad op haar?'

Ik wil zeggen: *Wat gaat jou dat aan, Monica. Wat gaat jou dat aan?* Maar ik haal diep adem en zeg luchtig: 'Je kent Orla. Die geniet er altijd van iedereen te stangen.'

'Mij zeker,' zegt Monica. Ze staat zichtbaar te beven. Haar kaak trilt en ze spant hem om hem stil te houden. 'Wij hadden de pest aan elkaar. Maar jij was haar vriendin.'

'Nou, inmiddels niet meer.' Ik loop weg. 'Ga je mee naar binnen?'

16 juni 1984

Juffrouw Parkin zit op een houten bankje. 'Ze moet midden in de nacht zijn opgestaan om naar de wc te gaan.' Ze schudt haar hoofd en er lopen nog meer tranen op de kraag van haar blouse. 'Ik dacht dat we ver genoeg van het meer verwijderd waren. Dat dacht ik echt.' Dat blijft ze maar herhalen, steeds opnieuw. 'Dat dacht ik echt. Ik dacht dat we ver genoeg weg waren. Ik wist dat ze niet kon zwemmen, maar ik dacht dat we ver genoeg weg waren. Meer dan honderd meter, dat is toch zeker ver genoeg?'

Brigadier Bingham is een grote man met handen die twee keer zo groot zijn als die van mijn vader. Hij legt er een op haar schouder. 'Ik weet zeker dat u uw best hebt gedaan, juffrouw Parkin. Ongelukken gebeuren nu eenmaal. Maar tragisch is het wel. Zonder meer tragisch.'

'Grace?' Ze kijkt mij smekend aan. 'Waarom denk je dat ze de tent heeft verlaten? Heb jij haar niet gehoord?'

Ik probeer iets te zeggen, iets troostends, maar het lukt me niet. We zijn op het politiebureau. Orla zit op het bankje tegenover mij en juffrouw Parkin zit rechts van haar. Ze hebben dekens om ons heen geslagen. Orla heeft de hare afgeschud, maar de mijne zit nog stijf om me heen, want ik kan niet ophouden met bibberen. Rose is dood. Lieve kleine Rose die nog geen vlieg kwaad zou doen. En ik heb haar vermoord. Ik heb het gevoel dat mijn schedel aan het kraken is en straks zal versplinteren in honderdduizend kleine stukjes die elkaar nooit meer terug zullen vinden. Ik houd mijn tanden stijf op elkaar, maar dat weerhoudt ze er niet van te klapperen. De politieagente probeert me wat zoete thee te laten drinken, maar het komt er meteen weer uit.

Orla ziet er heel beheerst uit. Ik wil het liefst instorten en de woorden laten komen, gewoon de waarheid opbiechten en mijn straf in ontvangst te nemen, maar Orla belet het me met haar ogen. Ze heeft een ijzeren wil. Elke keer als ik mezelf voel wankelen, trekt zij mijn blik naar zich toe en omhult ons allebei in vastberadenheid.

Mijn ouders arriveren en mijn vader slaat zijn armen om me heen. Ik knijp mijn ogen dicht en druk mijn gezicht in zijn tweed jasje. Hij ruikt vertrouwd en sterk, net als altijd, naar zaagsel en koffie en ik begin weer te huilen. Hij trekt me dichter tegen zich aan en wiegt me heen en weer.

'Uw dochter en haar vriendin Orla hebben het lichaam van het meisje gevonden,' vertelt brigadier Bingham hun.

Mijn moeder schrikt. 'In godsnaam!' zegt ze. 'Hoe heeft zoiets kunnen gebeuren?'

'Het lijkt een tragisch ongeval te zijn,' zegt de politieman tegen haar. 'Uw dochter heeft nog een heldhaftige poging gedaan Rose te reanimeren, maar vergeefs. Waarschijnlijk had ze al de hele nacht in het water gelegen.'

Mijn moeder schrikt opnieuw en slaat haar hand voor haar mond.

'Ik ben bang dat Grace in een shocktoestand verkeert en dat ze tijd nodig zal hebben om het te verwerken.'

'Brigadier?' De agente komt bij hem staan. 'Rose' vader is er.'

Ik wil niet kijken. Ik wil zijn gezicht niet zien, maar iets dwingt me mijn ogen open te doen. Mijn rechteroog drukt tegen de jas van mijn vader, maar mijn linkeroog ziet hem. Hij staat met zijn handen in zijn zakken. Volkomen roerloos. Ik zie hoe brigadier Bingham het hem vertelt en zolang ik leef zal ik niet vergeten wat er vervolgens gebeurt. Meneer Adams valt op zijn knieën en wanneer brigadier Bingham hem overeind probeert te helpen, verzet hij zich en begint met zijn hoofd tegen de vloer te bonken. Het geluid is zo hard en hol als het knallen van een luchtbuks.

'Meneer Adams. Alstublieft. Laat me u overeind helpen, meneer.'

Rose' vader hoort hem niet meer. Hij huilt nu; hartverscheurende snikken die een echo vinden in mijn eigen borst.

Ik mag naar huis. Ik klim achter in de auto en brigadier Bingham praat nog even met mijn vader.

'Het kan zijn dat we nog een keer met uw dochter willen praten,' zegt hij tegen hem. 'Het is natuurlijk aan de officier van justitie om te bepalen, maar het lijkt duidelijk dat het hier om een ongeluk gaat.'

De plaatselijke krant doet verslag van het verhaal.

'MEISJE VERDRINKT OP GIDSENKAMP,' schreeuwt de kop, in grote vette letters. En daaronder:

De negenjarige Rose Adams, enig kind van Paul Adams, is vannacht verdronken in een diep meer in een schilderachtig bos in de omgeving van St. Andrews. Het is een geliefde plek voor kampeertochtjes van gidsen en jeugdclubs. Rose, die nog geen twee maanden lid was van de gidsen, verliet midden in de nacht haar tent. Waarschijnlijk is zij, bang geworden van het onweer, kort na middernacht in het meer gevallen. Rose' lichaam werd vanmorgen vroeg gevonden door Grace Hamilton, 15, en Orla Cartwright, 16. De meisjes ondernamen nog een heldhaftige poging Rose te reanimeren, maar zonder succes.

Juffrouw Parkin, die de groep leidt, zei: 'Ik wist dat Rose niet kon zwemmen, maar had het idee dat we alle noodzakelijke voorzorgsmaatregelen hadden getroffen. Ik ben intens geschokt door deze tragedie en mijn medeleven gaat uit naar meneer Adams. Rose was een lief klein meisje, levenslustig en behulpzaam. Ze zou een uitstekende gids zijn geworden.'

Dit is een dubbele tragedie voor meneer Adams, die, sinds kort aangesteld als docent mariene biologie aan de universiteit van St. Andrews, vorig jaar zijn vrouw heeft verloren.

Links van de tekst staat een klein zwart-witfotootje van Rose' vader. Hij heeft een blik op zijn gezicht die tegelijkertijd wild en wezenloos is. Hij is wat mijn moeder radeloos noemt. Rechts staat een grote kleurenfoto van Rose. Ze draagt een wit bloesje met een hartvormige hals en een rood vestje. Ze mist een paar voortanden en haar glimlach is breed en ongecompliceerd. Ze lijkt een en al leven en de herinnering aan hoe ze was toen ik haar voor het laatst zag doet mijn hart ineenkrimpen.

Ik lig in bed. Het lukt me niet om op te staan. Ik probeer het, maar word duizelig. Dit gaat een week zo door. Mijn moeder doet haar best om geduldig te blijven, maar tegen het eind van de derde dag zie ik dat ze alleen nog maar wil dat alles weer normaal wordt. Ze probeert me over te halen het nog eens te proberen, een bad te nemen, naar beneden te komen om te eten – maar ik kan het niet.

Op de achtste dag komt Mo mijn kamer binnen. Ze neemt me in haar armen en ik huil in haar schort. 'Wat er gebeurd is, is verschrikkelijk, Grace. Verschrikkelijk. Maar waarom kom je je bed niet uit?'

'Het lukt niet, Mo. Wanneer ik loop val ik om.'

'Dat komt doordat je bijna niets eet.' Ze pakt iets uit haar boodschappentas. 'Ik heb wat kaas- en uienscones voor je gemaakt en zachte cakejes.' Ze houdt me het lekkers voor. 'Krijg je geen honger als je dit ruikt?'

Ze heeft gelijk. De honger schreeuwt in mijn buik en verdrijft mijn tegenzin.

Mijn moeder verschijnt in de deuropening met een dienblad met thee. 'Lukt het?'

'Ze gaat net beginnen, Lillian,' zegt Mo, terwijl ze een kneepje in mijn hand geeft.

Als mijn moeder zich beledigd voelt door het feit dat Mo's eten mijn eetlust wel wekt en het hare niet, dan weet ze het goed te verbergen. 'Mooi zo! Wanneer je klaar bent met eten, zal ik een lekker warm bad voor je laten vollopen. Dan kan ik je bed verschonen terwijl je in bad zit.'

Mo staat op. 'Zal ik Euan straks nog even sturen om je een beetje op te vrolijken?'

'Wat een geweldig idee!' zegt mijn moeder, vrolijk en opgewekt. 'Dan kan hij je meteen helpen met het schoolwerk dat je hebt gemist.'

'Ja,' zeg ik tegen Mo. Ik doop een zacht cakeje in mijn thee en stop het doorweekte stukje snel in mijn mond voordat het valt. 'Vraag maar of hij langs wil komen.'

Euan en ik kregen verkering op de avond van Orla's feestje in mei. En de avond voor het gidsenkamp heb ik wakker gelegen met het gevoel van zijn kus in mijn mond en zijn handen op mijn haar en mijn rug. Sinds de tragedie is hij elke dag langsgekomen, maar mijn moeder heeft hem steeds verteld dat ik sliep. Dat is niet zo, maar het is wel makkelijk om net te doen alsof. Ik durf niet te slapen, want elke keer als ik dat doe begint de nachtmerrie; elke avond dezelfde, met dezelfde afloop.

Ik weet dat ik niet de rest van mijn leven in bed kan blijven liggen, maar ik kan toch ook mijn oude leven niet oppakken en net doen alsof er niets is gebeurd. Ik weet dat wanneer ik ga vertellen wat ik moet doen, Euan de enige zal zijn die aan mijn kant staat.

'En Orla is deze week al een paar keer langs geweest,' zegt mijn moeder tegen Mo. 'Grace lag te slapen, maar we hebben wat gebabbeld. Zij vat het allemaal heel verstandig op.' Mijn moeder werpt een blik op mij. 'Ze laat het achter zich en gaat verder met haar leven. Ze heeft weer een brief voor je achtergelaten, Grace. Heb je hem al gelezen?'

Ik geef geen antwoord. Het is de vijfde brief die ze me heeft geschreven. Ik heb ze allemaal genegeerd – ik lees ze niet eens meer – maar ze heeft het nog steeds niet begrepen. Ik wil niets met haar te maken hebben. Het idee haar weer te moeten zien stuit me tegen de borst. Niet dat ik haar iets kwalijk neem. Zo is het niet. Ik neem het mezelf kwalijk. Maar Orla herinnert me aan de slechtste persoon die ik kan zijn.

Ik eet het lekkers op, neem een bad en wacht op Euan. Zodra ik hem zie loopt mijn hart over. Ik spring uit bed, werp mezelf tegen zijn borst, leg mijn mond tegen zijn nek en adem diep in. 'Ik heb je gemist.'

Hij trekt me tegen zich aan. Ik draag een katoenen nachthemdje, niet heel dik. Opeens ben ik verlegen, want ik weet dat hij mijn hele lichaam erdoorheen kan voelen. Ik kruip weer onder de dekens en trek ze op tot aan mijn kin.

'Ik heb wat sandwiches voor je meegenomen.' Hij komt op mijn bed zitten en geeft me er een, ei met mayonaise en zoetzuur, en hapt zelf in de andere. Zo zitten we een tijdje zwijgend te eten.

Wanneer we klaar zijn buigt hij zich naar me toe om me te kussen. Ik houd zijn schouders vast.

'Ik heb het gedaan,' zeg ik snel, voordat ik niet meer durf.

'Wat heb je gedaan?'

'Ik heb haar vermoord.'

Hij kijkt me fronsend aan. 'Wie?'

'Rose.' Ik herinner me dat er geen enkele suggestie is geweest dat de dood van Rose iets anders dan een ongeluk kan zijn geweest. 'Het was mijn schuld.'

'Dat jij haar groepsleidster was wil nog niet zeggen dat het jouw schuld is.'

'Nee. Ik heb het echt gedaan. Het ging per ongeluk.'

'Wat heb je gedaan? Wat ging per ongeluk?' Hij schudt zijn hoofd. 'Hoe dan?'

'Ik heb haar een duw gegeven, Euan. Ik heb haar een harde duw gegeven en het regende en ze was heel klein.'

Hij maakt zich van me los.

'De grond was glibberig en het meer was diep en ze kon niet zwemmen.'

Hij staart me aan alsof ik gek geworden ben.

'Ik wist niet dat ze in het water was gevallen. Het was donker en Orla en ik maakten ruzie en…' Ik zwijg wanneer ik me herinner waar onze ruzie over ging – Euan. Maar later had ze me verteld dat ze had gelogen. 'Waar het om gaat is…' Ik steek mijn handen uit.

Hij kijkt me aan, in afwachting van de rest.

'Ik moet het goedmaken.'

'Hoezo goedmaken? Je hebt haar niet vermoord!'

Ik kom onder de dekens vandaan, ga op mijn knieën op het bed zitten en begin bij het begin. Ik vertel hem alle details: de diepte van het meer, haar handje op mijn jas, dat ik me omdraaide, niet kon horen wat ze zei, dat ik boos op haar was geworden en haar een harde duw had gegeven, aan de waterkant, dat ik vervolgens naar mijn tent was teruggegaan, zonder de controleren of zij er al was. Ik vertel hem alles, behalve waar Orla en ik ruzie om maakten.

Wanneer ik klaar ben zegt hij een paar tellen niets en dan: 'Dat bewijst nog niet dat jij het hebt gedaan.' Hij is gespannen en zijn lippen trillen. 'Echt niet, Grace. Je doet net of het heel logisch is, maar er zijn andere scenario's die net zo logisch zijn.'

'Zoals?'

'Zoals dat je haar hebt weggeduwd en dat ze is teruggegaan naar de tent. En dat ze later, toen jij al lag te slapen, weer is opgestaan om naar buiten te gaan.'

'Waarom zou ze dat doen?'

'Omdat ze met een van de andere meisjes wilde praten, omdat ze iets zocht, omdat ze slaapwandelde!' zegt hij triomfantelijk. 'Daar heb ik een keer een programma over gezien. Massa's mensen slaapwandelen.'

Ik wil hem wel geloven, maar ik kan het niet. Ik weet wat ik heb gedaan en ik weet wat me nu te doen staat.

'Als ik het niet heb gedaan, waarom komt ze dan bij me langs?'

'Bij je langs?'

'Sinds het is gebeurd, heb ik elke nacht over haar gedroomd.' Ik bal mijn vuisten en probeer rustig te blijven. 'En elke nacht wanneer ik wakker word, staat ze aan het voeteneinde van mijn bed en probeert me iets te vertellen.'

'In vredesnaam zeg! Dit is echt pure onzin.' Hij grijpt me vast. 'Je bent in de war. Je haalt je dingen in je hoofd. Het is net zoiets als het monster onder het bed. Het is niet echt!'

Ik begin te huilen. Het maakt me boos – wat heb ik aan tranen? – en ik sla met mijn vuisten op het bed. Ik kan dit niet alleen. 'Luister, Euan, alsjeblieft. Die droom moet ophouden. Je moet me helpen.'

'Hoe dan?'

Ik vertel het hem.

Tot twee keer toe keert hij zich even van me af en één keer zegt hij zacht: 'Dit is waanzin, Grace. Absolute verdomde waanzin.' Maar terwijl hij het zegt streelt hij mijn haar en weet ik dat hij me zal helpen. Misschien tegen beter weten in, maar hij zal me helpen.

Kort daarop gaat hij weg en voor het eerst in meer dan een week lukt het me in slaap te vallen zonder bang te zijn. De nachtmerrie komt weer, zoals elke nacht sinds ik haar lichaam heb gevonden. Ik sta aan de oever van de rivier. Ik word omringd door de onheilspellende schaduwen van pijnbomen die zo hoog zijn als een gebouw van vijf verdiepingen. De hemel boven mij rommelt en de regen plenst op mijn hoofd, maar op de een of andere manier word ik niet nat. Het water blijft even op mijn gezicht en mijn haren liggen, maar glijdt dan van me af om aan mijn voeten een plas te vormen.

Ik wacht geduldig op haar. Ik luister, draai me om, probeer haar gestalte in de duisternis te ontwaren totdat ze opeens voor me staat, kletsnat, de zoom van haar jas hangt, zwaar van het water, laag om haar knieën. Ze probeert me iets te vertellen, maar terwijl ze praat glijdt ze van me weg. Ik grijp naar haar hand en krijg haar vingertoppen te pakken... heel even heb ik haar vast... dan glijdt ze langs de oever omlaag, het water in.

Zwetend en naar adem happend gooi ik de dekens van me af. Ik heb het gevoel dat ik in elkaar zak, maar word gedwongen om op te kijken. Ze staat aan het voeteneind van mijn bed, met druipende haren en ogen die de kleur hebben van modder. Haar mond beweegt. Ik leun naar voren en probeer geconcentreerd haar lippen te lezen, maar ik begrijp nog steeds niet wat ze zegt. Maar ditmaal slaag ik er wel in iets tegen haar te zeggen. We kijken elkaar een lang ogenblik aan en dan knipper ik met mijn ogen en is ze verdwenen.

7

'Grappig hè, dat Orla zo opeens uit de lucht kwam vallen?'

Ik geef geen antwoord. Ik ben bij Monica. Ik kom de voorraad-dozen van de hapjes terugbrengen die ze naar het feest van de meis-jes had meegenomen. We zitten aan de ontbijttafel in haar keuken. Het werkblad glanst. Keukengerei hangt in keurige rijen aan haken onder de kastjes. Alle voorraadpotten hebben een etiket – THEE, KOFFIE, SUIKER – en staan recht achter de ketel. Er is geen spoor te bekennen van stof, rommel, gemorste melk of afbladderende verf achter de pedaalemmer. Er plakt geen eigeel aan de voorkant van de vaatwasser en er ligt geen platgetrapte aardappelpuree op de vloer-tegels. Het is een keuken uit een showroom. En Monica is de per-fecte persoon om hem te showen. Haar haar hangt zo glad als zijde op haar schouders, waar het perfect opzij krult. Haar make-up is zorgvuldig aangebracht en haar glimlach ook.

'Hallo Grace, ben ik in beeld?' Monica overhandigt me een kopje vers gezette koffie. 'Ik zei dat het grappig was, dat Orla opeens uit de lucht kwam vallen.'

'Ik had haar niet uitgenodigd, als je dat soms impliceert.'

'Wat weet Orla van jou?'

'Pardon?'

'Als blikken konden doden, had ik beslist haar dood moeten vast-stellen.'

'Ze kwam ongevraagd binnenvallen op het verjaarspartijtje van de tweeling. Dat stelde ik niet op prijs.'

'Wist je niet dat ze kwam? Echt niet?' Haar wenkbrauwen zijn met grote zorgvuldigheid geëpileerd. Ze probeert mijn gezicht te lezen, de leugen te grijpen en hem de nek om te draaien. Waarschijn-lijk heeft ze dat tijdens haar opleiding zo geleerd. Artsen zijn eraan gewend dat patiënten ontwijkende antwoorden geven.

'Heeft mijn vader al een afspraak gemaakt om op je spreekuur te komen?' vraag ik, wanneer ik opeens aan het bloed op de zakdoek denk.

'Als dat zo was, zou ik het je niet vertellen,' zegt ze. 'Beroepsgeheim.'

'Dat begrijp ik, maar misschien zou je erop kunnen aandringen dat hij een keer langskomt? Ik maak me zorgen om hem. Toen ik laatst bij hem was, hoestte hij bloed op in zijn zakdoek. Volgens mijn moeder heeft hij het aan zijn maag.'

'Meestal komt hij bij een andere arts in de praktijk, maar' – ze geeft een geruststellend knikje – 'ik zal het er eens met hem over hebben.'

'Dank je.' Ik begin bijna over Ella en de pil, maar doe het toch maar niet, want afgezien van het feit dat ik geen zin heb in een preek van Monica over het ouderschap, ben ik moe. Ik lag pas om een uur of twee in bed en heb onrustig geslapen. 'Sta jij soms midden in de nacht op om schoon te maken?' Ik kijk om me heen door de smetteloze keuken en zucht diep. 'Eerlijk waar, Monica, ik snap niet hoe je het voor elkaar krijgt. Je maakt ons allemaal te schande.'

Ze recht haar rug. 'Ik ben anders opgevoed dan jij.'

'Huh?' Ik heb opeens ongelooflijk veel zin in een sigaret en vraag me af of Euan ergens in die kastjes een pakje verborgen heeft.

'Jij bent tot in de grond verwend.' Ze zwijgt even.

Ik zeg niets. Ik denk nog steeds aan sigaretten. Als hij ze ergens verstopt heeft, dan is het in het tuinhuis.

'Jij werd met van alles overladen,' vervolgt ze, terwijl ze tegenover me gaat zitten. 'Terwijl ik mezelf moest opvoeden. Zolang ik me kan herinneren was het huwelijk van mijn ouders een fiasco. Ze hadden alleen maar tijd voor zelfmedelijden en ellende.'

'Wat rot voor je.' Ik neem een slokje koffie en leg mijn handen om het warme kopje. 'Dat wist ik niet.'

'En jij had niet alleen je eigen moeder die je behandelde als een prinsesje.' Ze kijkt me nu boos aan. 'Maar jij had ook nog eens Mo. Mo, die ieders lieveling was. Iedereen hield van haar.' Ze zwijgt, kijkt voor zich uit en zegt dan zacht: 'Ik was blij toen ze doodging.'

'Wat?' Opeens ben ik helemaal wakker en ik schiet overeind en zie de koffie als een golf over de rand van het kopje glijden en op het notenhouten tafelblad spetteren.

Ze kijkt me effen aan. 'Hoe had ik ooit met haar kunnen wed-ijveren?'

'Maar je kunt haar toch niet dood hebben gewenst!'

'Ik zei niet dat ik haar dood wenste,' zegt ze, hard. 'Ik zei dat ik blij was toen ze doodging. Nee.' Ze steekt haar hand in de lucht. 'Ik was niet blij toen ze doodging, maar ik vond het niet zo erg als eigenlijk had gemoeten.' Ze zucht. Verandert dan weer van gedachten. 'O, ik weet eigenlijk niet wat ik zeg.' Ze legt haar hoofd in haar handen en begint te huilen. 'Jezus, zeg het niet tegen Euan. Hij zou het vreselijk vinden. Alsjeblieft.'

'Ik zeg niks.' Ik ben oprecht geschokt, niet alleen door wat ze heeft gezegd, maar ook door de manier waarop ze opeens instort. Ik heb haar sinds het feestje voor Orla's zestiende verjaardag nooit meer haar zelfbeheersing zien verliezen. Ik weet niet of ik nu om de tafel heen moet lopen om mijn armen om haar heen te slaan. Ik kies voor een aarzelende hand op haar schouder; een paar tellen en dan haal ik hem weg. 'Volgens mij moet je wat meer rust nemen.'

'Luister!' Ze pakt mijn handen en kijkt me aan met het soort wanhoop dat ik met mezelf associeer. 'Pas op voor Orla. Ik weet dat je vriendinnen met haar bent geweest, maar je moet haar uit het dorp zien te houden.' Ze knijpt in mijn handen en ik probeer ze los te trekken, maar ze verstevigt haar greep. 'Als je soms hulp nodig hebt met haar, dan ben ik bereid je te helpen.'

Ze hoeft me er niet aan te herinneren dat Orla uit het dorp weg moet worden gehouden. Sinds ik uit Edinburgh ben teruggekomen heeft mijn hoofd me dat niet laten vergeten. Dat Orla op het feest van de meisjes opdook was een volgende nagel aan mijn doodskist en nu ze een uitnodiging voor de lunch voor elkaar heeft gekregen, is mijn lot zo goed als beslist. 'Alsjeblieft, Monica,' zeg ik. 'Laat mijn handen los.'

Ze laat onmiddellijk los, gaat weer rechtop zitten en haalt een paar keer diep adem. Haar lippen bewegen nog, maar ze houdt de woorden voor zich.

Ik veeg de koffie van de tafel, spoel het vaatdoekje uit en leg het weer naast de gootsteen. 'Heb je ergens sigaretten?'

'Garage. Bovenste plank. Achter de blikken oude verf.'

Ik ga naar de garage en vind de sigaretten. Er zitten er nog acht in het pakje. Zo te zien hebben ze hun beste tijd gehad, maar het is beter dan niets.

Wanneer ik weer binnenkom, overhandigt Monica me een brandende lucifer en zet ze de achterdeur open. 'Je weet het van Orla's moeder en mijn vader?'

Ik steek een sigaret op en inhaleer diep. Het zal mijn hoofdpijn geen goed doen, maar wanneer de nicotine in mijn bloedbaan komt voel ik een ander soort energie, waarmee ik er misschien in slaag de rest van de ochtend door te komen. 'Ik heb ze samen in Edinburgh gezien. Hij kuste haar. Maar het duurde even voordat ik doorhad wat er aan de hand was.'

'Heb jij ze gezien?' Er gaat een rilling door haar heen. 'Waar? Wanneer? Waarom heb je me dat nooit verteld?'

'Ik was veertien. Dat weet ik zeker omdat mijn oma me meenam naar Jenners om uitgebreid thee te drinken. En waarom ik het jou niet heb verteld?' Ik schud mijn hoofd. 'Ik kon een kreng zijn. Dat geef ik ruiterlijk toe. Maar zó erg was ik nu ook weer niet.'

'Het was al ongeveer een jaar aan de gang voordat ik er destijds achter kwam.' Ze leunt achterover en kijkt naar het plafond. Er lopen traansporen over haar wangen; ze pakt een stukje keukenrol en snuit haar neus, loopt dan naar de gootsteen en plenst wat koud water over haar gezicht. 'Nu begrijp je waarom ik haar haat.'

'Maar dat was Orla niet. Dat was haar moeder.'

'De appel valt niet ver van de boom.'

'Monica, je bent nota bene arts. Dat is toch niet wetenschappelijk!' Ik moet roepen, want ze is de keuken uit gelopen en op weg naar boven. Ik ga bij de achterdeur staan en kijk de tuin in. Ik kan het tuinhuis hiervandaan niet zien, maar ik weet dat het er staat en het oefent een magnetische aantrekkingskracht op me uit. Ik heb zin om mijn schoenen uit te schoppen, het pad af te rennen, mezelf binnen op te sluiten en nooit meer naar buiten te komen.

'Dit zijn we met ons drieën.' Monica is weer terug en laat me een foto zien.

'Hij staat naast mijn bed.'

Zij zit op haar vaders schouders, met haar handen op zijn hoofd.

Zijn rechterhand houdt haar voeten vast en zijn linkerarm heeft hij om haar moeders middel geslagen. Monica lacht. Ze lachen alle drie. 'Je ziet er heel gelukkig uit,' zeg ik, terwijl ik de foto aan haar teruggeef.

'Ik was zeven. We waren op vakantie in North Berwick.' Ze staart naar de foto en lijkt in herinneringen verzonken. 'Dat heeft Angeline me ontnomen.'

'Je hebt er niks aan om te lang bij het verleden stil te blijven staan,' zeg ik, hoewel ik heel goed weet dat het verleden je nooit helemaal loslaat. 'Je was een kind. Je had er niets aan kunnen veranderen.'

'De geschiedenis heeft de neiging zich te herhalen.'

'Je ouders zijn allebei overleden, Monica.' Ik schud haar zachtjes door elkaar. 'En Angeline woont nu in Edinburgh. Ze kan je niet meer kwetsen.'

'Geheimen zijn verwoestend, Grace. Weet je dat?'

Ik voel een ongemakkelijke rilling over mijn rug lopen. Nou en of ik het vernietigende karakter van geheimen begrijp; het trage druppelen van schuldgevoelens en spijt die een kleverig laagje achterlaten op alles wat je doet of voelt.

Ik zwaai met mijn duim in de richting van de voorkant van het huis. 'Ik moet weer eens terug.'

'Natuurlijk.' Ze volgt me door de gang. Er hangt een kaart naast de kapstok met de schema's van de kinderen erop, hun muzieklessen, sporttrainingen en data van schoolonderzoeken. Ik blijf hem even staan bewonderen.

'Zoiets zouden wij ook goed kunnen gebruiken,' zeg ik.

'Wij hebben er houvast aan.' Ze wrijft in haar handen. Ze is opeens nerveus. Het straalt gewoon van haar af. 'Grace?'

'Mmm?'

'Ik heb liever dat je hier niet met Euan over praat. Goed?'

Het ligt op het puntje van mijn tong om te zeggen: ik dacht dat je zo genoeg had van geheimen, maar ik doe het niet, want ik zie overeenkomsten tussen haar en mij. Ik wil het niet, maar ik zie ze toch. 'Ik zal het er niet met hem over hebben,' zeg ik.

Wanneer ik in de auto stap, rijd ik niet meteen weg. Ik leun achterover in mijn stoel en doe mijn ogen dicht. Voor het eerst in jaren heb ik een kant van Monica gezien die me eraan herinnert dat ze een mens is, van vlees en bloed, net als ik. We zijn van nature geen vriendinnen; nooit geweest ook. Als kinderen streken we elkaar al tegen de haren in en dat is nog steeds zo. Maar overspel respecteert niemand en toen Euan en ik die verhouding hadden, deed ik mijn uiterste best haar te ontlopen. Dat was gemakkelijker dan onder ogen te moeten zien hoe gekwetst ze zou zijn als ze erachter kwam. En Paul. Wat is er toch met mij? Ik ben de slechtste echtgenote die je je kunt indenken. Ik heb hem misleid en ik heb hem bedrogen en ik heb het gevoel dat het eind nog niet in zicht is.

Er wordt op het raampje getikt en ik kijk verschrikt op. Het is Euan. Hij stapt naast me in en ik schuif automatisch wat dichter naar de deur toe. 'Wat doe jij hier?' vraagt hij.

'Ik kwam wat voorraaddozen terugbrengen.' Ik glimlach zwakjes. 'Bedankt voor gisteren. Ik ben blij met je hulp. Echt waar.'

'Jammer van die ruzie op het eind.' Hij fronst zijn wenkbrauwen. 'Ik dacht dat we hadden afgesproken haar niet op stang te jagen.'

'Ik weet het.' Ik geef een klap op het dashboard. 'Het spijt me. Echt. Maar ze werkt zo op mijn zenuwen. Ze vindt zichzelf zo geweldig. Denk je echt dat ze non wil worden?'

'Ik geloof er niks van. Ze doet dit niet omwille van haar geweten; ze doet het alleen om herrie te schoppen.' Hij kijkt bedachtzaam, verdrietig zelfs. 'Ze wil bloed zien.'

'Hoe weet je dat zo zeker?'

'Wat voor priester zou iemand adviseren om dit te doen? Ze heeft Rose niet eens zelf geduwd. Ze heeft niets te maken met wat er die avond is gebeurd. Dit is honderd procent Orla's eigen idee.'

'Je zult wel gelijk hebben.' Ik zucht. 'Ik heb eens nagedacht. Ik kan hier niet gaan zitten wachten tot ze zich weer laat zien. Ik ga vanmiddag naar Edinburgh om te kijken of ik een praatje met haar moeder kan maken.'

'Wat denk je daarmee op te schieten?'

'Angeline heeft mij altijd graag gemogen. Misschien wil ze me wel helpen en een poging doen Orla op andere gedachten te brengen. Ze voerden wel altijd strijd over Orla's gedrag, maar uiteindelijk deed Orla toch altijd wat haar moeder wilde.'

'Heb je haar adres?'

'Dat niet, maar ik weet dat ze met ene Murray Cooper is getrouwd en dat ze in Merchiston wonen. Dus zo moeilijk kan ze niet te vinden zijn.'

'Het is de moeite van het proberen waard. Maar stel dat Orla er is?'

'Als het goed is, zit die in het klooster, maar als ze er toch is, dan...' Ik haal mijn schouders op. 'Dan praat ik met haar, zonder mijn geduld te verliezen dit keer, en probeer ik erachter te komen waarom ze dit doet. Waarom ze juist nu is teruggekomen.'

Hij zucht. 'Oude koeien uit de sloot halen betekent dat bij iedereen de herinneringen weer boven zullen komen. Dat kan voor niemand van ons goed zijn.'

Ik huiver. 'Ik maak me zorgen om Pauls reactie.'

Denken aan Paul is moeilijk. Ik ben zo bang dat dit hem pijn zal doen, zoveel pijn dat hij overal vraagtekens bij zal gaan zetten – onze liefde, ons huwelijk, onze herinneringen – en dat hij vooruit zal kijken en een onmogelijke toekomst voor zich zal zien. Ondanks mijn geheimen geloof ik dat we een sterke en liefdevolle band hebben. Kan ik voor de rechter mijn verhaal doen en een jury overtuigen? Kan ik de jury meenemen op een reis die hun duidelijk zal maken waarom ik heb gedaan wat ik heb gedaan, zodat ze me mijn vergissingen kunnen vergeven?

Ik denk het wel.

September 1984

Het is meer dan twee maanden geleden dat Rose is gestorven en ik ben weer op school en doe wat ik moet doen. Ik realiseer me al snel dat ik net moet doen of ik eroverheen ben, want anders gaan de mensen naar me kijken en over me fluisteren en krijg ik geen rust. Dus dat doe ik. Ik doe net alsof. Tegen iedereen om me heen, maar niet tegen mezelf. Ik, ikzelf, ik weet alles nog: haar opgezwollen gezicht, wasbleke huid en starende ogen. En ik herinner me de realiteit van haar vaders verdriet; alsof iemand hem letterlijk van binnenuit had uitgehold.

Aan het begin van het nieuwe schooljaar komt Orla niet terug op school en ik krijg te horen dat ze weg is uit het dorp. Haar vader is overgeplaatst naar de Londense afdeling van het bedrijf en ze wonen nu in Surrey. Ik heb haar niet meer gezien of gesproken, maar ik hoor mijn moeder en Mo praten over hoe Orla niet weg wilde en zich in huis had opgesloten. De politie moest erbij komen om de deur open te breken en boze tongen beweren dat ze schoppend en krijsend in haar vaders auto moest worden gesleurd.

Ik ben blij dat ze weg is. Ik ben blij dat ik haar gezicht nooit meer hoef te zien. Ze heeft me een brief gestuurd met haar nieuwe adres op de achterkant van de envelop. Ik verscheur de brief zonder hem te lezen. Inmiddels zijn er nog vijf gekomen. Die heb ik ook verscheurd.

Euan heeft het met me gehad. Hij vindt het tijd worden om 'al dat gezeur over Rose' achter me te laten. Ik begrijp hem wel, maar ik kan niet verder voordat er een oplossing is, anders zullen de dromen nooit ophouden. En dan zal ze nog steeds, elke keer als ik wakker word, naar me staan kijken.

Ik heb veel gelezen over geesten en hoe ze tot rust kunnen worden gebracht. Een geest blijft net zo lang rondhangen en de levenden lastigvallen tot hij er zeker van is dat er gerechtigheid is geschied en dat hun geliefden zonder hen verder kunnen. Rose zal me niet met rust laten tot ik voor genoegdoening zorg. Dat weet ik zeker. Net zo zeker als ik ben van mijn eigen ademhaling en schuldgevoel.

Dus wat te doen? Ik kan haar niet terugbrengen en ik kan niet naar de politie gaan.

Ik ben van plan een bijzonder iemand te zoeken voor meneer Adams. In nog geen jaar tijd heeft hij de twee mensen verloren die meer voor hem betekenden dan wat ook ter wereld: Rose en, daarvoor, zijn vrouw Marcia. Marcia is overleden aan kanker; het snelgroeiende soort dat zomaar uit het niets komt opzetten en minder tijd nodig heeft om een leven te verwoesten dan het ene seizoen nodig heeft om in het volgende over te gaan. Dat heeft Euan voor me ontdekt. Hij werkt twee avonden per week als bordenwasser bij Donnie's Bites, het restaurant tegenover de universiteit. Meneer

Adams en Rose waren daar vaste klant en ten tijde van de tragedie hadden de mensen het over niets anders. Hoe zwaar het was voor meneer Adams. Een dubbele tragedie: eerst zijn vrouw en toen zijn dochtertje.

'Van nu af aan spioneer ik niet meer voor je,' zegt Euan.

'Dat vraag ik ook helemaal niet van je. Niet precies tenminste.'

We zitten in mijn kamer op bed. Er staat een plaat van David Bowie op. Zelf houd ik meer van Elton John, maar ik heb Bowie opgezet voor Euan. Mijn vader en moeder denken dat hij me met mijn biologie helpt. Het najaarssemester is nog maar amper begonnen, maar ik loop nu al achter met mijn schoolwerk. Ik heb beslissingen moeten nemen over wat ik na school wil gaan doen en toen ik zei dat ik de verpleging in wilde, was de decaan heel tevreden. Ze heeft het voor me genoteerd en me verteld welke vakken ik nodig had en waar ik me moest inschrijven.

In werkelijkheid heb ik geen idee wat ik wil worden wanneer ik volwassen ben. Ik kan niet verder denken dan dit probleem. Ik kan niet verder denken dan de schaduw van Rose aan het voeteneind van mijn bed en hoe ik haar zodanig tevreden kan stellen dat ze me verder met rust laat.

'Het gaat goed met hem. Hij is weer aan het werk.' Euan zit met de lp-hoes te spelen, draait hem om en om tussen zijn handen. 'Hij was gisteravond nog in het restaurant om iets te eten.'

'Helemaal alleen?'

'Er zijn zoveel mensen die alleen eten, en trouwens' – hij kust me vlak onder mijn oor – 'ik zeg dat baantje op. Er is een vacature op de receptie van het dorpscentrum. Meer extraatjes. Kan ik mooi gratis gebruikmaken van de sportschool.'

'Hebben ze al een opvolger voor je?'

'Nee en nee.' Hij schudt zijn hoofd. 'Ik weet wat je wilt gaan zeggen en ik ga je niet aanbevelen voor de baan. Jij hebt geen baantje nodig. Jij krijgt meer dan genoeg zakgeld.'

'Ja, maar…'

Zijn mond legt de mijne het zwijgen op. Ik laat me even door hem kussen en trek dan mijn gezicht weg.

'Verder zal ik nooit meer iets van je vragen. Ik beloof het.'

'Verdomme!' Hij staat op. 'Hoelang gaat dit nog duren?'

'Wat?'

'Dat je maar aan één ding kunt denken.'

'Dat is niet…' Ik zwijg en probeer de beste manier te verzinnen om het uit te leggen, maar hij klemt zijn kaken op elkaar en ik ken die blik. 'Ik wil alleen maar iets goedmaken.'

Hij zucht en kijkt naar zijn voeten. 'Het komt wel goed met meneer Adams. Hij is een goeie vent. Het zal hem geen enkele moeite kosten een nieuwe vrouw te vinden en meer kinderen te krijgen. Alles op z'n tijd. Je kunt niet zomaar de ene persoon door een andere vervangen.' Hij knipt met zijn vingers. 'Je moet dit loslaten.'

Ik geef geen antwoord. Ik zit erin gevangen. Euan kan ervan weglopen. Ik niet.

'Goed dan. Ik geef het op.' Gelaten pakt hij de deurknop en kijkt nog even naar me om. 'Ik zie je nog wel.'

Ik spring van het bed. 'Maak je het uit?'

Zijn gezicht is hard. 'Er valt niet meer met jou te praten.' Hij doet de deur achter zich dicht. Ik hoor hoe hij mijn ouders goedenavond wenst en dan is hij weg.

De daaropvolgende paar dagen maak ik mezelf wijs dat Euan en ik alleen even een pauze hebben ingelast en haal ik mijn ouders over me toestemming te geven om op het baantje te solliciteren. Ik heb al mijn overredingskracht ervoor nodig. Ik beloof harder mijn best te doen op school, mijn bord leeg te eten en minder tijd alleen op mijn kamer door te brengen. Dan zeggen ze ja.

Het baantje als bordenwasser is al vergeven, vertelt Donnie me, maar hij heeft een beter baantje voor me. Ik kan serveerster worden. Dat betaalt minder per uur, maar ik krijg wel fooien. 'Vooral als je net zo glimlacht als nu. Zo'n mooi meisje als jij.'

De eerste keer dat ik meneer Adams bedien, kijkt hij me twee keer aan en zegt: 'Grace. Grace Hamilton?' Hij staat op en geeft me een hand. 'Hoe is het met jou?'

'Goed.' Ik voel me vreselijk opgelaten. 'Het spijt me. Ik heb nooit echt gezegd… Het spijt me zo.' Ik krijg een kleur en mijn lippen beginnen te trillen. 'Ik weet dat u bij mijn ouders langs bent geweest en… het spijt me zo.'

Het verdriet in zijn ogen bezorgt me een brok in mijn keel. 'Rose was zo blij dat ze in jouw groepje zat. Ze keek heel erg tegen je op.' Hij gaat weer zitten en schuift zijn stoel aan. 'Je hoeft nergens spijt van te hebben.' Hij wijst naar het schoolbord aan de muur. 'Welke van Donnies specialiteiten kun je me vanavond aanbevelen?'

'De mosselen zijn erg in trek,' zeg ik tegen hem. 'En strooptaart als dessert?'

Even later sta ik vanuit de schaduw in de gang die naar de keuken leidt naar hem te kijken. Hij is nog knapper dan ik me hem herinnerde. Hij heeft hoge jukbeenderen en zachtgrijze ogen en wanneer zijn mond glimlacht, glimlachen die mee. Hij speelt squash en komt vaak binnen met een gezonde eetlust, zijn haar nog vochtig van de douche, glad achterovergekamd.

Ik herinner me ook dat Orla niet het enige meisje bij de gidsen was dat verkikkerd op hem was. Hij was veel jonger dan de andere vaders en eigenlijk viel iedereen voor hem, in verschillende gradaties. Hij was altijd vriendelijk, zonder overdreven te doen, en bezat het vermogen om zijn aandacht op ons af te stemmen en naar ons te luisteren op een manier zoals de meeste volwassenen dat niet deden, en dat maakte me zowel verlegen als verlangend om met hem te praten.

Dagen worden weken en ik begin hem Paul te noemen. Soms eet hij met collega's, meestal andere mannen, maar af en toe is hij in het gezelschap van ene Sandra, die heel dicht bij hem gaat zitten, haar eigen eten amper aanraakt en aan zijn lippen lijkt te hangen. Als hij alleen is en het is niet druk, ga ik wel eens bij hem zitten en dan kletsen we over school en zijn werk aan de universiteit, de dienstregeling van de bus en het weer. Ik ben voortdurend op zoek naar vrouwen om hem aan voor te stellen, vrijgezelle leraressen op school en andere gasten in het restaurant, maar ik vind niemand speciaal genoeg en de paar keer dat hij samen met Sandra eet, ben ik eerlijk gezegd jaloers en zoek ik naar redenen om haar niet aardig te vinden.

De dromen worden minder frequent – waarschijnlijk doe ik toch iets goed – en mijn leven krijgt een bepaald ritme. Euan doet zijn best me te ontlopen; ik laat hem zijn gang gaan en dan komt hij, na de herfstvakantie, niet meer terug naar school. Er gaat een week voorbij en nog steeds is hij niet terug in de klas. Ik vraag mijn moeder of hij soms ziek is.

'Niet dat ik weet,' zegt zij, alvorens er aarzelend aan toe te voegen: 'Hij woont tegenwoordig bij zijn oom in Glasgow.'

'Waarom?'

'Betere mogelijkheden voor zijn examens.'

Ik weet dat dat niet de reden kan zijn. Hij volgde al alle vakken om naar de universiteit te kunnen.

Ik ga bij Mo langs. Ik heb haar al een paar weken niet gesproken en ze is eerst een hele tijd bezig met knuffelen en informeren hoe het met me gaat. Wanneer ze even op adem komt, zeg ik: 'Waar is Euan?'

'In Glasgow bij familie. Hij heeft daar veel meer mogelijkheden.'

'Hij heeft niet eens afscheid genomen.'

'Het is allemaal zo snel gegaan.'

'Mag ik zijn adres?'

Ze streelt mijn haar. 'Ik weet zeker dat hij je zal schrijven wanneer hij eraan toe is.'

'Ik schrijf hem eerst.' Ik lach kort. 'Ik denk niet dat hij een erg goede briefschrijver zal zijn.'

Ik verwacht dat Mo zal lachen en me het adres zal geven, maar dat doet ze niet. Ze wendt haar blik af. 'Laat het rusten, Grace,' zegt ze. 'Wat dacht je van een glaasje citroenlimonade? Ik heb net verse gemaakt.'

'Mo, alsjeblieft.' Ik loop om haar heen zodat ik haar gezicht kan zien. 'Hij is mijn vriend. Ik wil hem schrijven.'

'Nee,' zegt ze. 'Dat kan niet.'

'Waarom niet?' De tranen springen me in de ogen en ik knipper ze weg.

Ze zucht en kijkt me verdrietig aan. 'Hij wil geen contact met je.'

Mijn plexus solaris trekt naar binnen alsof ik een dreun heb gehad. Ik ren de voordeur uit en blijf rennen tot ik bij de speeltuin ben. Ik ga op een schommel zitten en beweeg heen en weer, heen en weer, met mijn voeten op de grond en mijn blik op de horizon gericht. Ik kan het niet geloven. Euan is uit het dorp weggegaan. Ik mag zijn adres niet weten. Hij wil geen enkel contact met me.

Ik blijf meer dan een uur op die schommel zitten. Het begint te regenen. Ik verroer me niet. Ik kom tot de conclusie dat ik er niets aan kan veranderen. Als hij niet met me wil praten dan is dat zo. Ik weet dat Mo niet zal toegeven en ook dat Macintosh een te gewone naam is om te proberen hem te gaan zoeken. Maar één ding is zeker: ooit zal hij een keer terug moeten komen om zijn ouders te bezoeken en dan kunnen we praten. Ik zal rustig afwachten. Mezelf bezighouden. Ik werk drie avonden per week in het restaurant en doe meer aan mijn schoolwerk, zoals ik heb beloofd. Mijn tekenlerares vindt dat ik naar de kunstacademie in Edinburgh moet gaan. Ze schrijft een brief naar mijn ouders.

'Je bent een geboren verpleegster,' zegt mijn moeder. 'Ga nu niet op het allerlaatste moment van gedachten veranderen.'

'Wacht nu eens even, Lillian.' Mijn vader legt zijn mes en vork neer. 'Wat wil je zelf, Grace?'

Ik wil dat alles weer is zoals het vroeger was. Ik wil terug naar 15 juni 1984 en alles anders doen. Hij wacht tot ik iets zeg. 'Ik weet het niet precies, papa,' zeg ik ten slotte.

'In dat geval zou ik het maar bij de verpleging houden.' Mijn moeder schept nog meer aardappelpuree op mijn bord. 'Veel veiliger. Je weet niet wat voor mensen je allemaal tegenkomt als je naar die kunstacademie gaat.'

'Het heeft geen haast,' zegt mijn vader, en hij klopt zachtjes op mijn hand. 'Je hebt nog tijd genoeg om een besluit te nemen.'

Tegen het einde van het vijfde jaar zijn we allemaal zeventien. Voor zover ik weet is Euan niet meer thuis geweest. Niet één keer. Maar ik kom er wel achter dat hij op de universiteit is aangenomen om architectuur te studeren. Mijn cijfers zijn goed genoeg om aan de verpleegopleiding te gaan beginnen, maar ik ben nog geen zeventienenhalf, dus besluit ik op school te blijven voor een zesde jaar. 'Je bent toch nog veel te jong om het huis al uit te gaan,' zegt mijn moeder.

Biologie in het zesde jaar is veel moeilijker dan ik dacht. Ik bedien Paul nu al meer dan een jaar en voel me zelfverzekerd genoeg om te vragen: 'Geef je wel eens bijlessen?' Ik zet zijn zeebaars met gebakken aardappeltjes voor hem neer. 'Ik vind het heel erg lastig.'

Hij kijkt op van de krant die hij zit te lezen. 'Ik zal je graag helpen. Heb het er maar eens met je vader en moeder over. Kijken wat die ervan vinden.'

Mijn ouders zijn blij dat ik mijn school zo serieus neem en Paul geeft me bijles in zijn laboratorium aan de universiteit. Al snel wordt het het hoogtepunt van mijn week. Hij helpt me met mijn werkstuk en ik zie hem in een heel andere omgeving, in beslag genomen door zijn onderzoek en gerespecteerd door studenten en collega's. Ik ken niemand bij wie ik me zo op mijn gemak voel. Af en toe praten we over Rose en op een dag, wanneer we klaar zijn met de les, vertelt hij me over zijn vrouw Marcia. Ze leerden elkaar op hun achttiende kennen op de universiteit. Zij raakte per ongeluk zwanger en ze voelden geen van beiden iets voor een abortus. Dus trouwden ze. Toen Rose werd geboren was hij meteen verliefd op haar, zei hij. Ze was een wolk van een baby, een schattig, vrolijk meisje. Het was verschrikkelijk geweest hen beiden te verliezen.

'Maar goed, genoeg over mij.' Zijn hand beeft wanneer hij de deur van het lab achter ons op slot doet. 'Heb je je al ingeschreven voor je verpleegstersopleiding?'

'Nog niet. Ik heb de aanmeldingsformulieren binnen. Ik heb ze alleen nog niet ingevuld.'

'Wat weerhoudt je ervan?'

Ik haal mijn schouders op. 'Ik weet niet zeker of ik wel verpleegster wil worden. Ik houd niet van bloed.'

Hij lacht. 'Dan wordt het lastig.' Hij drukt op het knopje voor de lift. 'Je tekeningen zijn prachtig. De details in je veldwerkverslag tonen buitengewoon veel talent.'

'Ik houd van tekenen en schilderen,' geef ik toe. 'Ik heb wel aan de kunstacademie gedacht, maar mijn moeder denkt dat ik daar alleen maar om zal gaan met hippietypes en marihuana ga roken en met Jan en alleman de koffer in zal duiken.'

'Het is de taak van een moeder om zich zorgen te maken. Oordeel niet te hard over haar.'

Ik geef hem een klap tegen zijn schouder. 'Hoe weet jij dat ik hard over haar oordeel?'

'Door die blik die je af en toe op je gezicht krijgt – kom-meniet-te-na-of-anders.' We stappen de lift in en hij werpt me een zijdelingse blik toe. 'Een pittige tante.'

'Pittig?' Ik houd mijn beide vuisten omhoog. 'Wie is er hier pittig?'

Ik begin 's nachts, in bed, aan hem te denken. Ik ben nog maagd. Ik zou willen dat het niet zo was, ik ben bijna achttien, maar ik heb altijd gedacht dat het Euan zou zijn en nu is hij weg en krijg ik niet eens een brief, niet één, en hoewel ik een paar keer met andere jongens uit ben geweest, heb ik al snel geen interesse meer. Ik begin aan Paul te denken, te fantaseren dat hij me kust, de liefde met me bedrijft. Geen koude handen en onhandig geklungel zoals met jongens van mijn eigen leeftijd, maar de ervaren, zelfverzekerde aanraking van een volwassen man.

Ik droom niet meer van Rose. Ik denk elke dag aan haar, maar zo dicht bij Paul zijn heeft mijn schuldgevoel verzacht. Ik ben er niet overheen. Ik weet wat ik heb gedaan en ik weet dat me dat altijd dwars zal blijven zitten. Ik kan onmogelijk vrede hebben met het vermoorden van een kind, maar ik kan wel weer functioneren en glimlachen en zelfs weer voluit lachen. Bepaalde dingen moet ik vermijden; ik ben nooit meer teruggegaan naar de gidsen, ik blijf ver uit de buurt van het meer en de geur van lelietjes-van-dalenzeep kan ik niet verdragen. Het voert me regelrecht terug naar de oever van het meer, Rose helemaal blauw en opgezwollen, haar lichaam dodelijk veranderd door het water.

Tegen het eind van het schooljaar heb ik mijn laatste bijles van Paul en ik ben wanhopig. Hij is zozeer deel gaan uitmaken van mijn leven dat ik niet weet wat ik zonder hem moet beginnen en ik kan geen ander excuus verzinnen om meer tijd met hem door te brengen. We steken de weg over naar Donnie's Bites. Ditmaal ben ik geen serveerster. Ik neem hem mee uit eten, als een soort bijzonder bedankje.

We zitten aan ons voorgerecht, garnalencocktails met Donnies pittige saus, wanneer hij me vertelt dat hij van plan is om voor een paar jaar naar Amerika te gaan. Hij heeft de kans gekregen om te studeren bij professor Butterworth in Boston. Dat is de meest gerespecteerde geleerde op het gebied van mariene biologie.

Mijn hart slaat een slag over. 'Ik zal je missen.' Ik gooi het er zomaar uit. Ik sta verbaasd van mezelf en krijg een kleur.

'En ik jou, Grace.' Hij kijkt me vriendelijk aan. Het is een blik waarmee hij altijd naar me kijkt: tolerant, begripvol, vaderlijk. Ik heb er een hekel aan.

'Ik ben geen kind meer,' zeg ik tegen hem. 'Je kijkt altijd naar me alsof ik een kind ben. Dat ben ik niet.' Ik neem een hap. 'Volgende maand word ik achttien.'

'Dat weet ik.' Hij zwijgt even. 'Ik ben me heel erg van je bewust.'

'O ja?'

'Natuurlijk. Ik ben een man en jij bent een bijzonder aantrekkelijke jonge vrouw.'

'Vind je me aantrekkelijk?' Mijn hart zwelt op als een ballon.

'Grace.' Daar heb je die blik weer. 'Niet doen.'

'Waarom niet? Vanwege het leeftijdsverschil? Paul, we schelen maar twaalf jaar.' Ik gooi mijn handen in de lucht. 'Dat is niets!'

'Dat is het niet alleen. Ik heb te veel tragische dingen meegemaakt. Jij bent nog zo jong. Je hebt je hele leven nog voor je. Het zou verkeerd van mij zijn om…'

'Wat er is gebeurd was verschrikkelijk,' val ik hem in de rede. 'Dat je Marcia en Rose hebt verloren. Maar alsjeblieft. Geef me een kans.' Ik reik over de tafel heen en pak zijn hand. 'Alsjeblieft.'

Het duurt nog drie maanden voordat hij naar Amerika vertrekt en ik haal hem over wat meer tijd met mij door te brengen. Hij werkt aan een proefschrift – toxicologie en ziekte bij mariene zoogdieren – en ik ben veel bij hem in het lab om hem te helpen met het opzetten van experimenten of het werken aan mijn eigen project: een portfolio voor de kunstacademie. Hoewel ik het mijn ouders nog moet vertellen, heb ik besloten dat ik onmogelijk verpleegster kan worden. Het is zo'n idee dat in theorie wel goed klinkt, maar in de praktijk weet ik zeker dat het niets zou worden. Het is niet alleen de gedachte aan bloed en naalden en gebroken ledematen, het is de gedachte aan de nabijheid van de dood. Ik kan het niet. Ik weet nu al dat het me aan Rose zou herinneren en aan wat ik haar heb aangedaan. En dat is te pijnlijk.

Drie dagen per week, na het werken in het laboratorium, leert

Paul me squashen. Ik leer snel en het duurt niet lang voordat we echte wedstrijdjes kunnen spelen: niet al te inspannend voor hem, maar toch goed genoeg om lekker bezig te zijn. We gaan samen naar de film en komen tot de ontdekking dat we van dezelfde boeken en films houden. Hij stelt me voor aan zijn beste vrienden en tot mijn verbazing weet ik me goed staande te houden. Ik weet genoeg over Pauls werk om er met enig zelfvertrouwen over te kunnen praten en ik merk dat zijn vrienden onder de indruk zijn van mijn groeiende overtuiging dat ik kan schilderen. Naarmate de tijd verstrijkt, zie ik dat Paul anders naar me begint te kijken. Ik word minder een tienermeisje en meer een gelijke en uiteindelijk, tegen het eind van de zomer, kust hij me en weet ik dat hij me eindelijk als een vrouw ziet. 'Welke man zou jou nu kunnen weerstaan?' zegt hij.

Voordat hij naar Boston vertrekt, vraagt hij me ten huwelijk. Ik vertel het mijn ouders. Stilte. Mijn moeders mond valt open in een O-vorm. Mijn vader staart me aan, zijn krant half boven zijn knie, zijn hoofd een beetje schuin, fronsend, alsof hij me niet goed heeft verstaan.

'Kijk maar!' Ik houd hun mijn vinger voor en beweeg hem een beetje, zodat het licht van de staande lamp in de diamantjes weerkaatst.

Mijn vader schraapt zijn keel. 'Ik neem aan dat het een lange verloving wordt?'

'Nee, pap. Paul begint volgende week met zijn werk in Amerika. Ik wil vóór Kerstmis getrouwd zijn, zodat ik me bij hem kan voegen.'

'Wat? Wat is dit voor waanzin, Grace?' Mijn moeder staat op. 'Jij kunt toch niet gaan trouwen!'

'Lillian.' Mijn vader laat zijn krant zakken en staat ook op. 'Grace, zoals je weet zijn we bijzonder op Paul gesteld, maar hij is een man die in zijn leven twee grote verliezen heeft moeten verwerken.'

'Maar dat is het nu juist, papa.' Ik pak mijn vaders hand en trek hem naar me toe. 'Ik kan hem weer gelukkig maken.'

'Grace, jij bent degene die zijn kind heeft gevonden.' Zijn stem wordt zachter. 'Zijn dode kind. Ik vermoed dat dat ervoor heeft ge-

zorgd dat je bepaalde gevoelens voor hem bent gaan koesteren, gevoelens die je anders niet zou hebben gehad.'

Ik laat mijn vaders hand vallen en doe een stap naar achteren. Ik
heb daar ook aan gedacht, maar ik geloof oprecht dat wat Paul en
ik voor elkaar voelen niets met de dood van Rose te maken heeft.
Ik weet zeker dat we ook verliefd zouden zijn geworden als Rose
nog had geleefd. 'Ik houd van hem.'

'Dan vraag ik je te wachten. Gewoon nog een poosje te wachten.'

'Maar ik wil naar hem toe in Amerika.'

'Jullie kunnen elkaar bezoeken.'

'Twee of drie keer per jaar,' doet mijn moeder een duit in het
zakje. 'Je zult zien dat de tijd vliegt.'

'Dan komt hij misschien wel iemand anders tegen.'

'Als hij van je houdt, zal hij met alle liefde op je wachten.' Mijn
vader loopt naar de telefoon. 'Ik zal wel eens met hem praten.'

'Nee!' roep ik uit. Ik heb het afschuwelijke gevoel dat hij Paul zal
afschrikken. 'Paul maakt me gelukkig. Ik dacht dat jullie dat wel
zouden begrijpen.'

'Grace.' Mijn vader strijkt met zijn hand over zijn voorhoofd. 'En
Euan dan?'

'Wat bedoel je?'

'Ik heb altijd het gevoel gehad dat jullie voor elkaar bestemd waren.' Hij kijkt gepijnigd. 'Jullie hebben al sinds jullie kindertijd een
speciale band.'

'Maar ik ben geen kind meer en ik heb Euan al eeuwen niet meer
gezien; ik heb zelfs al weken niet meer aan hem gedacht.' Dat is niet
helemaal waar. Ik denk bijna elke dag aan Euan. Niet met opzet. Hij
duikt gewoon op in mijn gedachten. Ik eet een sandwich en ik
denk eraan dat Euan geen tomaten lust. Ik draai muziek en ik herinner me het concert waar we samen naartoe zijn gegaan in Edinburgh. Ik loop langs het strand en ik denk eraan hoe we vroeger
over de golven sprongen. Ik neem de bus naar St. Andrews en kijk
automatisch naar de plaatsen achterin voor het geval hij er misschien zit.

Maar dat doet er allemaal niet toe. Euan is weg. Mijn kindertijd
is voorbij. Ik ben nu achttien en klaar om met de rest van mijn leven

te beginnen. Mijn vader staat erop dat Paul met hem komt praten. Paul gaat onmiddellijk akkoord. Hij had toch al het liefst heel traditioneel om mijn hand willen gaan vragen, maar mocht dat niet van mij. Ik wilde mijn vader niet de kans geven om nee te zeggen. Ik heb hier een goed gevoel bij, het gevoel alsof ik iets afrond – wanneer Paul en ik ons leven gaan delen.

Paul heeft een gesprek met mijn vader. Hij stemt ermee in een jaar te wachten, maar ik niet. Ik dring aan, houd vol en zeur net zo lang tot we met z'n allen tot een compromis komen: zes maanden. Mijn moeder moppert en mort. Zo heeft ze niet tijd genoeg om de trouwerij voor te bereiden. Ik moet haar trouwjurk dragen: ivoorkleurige zijde met antiek kant aan de mouwen en langs de hals.

'Zes maanden is lang genoeg,' zeg ik tegen haar.

'Het gaat allemaal zo gehaast,' zegt zij.

'Ik wil gewoon trouwen, zodat ik naar Paul in Boston kan.'

'Je bent al twee keer geweest.'

'Ja, maar ik wil er blijven. Als zijn vrouw.' Ik kijk glimlachend in de spiegel en zwaai de rok van de japon heen en weer. 'Kun je het je voorstellen, mama? We kunnen zomaar een weekendje naar New York en alles.'

'Ja, ja. Maar God mag weten dat je vader je zal missen.' Ze heeft haar spelden in een speldenkussen aan haar pols. Ze haalt er een paar uit en steekt ze in het lijfje. 'Jij bent veel slanker dan ik vroeger. Ik hoop dat Paul weet wat een lastige eter je bent.'

'Jullie komen me toch wel opzoeken, hè?'

'Met het vliegtuig? Ik weet niet of je vader dat wel goedvindt. Wij zijn gewone mensen, Grace. Wij doen niet van zulke dingen. Dat weet je.'

Ik houd er maar over op en besluit om nog eens op mijn vader in te praten.

Paul en ik trouwen op 15 april 1987. Wanneer ik hem bij het altaar zie staan, schieten alle liefdesliedjes ter wereld tekort om uit te drukken wat ik voel. De plechtigheid is heel intens, doortrokken met de liefde die heen en weer gaat van mijn ogen naar de zijne en weer terug. Er is een kleine receptie – alleen naaste familie en vrienden. Mo en Angus zijn er, maar Euan niet. Hij studeert architectuur aan de universiteit in Bristol. 'Tentamens,' zegt Mo tegen mij. 'Maar ik moet je namens hem van harte feliciteren.'

Ik zie in haar ogen dat het niet waar is, maar ik glimlach toch omdat het, vreemd genoeg, geen pijn doet. Ik hoor nu bij Paul. En hij bij mij. Ik voel me anders. Volwassener, dat in elk geval, maar ook een voller, beter mens, iemand die een duidelijke richting voor ogen heeft. Voor het eerst sinds de dood van Rose geloof ik dat ik een toekomst heb en dat ik, eindelijk, iets heb gedaan om die beter te maken.

8

Tegen de tijd dat ik in Edinburgh ben is het al halverwege de middag. Een zoekactie door het telefoonboek bevestigt dat er maar één Murray Cooper in Merchiston woont, in een vrijstaand, vroegvictoriaans huis, een van de weinige die niet zijn opgedeeld in aparte appartementen. Ik parkeer op straat en loop tussen twee stenen pilaren door, die dienen als verankering voor de ijzeren poorten die wijd openzwaaien in de rododendronstruiken aan weerszijden. Een kiezeloprit loopt in een bocht naar de ingang. Er staat een stationcar, met het portier aan de bestuurderszijde open. Een golftas leunt rechtop tegen de kofferbak. De voordeur is deels hout, deels gebrandschilderd glas in de stijl van Rennie Mackintosh: een enkele rode klaproos met groene blaadjes tegen een ondoorzichtige beige achtergrond. Voordat ik aanbel laat ik even mijn vingers over de koperfolievierkantjes langs de randen van het paneel glijden. De bel laat een langdurig ding-dong horen en vrijwel onmiddellijk komt er een kalende man met blozende wangen aangelopen, die het halletje binnenkomt, de binnendeur achter zich dichttrekt, vervolgens de buitendeur opent en mij zonder iets te zeggen aankijkt.

'Neem me niet kwalijk dat ik u stoor, maar ik ben op zoek naar Angeline. Ik vroeg me af of ze toevallig thuis is?'

'En u bent?'

'Grace Adams. Mijn meisjesnaam is Hamilton. Ik was vroeger bevriend met Orla.'

'Ah.' Hij krabt afwezig aan de uitpuilende vetlaag rond zijn middel en wijst dan met zijn hand naar de wagen. 'Ik wilde net een rondje gaan golfen, maar ik denk dat Angeline wel tijd heeft voor een praatje. Kom binnen.'

Ik volg hem de hal in. Zwarte en witte plavuizen strekken zich uit naar de onderkant van de brede trap en nog verder. Een glazen koepeldak zorgt voor natuurlijk licht, dat de ruimte vult en verwarmt.

'U bent dus een vriendin van Orla?'

'Als kinderen waren we vriendinnen, ja.'

'Ik neem aan dat ze u ook van zich heeft vervreemd. Met al haar rare fratsen. Ik begrijp niet waar Angeline zo'n dochter aan heeft verdiend.' Hij houdt zijn hoofd een beetje schuin. 'Maar naar de vader te oordelen is het misschien ook weer niet zo heel erg verwonderlijk.'

Ik vraag me af of ik dat wel goed heb gehoord, maar voordat ik het hem kan vragen worden we onderbroken.

'Murray?' De stem is melodieus, maar heeft een gebiedende ondertoon, onmiskenbaar Angeline. 'Hebben we bezoek?'

'Inderdaad.' Hij pakt de notenhouten trapleuning en roept naar boven: 'Een jongedame die een vriendin is geweest van Orla. Grace heet ze.'

'Grace?' Angeline komt naar de bovenkant van de trap en blijft daar even staan. 'Grace?' Ze daalt snel de trap af, heel elegant, gezien de hoogte van haar hakken. Haar gezicht licht op. 'Kijk nu toch eens!' Ze spreidt haar armen en kust de lucht naast mijn beide wangen. 'Wat zie je er geweldig uit!' Ze doet een stapje naar achteren en laat haar blik over mijn ogen, mijn huid en mijn hele lichaam gaan, alvorens me weer aan te kijken. Ze pakt de punten van mijn haar en wrijft ze even tussen haar vingers. 'Weet je, ik heb een fantastische kapper.' Ze raakt mijn voorhoofd aan. 'En het is nooit te vroeg om wat eenvoudige cosmetische ingreepjes te beginnen.' Dan buigt ze zich naar me toe en steekt haar arm door de mijne. 'Het is de plicht van een vrouw om ervoor te zorgen dat ze aantrekkelijk blijft.'

'Dank je, maar ik ben tevreden met mijn uiterlijk.' Ik moet onwillekeurig glimlachen. Ze ziet er nog bijna precies zo uit als ik me haar herinner en opeens ben ik weer tien jaar: na schooltijd samen met Orla naar huis, verkleedpartijen met Angelines oude blouses en sjaaltjes, zingend en tapdansend door het huis, met Angeline voorop; groenten snijden in de keuken, leren hoe je een goede ratatouille maakt, een eend braadt en authentieke visbouillon maakt voor bouillabaisse. En dan de vakantie in Le Touquet, waar ze twee hele dagen verdween en Roger en Orla net deden alsof dat heel normaal was en er niets aan de hand was en ik de enige was die me zorgen maakte.

Ze is nog steeds mooi. Ze heeft een krachtige beenderstructuur, een rechte neus en net zulke diepe ogen als haar dochter. Haar kleding is klassiek, geraffineerd. Ze draagt een simpel zwart cocktailjurkje en zwarte suède stiletto's. Om haar hals draagt ze een snoer tere roze parels. Maar haar lipstick is opvallend, hetzelfde brandweerwagenrood dat ik me van haar herinner.

'Heb je al kennisgemaakt met Murray?' Ze wijst met haar gemanicuurde nagels naar hem. 'We zijn nu bijna vijf jaar getrouwd.'

'En we worden elk jaar gelukkiger,' zegt hij, met een oplettende blik op zijn vrouw, alsof hij in afwachting is van haar volgende hint.

'Murray heeft in verzekeringen gedaan, maar nu is hij gepensioneerd. We reizen graag. We hebben dit jaar al drie buitenlandse reizen gemaakt.' Ze laat mijn arm los en pakt de zijne, terwijl ze een ogenblik glimlachend naar hem opkijkt alvorens zich weer tot mij te wenden. 'Woon je nog steeds in Fife, Grace?'

Ik knik. 'Nog steeds in het dorp.'

'Fife heeft een paar uitstekende golfbanen. Speel je ook?' vraagt Murray.

Ik schud mijn hoofd.

'Echtgenoot?'

'Ja, ik heb een echtgenoot, maar nee, hij is geen golfer.'

'Jammer. Zonde.' Hij tuit zijn lippen. 'Zelf zou ik die kant ook wel op willen, maar Angeline heeft er te veel nare herinneringen.' Hij klopt zachtjes op haar hand. 'Niet alle mannen zijn in de wieg gelegd om hun vrouw trouw te blijven.'

Ik probeer Angeline aan te kijken, maar ze heeft het druk met de kraag van Murrays poloshirt. *Wat heeft ze hem in vredesnaam verteld?* Roger, met zijn geruite bretels en eindeloze geduld voor de rustige ritmes van het gezinsleven – ik kan me geen man voorstellen die ik minder in staat acht tot overspel. 'Ik begrijp het niet,' zeg ik.

Ze keert me de rug toe. 'Murray, lieveling, genoeg gekletst! Straks kom je nog te laat.' Ze leidt hem naar de deur, geeft hem zijn golfschoenen en zijn autosleutels en werkt hem naar buiten. Hij zwaait nog even in mijn richting en laat zich dan door haar in de auto duwen, waarna ze zijn haar gladstrijkt en hem op beide wangen en de mond kust.

Ik kijk naar hen en denk aan Roger, het zout der aarde, een harde werker. Hij was vriendelijk, respectvol, een rustige man die onder de voet werd gelopen door zijn exotische vrouw – een vrouw die altijd en overal alle aandacht naar zich toe trok. Als kind was ik dol op haar uitbundigheid, haar laat-maar-waaiengedrag, dat zo lijnrecht inging tegen de manier waarop mijn ouders in het leven stonden, maar nu ik hier ben, zie ik hoezeer ze iedereen naar haar hand zet.

Ze zwaait Murray uit en komt dan weer naar binnen.

'Roger is je toch nooit ontrouw geweest?'

'Er zijn meerdere manieren om ontrouw te zijn, Grace.' Ze veegt haar voeten en kijkt me aan met haar alwetende blik, de blik die me vroeger in haar ban hield. 'Hij heeft me niet het leven geboden dat hij me had voorgespiegeld.'

Ik kijk om me heen. Mijn halve huis past in Angelines hal en gezien de woningprijzen in Edinburgh moet dit huis meer waard zijn dan een stuk of twaalf zoals de mijne bij elkaar. 'Omdat hij niet genoeg verdiende?'

'Ik houd van sterke mannen, Grace. Succesvolle mannen. Geld hoort daar ook bij. Daar maak ik geen geheim van.'

'Ja, maar…'

'Maar? Maar?' Haar stem gaat van melodieus naar afgemeten. 'Is het soms een misdaad voor iemand om een nieuw leven te beginnen? Of is succes misschien de misdaad?'

'Het is niet mijn bedoeling je te bekritiseren,' zeg ik, inbindend, met het oog op het doel van mijn bezoek. 'Alleen herinner ik me Roger als een goed mens.'

'Maar herinneringen kunnen soms vertekend zijn. En er zijn zoveel dingen die kinderen niet zien.' Ze loopt voor me uit en ik volg haar een vierkante zitkamer binnen met openslaande deuren die naar een achtertuin voeren. De wanden zijn zonnebloemgeel geschilderd en het tapijt heeft een subtiele tint blauw. Boven de open haard hangt een groot schilderij. Simpele, brede penseelstreken suggereren een Afrikaans landschap bij zonsondergang, de omtrekken van sluipende katachtigen op de voorgrond, vluchtende gnoes in de verte.

'En wat voert jou hiernaartoe?' vraagt ze.

'Ik heb eerder deze week met Orla geluncht en gisteravond is ze naar het dorp gekomen om mij op te zoeken.'

'Kijk eens aan. En ik maar denken dat ze in retraite was.' Ze maakt een klakkend geluidje met haar tong. 'Ze was vroeger al onbetrouwbaar. Heel erg egoïstisch. Ga toch zitten, Grace.'

Ik neem plaats op de crèmekleurige leren bank, waar ik diep in wegzink. Ik pak de leuning, trek mezelf naar voren en ga op het puntje zitten. 'Ik ben hier om met jou over haar te praten.'

Ze gaat tegenover me zitten op een stoel met een hoge rugleuning en recht haar rug. 'Waarom?'

'Ze zou mij in principe heel erg in de problemen kunnen brengen.'

'Wat voor problemen?'

Ik aarzel, kijk omhoog naar de kroonluchter en dan weer naar Angeline. 'Het is nogal gecompliceerd.'

'Zo gecompliceerd dat je het me niet kunt uitleggen?'

Ik probeer te glimlachen. 'Ze weet iets over mij wat mijn hele leven kan verwoesten. Ze is van plan het te vertellen aan de persoon die ze er de meeste pijn mee zal doen.'

'Je man?'

'Ja.'

Ze buigt haar hoofd. 'Weet ze dat je hem ontrouw bent geweest?'

'Erger.' Ik sluit even mijn ogen. 'Het is veel erger.'

Ze fronst en kruist haar enkels. 'Heb je kinderen?'

'Twee meisjes.'

'Een moeder doet alles voor haar kinderen. Je kunt van mij zeggen wat je wilt…'

Ik wil iets zeggen, maar ze steekt haar hand op.

'*Ça ne fait rien.* Voor haar kind gaat een moeder door het vuur, maakt ze haar handen vuil, verkoopt ze zich zelfs als dat nodig zou zijn. Ik ben bij Roger gebleven vanwege Orla. Wat ik ook fout heb gedaan – en dat is heel veel – ik heb altijd geprobeerd een goede moeder te zijn.'

'Dat geloof ik graag, Angeline.' Ik heb helemaal niet de behoefte daarover met haar in discussie te gaan. 'Ik vroeg me alleen af of jij me misschien kon helpen Orla te begrijpen. Dus. Waarom is ze teruggekomen naar Schotland? Waarom wil ze het verleden oprakelen? Gaat ze echt het klooster in?'

Ze schudt ongeduldig haar hoofd. 'Haar hoofd zit vol met onzin. Ze heeft zich voorgenomen het verleden uit te drijven. Maar ze komt wel weer tot inkeer.' Ze strijkt met haar hand over haar rok, om een denkbeeldig pluisje weg te vegen. 'Uiteindelijk.'

'Uiteindelijk is te laat.' Mijn stem trilt en ik haal even diep adem en buig me dan naar voren. 'Ze komt aanstaande zondag naar het dorp en dan gaat ze mijn man vertellen wat ik heb gedaan. Ik kan niet voldoende benadrukken hoe schadelijk dat zal zijn voor mijn gezin. Zou jij voor mij met haar willen praten?'

'Nee.'

'Nee?'

'Nee.' Ze leunt naar achteren.

'Angeline.' Ik leg mijn handen op mijn knieën. 'Ik zou hier nooit zijn gekomen als ik niet wanhopig was. Ik doe een beroep op je als vrouw en als moeder.'

Ze denkt na en kijkt naar me op door wimpers die lang en glad zijn en aan de uiteinden opkrullen. Ze moeten wel vals zijn. 'Zullen we een kopje koffie drinken?'

'Graag.' Ik voel me alsof ik uitstel van executie heb gekregen en wanneer ze de kamer uit loopt, sta ik op en loop wat rond, langs tafeltjes en siervoorwerpen. Vlak bij de openslaande deuren staat een vleugel te pronken. Op de klep staan fotolijstjes. Een jongere Murray met drie meisjes: een lachende kleuter met een gietertje, een tiener met een beugel en een ongemakkelijke houding en een ander meisje dat een radslag maakt. Drie huwelijksfoto's, dezelfde meisjes, maar dan volwassen: japonnen met blote schouders, diademen, lachende bruidsmeisjes, boeketten, kersverse echtgenoten in kilts. En dan is er nog de trouwfoto van Murray en Angeline: omringd door mensen, zonneschijn, een koets, brede glimlachen. Ik bestudeer de gezichten van de familie en de vrienden, maar Orla is er niet bij.

Angeline komt terug met een dienblad. 'Onze huwelijksreis hebben we doorgebracht op de Turks- en Caicoseilanden. Ben je daar wel eens geweest?'

'Orla staat niet op de trouwfoto's,' zeg ik, terwijl ik op een stoel met een harde rugleuning naast Angeline ga zitten.

'Nee.' Ze schenkt de koffie uit de pot in twee wijde porseleinen kopjes. 'Ze kon zich niet vrijmaken.'

'O?'

'Het leven is een aaneenschakeling van keuzes, Grace. Soms gaan we links- en dan weer rechtsaf. Maar we moeten altijd vooruit. Orla heeft daar geen talent voor.' Ze pakt het melkkannetje op en houdt het boven mijn kopje. 'Room?'

'Graag.'

'Ze heeft een verschrikkelijke rel geschopt toen we uit Schotland weggingen. Ze heeft je geschreven, wist je dat?'

Ik knik.

'Maar je hebt haar nooit teruggeschreven.'

Ik zeg niets. Ik weiger me daar ook nog schuldig over te voelen. Per slot van rekening was Orla niet eens degene die Rose heeft vermoord – dat heb ik gedaan. Ik was degene die in diezelfde dorpsgemeenschap moest blijven wonen, door dezelfde straten moest blijven lopen, Rose' aanwezigheid dag en nacht om me heen moest voelen, tot op de dag van vandaag, als een geheim dat in mijn bloed op de loer ligt als een kankergezwel.

'Heeft ze bewijzen?'

Ik houd mijn toon luchtig. 'Waarvoor?'

Angeline neemt een slokje van haar koffie, zet het kopje weer op het schoteltje en recht haar rug. 'Je komt me voor als een vrouw met ervaring, Grace. Denk je dat eerlijkheid altijd de beste keus is?'

'Indien mogelijk.'

'En toch heb jij een talent voor geheimhouding, nietwaar?'

Ik antwoord niet meteen. Ik vraag me af hoeveel ze weet, Angeline met haar speurende ogen en snelle verstand, met persoonlijke marges die breed genoeg zijn voor schaamteloze verhoudingen en leugentjes om bestwil. Zou Orla haar, al die jaren geleden, over Rose hebben verteld? Onbeantwoorde brieven, een nieuwe school, het verlies van vrienden, zou ze toen haar moeder in vertrouwen hebben genomen? Ik betwijfel het. Maar ik laat me ook niet onder druk zetten om iets te vertellen waarvan ik spijt zal krijgen.

Op het dienblad staat een zilveren schaaltje vol misvormde bruine suikerklontjes. Ik gebruik de kleine suikertang om een klontje te pakken en in mijn koffie te laten vallen. Luchtbelletjes ontsnappen naar het oppervlak en ik roer langzaam en neem dan een slokje. Al die tijd blijft Angeline naar me zitten kijken. Ze wacht op een teken van zwakte. Maar ik geef niet toe. 'Dus toen jullie uit Schotland weggingen, was Orla ongelukkig?'

'Ze kreeg een inzinking. Ze beging een domme vergissing, moest een abortus ondergaan en alsof dat nog niet erg genoeg was' – ze forceert een zucht – 'gooide ze zich toen ze in het ziekenhuis werd opgenomen uit een raam, waaraan ze een hersenschudding en een gebroken bovenbeen overhield, maar dood was ze bepaald niet.'

Ze kijkt me aan, benieuwd hoe ik zal reageren. Ik vraag me af waarom ze me dit vertelt – en zo openhartig. Ik voel allerlei vragen opkomen – *Abortus? Poging tot zelfmoord? Waarom? Wat is er gebeurd?* – maar ik blijf haar onbewogen aankijken. Ik voel mee met Orla de tiener en de vrouw die ze is geworden, maar ik heb het gevoel dat als ik te erg aandring op antwoorden, Angeline dicht zal klappen en me weg zal sturen. 'Dat moet een zorgelijke tijd voor je zijn geweest.'

'Het was een dramatische stunt, meer niet.' Ze doet het af met een nonchalant handgebaar. 'Koekje?'

'Ja, graag.' Ik neem een hapje. Het had net zo goed een hap zaagsel kunnen zijn. 'Wat is er met Roger gebeurd?'

Haar ogen schieten naar de mijne.

'Orla heeft me verteld dat hij is overleden.'

'Roger is niet dood!' zegt ze nijdig. 'Ik ben tien jaar geleden van hem gescheiden.'

'Dus Orla heeft gelogen?' zeg ik onmiddellijk, hoewel ik het niet geloof. Waarom zou ze dat doen? Ik kan Euans stem mijn vraag bijna horen beantwoorden: ze wilde met je afspreken en ze was bereid te liegen om je zover te krijgen.

'Misschien heeft ze gelogen, misschien heb je haar verkeerd begrepen.' Angeline kan zich er niet druk om maken. 'Het is van geen enkel belang. Wat wél van belang is, is dat mijn dochter dit jaar veertig is geworden, en wat heeft ze eraan overgehouden? Geen man, geen kinderen, geen huis, alleen maar schulden en verslaving en…'

Ze houdt op met praten, recht opnieuw haar rug en draait haar hoofd even heen en weer op haar schouders, de ogen dicht, kin naar voren. Het valt me op dat elke beweging die ze maakt bestudeerd is, dat ze er iets mee wil uitdrukken. Allemaal speciaal voor mij?

'Verslaving?' vraag ik zacht.

'Ja, Grace. Mijn dochter is een drugsverslaafde... was een drugsverslaafde,' verbetert ze zichzelf. 'Hoewel we daar alleen haar woord voor hebben. Wat maakt het uit wat er jaren geleden is gebeurd? Nare dingen gebeuren nu eenmaal. Het enige wat telt is hoe we ermee omgaan.'

Dat raakt me. Rose is vierentwintig jaar geleden gestorven en hoe ben ik daarmee omgegaan? Ik heb het verborgen. Ik heb geprobeerd het goed te maken met Paul, ik heb geprobeerd een goede echtgenote en moeder te zijn, maar wat ik vooral heb gedaan, is het verborgen houden.

'Hoe gaat het trouwens met jou?' Ze trakteert me op een brede glimlach. 'Vertel eens iets over je man en je kinderen.'

Haar stemming is weer omgeslagen, maar ik kan er niet in meegaan. Ik laat me niet verleiden tot een kletspraatje. 'Die zijn alle drie gezond en gelukkig. Ik ben hier om ervoor te zorgen dat dat zo blijft.'

'Je klinkt zo hard.' Ze zwijgt even en laat de atmosfeer bevriezen. 'Moet ik je eraan herinneren dat jij naar mij toe bent gekomen? Dat je bij mij thuis bent?'

Haar ogen fonkelen van vijandigheid en ik voel me niet op mijn gemak, bang zelfs. Ik heb het akelige gevoel dat ze mijn gedachten kan lezen, net zoals Orla. Ik heb het gevoel dat de grond onder mijn voeten wegzinkt en het kind in mij wil het liefst veinzen en zo snel mogelijk weggaan Maar de volwassen Grace is vastbesloten dit huis met zoveel mogelijk informatie over Orla te verlaten. 'Je speelt een spelletje met me, Angeline. Dat vind ik niet prettig.'

Ze begint te lachen. Het is een diepe, hese lach en ze gooit met de overgave van een jonge vrouw haar hoofd in haar nek. 'Grace! *Tu es si grave!*' Ze buigt zich naar voren om een hand op mijn knie te leggen, maar ik schuif van haar weg.

'Dit ís serieus.'

Haar ogen lichten op. 'Goed dan.' Ze trekt weer een neutraal gezicht. 'Misschien stelt de waarheid je in staat zowel mijn dochter als jezelf te helpen. Ze was ooit erg op je gesteld – heel erg zelfs – en misschien dat het weer als vanouds kan worden.'

Dat betwijfel ik, maar ik zeg niets.

'Orla heeft een aantal jaren in de gevangenis gezeten. Ze is net vier maanden vrij.'

Alles in mij stokt. De hele kamer lijkt te wachten, samen met mij de adem in te houden. 'In de gevangenis?'

'Ze moet haar draai nog een beetje vinden. Al dat gedoe over dat klooster. Nonsens.' Ze wrijft haar handen tegen elkaar. 'Ze zou een vriendin moeten hebben, iemand die haar helpt weer een plekje te vinden in de maatschappij. Schotland heeft een speciaal plekje in haar hart.' Ze wijst met een vinger in mijn richting en legt hem dan op haar lippen. 'Maar ik hoop dat ik op je discretie kan rekenen. Ik heb Murray ertegen in bescherming genomen, want ik wist dat hij het lastig zou vinden.'

'Lastig? Een gevangenisstraf is toch zeker wel meer dan gewoon een beetje lastig?'

'Is dat het verkeerde woord?' Ze probeert verbaasd te kijken, maar haar wenkbrauwen slagen er niet in een frons in haar ongerimpelde voorhoofd te krijgen. Haar beheersing van de Engelse taal is zo goed als perfect. Dat weet ik en dat weet zij ook.

'Waarvoor zat ze vast?' vraag ik plompverloren. 'Was het ernstig?'

'Ja. Nu ja…' Ze staat op. 'Orla heeft zich altijd aangetrokken gevoeld tot de slechtste mannen… De details? Ik laat het aan Orla zelf over om je die te vertellen. Nou, Grace! Volgens mij hebben we nu wel weer voldoende bijgepraat, vind je ook niet?' IJzige glimlach. Ze loopt monter naar de voordeur en ik volg haar. 'Het lijkt me beter dat je hier niet meer komt. Ik ben verdergegaan met mijn leven. Misschien moest jij dat ook maar doen. Een nieuw hoofdstuk. In het verleden graven is nooit zo'n goed idee.'

'Maar zijn we niet allemaal een product van ons verleden?' Met trillende knieën loop ik het stoepje af.

Ze gaat er niet op in. 'Als getrouwde vrouw droeg Orla de naam Fournier. Een heel schandaal.' Ze doet de deur bijna dicht. 'En, Grace?'

'Ja?'

'Al die onzin over het klooster? Ik weet zeker dat ze haar, als ze haar verleden zouden kennen, de deur zouden wijzen.' Haar blik is nietszeggend. 'Heb je nu waar je voor gekomen bent?'

Ik draai me als eerste om – een kleine overwinning – en weet nog net de neiging te onderdrukken de oprit af te rennen. Ik laat mijn sleutels op de grond vallen, raap ze weer op, open het portier en kijk nog eens achterom naar het huis. Dikke wolken hangen laag en log boven het dak, klaar om het te bedekken en te smoren. Angeline staat achter het raam. Ze staat te ver weg om haar gezichtsuitdrukking te kunnen zien, maar ik krijg er toch kippenvel van. Ik stap in de auto, start de motor, rijd ongeveer tweehonderd meter, parkeer daar en blijf een tijdje zitten nadenken over alles wat er is gezegd.

Het is alsof ze me de kleuren heeft aangegeven – abortus, zelfmoordpoging, verslaving en gevangenisstraf – donkere kleuren om een beeld van Orla's leven mee te schilderen. Ik weet niet wat ik ervan moet denken. Het is allemaal zoveel dramatischer dan ik verwachtte. Ik vraag me af in hoeverre Angeline de waarheid verdraait door harde dingen over Orla te vertellen en tegelijkertijd alle details weg te laten die me zouden kunnen helpen haar te doorgronden.

Ik bedenk dat Orla zelfs niet liefdevol in haar herinnering is; geen foto's op de piano, geen lieve woorden of empathie. Angelines mooie preek over een moeder die alles voor haar kinderen overheeft? Ik geloof er niets van. Niet deze moeder.

Ik bel Euan. 'Kun je praten?'

'Ogenblikje.'

Ik hoor hem de deur achter zich dichttrekken en naar buiten lopen.

'Hoe ging het?'

'Zorgwekkend. Als ik Angeline moet geloven, is Orla tot alles in staat. Maar Angeline is dan ook geen liefhebbende moeder. Als ik haar in één woord zou moeten samenvatten zou ik zeggen: absoluut meedogenloos.'

'Dat zijn twee woorden.'

'Ik krijg bijna medelijden met Orla,' zeg ik vlug.

'Waarom? Ze is eropuit je kapot te maken. Laat je niet voor de gek houden, Grace.'

'Ik weet het, ik weet het. Maar luister, als ik ooit nog eens over mijn moeder klaag, herinner me dan even aan Angeline.'

'Zo erg dus? Maar heb je nog iets nuttigs ontdekt? Iets wat je kunt gebruiken om haar op andere gedachten te brengen?'

'Misschien. Ben jij in de buurt van een computer?'

'Ik kan naar het tuinhuis gaan. Hoezo?'

'Zet je schrap.' Ik haal een keer diep adem, amper in staat te geloven wat ik hem nu ga vertellen. 'Volgens Angeline, heeft Orla abortus laten plegen, heeft ze daarna een zelfmoordpoging gedaan, is ze aan drugs verslaafd geweest en heeft ze in de gevangenis gezeten.'

'Shit? Waarvoor in vredesnaam?'

'Dat weet ik niet. Angeline wilde het me niet vertellen. Ze pretendeerde heel openhartig te zijn, maar wilde niet op de details ingaan. Het zou me niet verbazen als ze het wat heeft aangedikt. Of misschien zelfs heeft zitten liegen. Ben je er al?'

'Ik zet hem net aan.'

'En over leugens gesproken: Orla heeft me verteld dat haar vader dood was en dat is helemaal niet waar. Hoe eigenaardig is dat?'

'Klinkt als een vrouw die alles aangrijpt om haar zin te krijgen,' zegt hij droogjes.

'Kun je haar googelen? Tijdens haar huwelijk heette ze Fournier.'

'Hij staat warm te lopen.'

Ik denk aan verbanden, schakels die de ene gebeurtenis met de andere verbinden. Wanneer begon alles mis te gaan voor Orla? Met Rose? Of al eerder? 'Heb je al iets gevonden?'

Ik hoor hem typen. 'Tot nog toe niets.'

'Dan kan het toch nooit iets heel ernstigs zijn geweest?'

'Wie weet. Ik blijf het nog wel even proberen. Kom je morgen werken?'

'Ja.'

'Dan zie ik je morgen. En, Grace?'

'Ja?'

'Maak je geen zorgen. We vinden er wel iets op.'

'Je gaat toch wel mee op kamp, Grace?' vraagt juffrouw Parkin.

'Nou, eigenlijk hoopte ik…'

Mijn moeder kijkt me aan.

'Wanneer is het ook al weer?' vraag ik.

'Over zes weken. En nu Rose nog maar zo kort bij jouw patrouille is gekomen, zal het zo fijn zijn om je erbij te hebben. Ik weet dat ze nog erg jong is, maar het is echt een schat van een kind en haar vader is een geweldige man. Heel knap ook.' Ze krijgt een smachtende blik op haar gezicht. 'Hij is weduwnaar, maar hij blijft vast niet lang alleen.'

Juffrouw Parkin is bij ons thuis omdat mijn vader een schommelstoel voor haar maakt. Het komt mij slecht uit, want ik had gehoopt in juni niet op gidsenkamp te hoeven, maar met de hete adem van mijn moeder in mijn nek kan ik moeilijk nee zeggen.

'Grace wil graag mee, nietwaar Grace?'

Ik knik en probeer te glimlachen. 'Ik ga nu naar Orla. Ik ben om een uur of elf thuis.'

'Niet later dan elf uur!' roept mijn moeder en ik bedwing de neiging om de buitendeur achter me dicht te knallen.

Het is tien minuten lopen naar Orla's huis. Het is een mooi huis, een beetje sprookjesachtig, en staat een eindje van de weg af, in een natuurlijke inham, alsof het voortkomt uit de rotswand erachter. Het is vroeg in de avond en ik ga naar haar toe zodat we ons samen kunnen opmaken voor het feestje dat ze geeft voor haar zestiende verjaardag. De afgelopen paar dagen is ze humeurig en afstandelijk geweest en ik hoop dat ze inmiddels weer de oude is en dat we een leuke avond zullen hebben.

Wanneer ik op de deur klop, hoor ik Orla en haar moeder al bekvechten. Dat is niet ongebruikelijk. Ze gaan vaak tegen elkaar tekeer, net zolang totdat een van hen het opgeeft. Maar vanavond klinkt het wel heel erg fel. Ik bel aan en even later trekt Orla de deur wijd open, draait zich zonder iets te zeggen meteen weer om naar haar moeder en gaat verder met tieren.

Het Frans gaat zo snel dat ik amper kan volgen wat ze zeggen. Ik vang fragmenten op als 'gaat je niks aan', 'hoe durf je!' en 'je vader is een fatsoenlijke man' van Angeline, terwijl Orla haar beledigingen naar haar hoofd slingert: *Salope! Garce! Putain!*

Ik blijf niet in de gang staan. Ik weet dat het geen zin heeft om te proberen tussenbeide te komen. Dat heb ik al eens eerder geprobeerd en toen kreeg ik uiteindelijk zelf de wind van voren. In plaats daarvan loop ik de trap op naar Orla's kamer, ga op haar bed zitten en lees een oud nummer van het tijdschrift *Jackie*. Eigenlijk zijn we daar nu te oud voor, maar we kopen het meestal toch nog voor de Ware Belevenissen van Lezers. Ik begin aan een verhaal getiteld 'Ik wist dat hij getrouwd was, maar dat kon me niet schelen' en ik ben halverwege wanneer Orla de slaapkamer komt binnenstormen, de deur zo hard dichtsmijt dat een van haar boekenplanken half van de muur komt, en zich naast me op het bed laat vallen. De rechterkant van haar gezicht is rood waar haar moeder haar heeft geslagen.

'Jezus, Orla!' Ik leg de *Jackie* weg en begin de boeken op een keurig stapeltje te leggen. 'Waar hadden jullie nu weer ruzie over?'

'Kon je het niet volgen?' Ze duwt me opzij en schuift met één armbeweging alle boeken op de grond, waar ze als een berg verwrongen boekruggen en gekreukte pagina's neerkomen.

'Volgens mij waren dat niet het soort Franse woordjes dat we normaal gesproken van madame Girard leren,' zeg ik tegen haar, terwijl ik de plank weer recht probeer te hangen.

'Laat dat!' Ze pakt een kant van de plank en smijt hem de kamer door. Hij raakt de zijkant van het raam en er verschijnt een barst in het glas. Een paar grillige lijnen waaieren uit van de breuk. Een ervan strekt zich uit tot halverwege het raam.

'Verdomme, Orla!' Ik grijp haar bij de schouders en schud haar door elkaar. 'Rustig nou! Straks mag je niet eens uit. Dan mis je je eigen feestje.'

Ze rukt zich van me los en begint in haar nachtkastje te zoeken. Achter de haarbanden, make-up en losse geldstukken heeft ze een pakje sigaretten verstopt. Ze laat zich languit op het bed vallen en slaat haar benen over elkaar. Het bed schudt heen en weer wanneer ze ze weer recht legt, met haar vuisten tegen de muur bonkt, opnieuw haar benen over elkaar slaat en met haar linkervoet begint te wiebelen. 'Mijn moeder is een rotwijf, een *putain*, een hoer.'

'Hoor eens, iedereen heeft wel eens de pest aan zijn moeder.' Ik houd haar nerveuze voet vast. 'Dat is heel gewoon. God, soms wens ik mijn moeder dóód, zo erger ik me aan haar, maar dat waait weer over.'

Wanneer ze me aankijkt zie ik de tranen in haar ogen. Ik schiet zelf automatisch ook vol. Ik heb Orla nog maar heel zelden zien huilen. Ze heeft bij mijn weten zelfs nooit meer betraande ogen gehad sinds ze toen we tien waren van de kademuur is gevallen en haar arm op twee plaatsen heeft gebroken. Ze is stoer en heeft pit en durft het tegen iedereen op te nemen. Dat is een van de redenen waarom ik haar zo graag mag.

Ze draait haar hoofd om, peutert aan het behang en zegt zachtjes: 'Je weet de helft nog niet. Mijn vader is een zak dat hij alles maar pikt van dat wijf.'

Opeens moet ik aan Edinburgh denken en hoe ik in dat warenhuis naar Orla's moeder heb staan kijken, met haar rode lachende mond, terwijl ze tegen Monica's vader aanleunde. 'Orla, je bent jarig!' Ik sla mijn armen om haar heen. 'Laten we dit allemaal vergeten en plezier maken.'

'Ja, precies.' Ze slaakt een bevende zucht. 'Nog op mijn verjaardag ook, verdomme.'

'Kom, dan gaan we elkaar opmaken.' Ik pak wat rouge, oogschaduw en mascara. Orla leunt naar voren en doet haar ogen dicht.

'Ik kan niet wachten tot ik uit dit rotdorp weg kan.'

Ik smeer twee kleuren groen op haar oogleden, helemaal tot aan haar wenkbrauwen. 'Er zijn wel ergere plaatsen.'

'Zoals?'

'Doe je ogen dicht!'

'Er is daarbuiten een hele wereld,' mompelt ze. 'En wij wonen in een dorp ter grootte van een postzegel waar iedereen alles van iedereen weet.'

'Kun je niet naar je tante in Frankrijk?' Orla's tante is zo mogelijk nog mooier en charmanter dan haar moeder. Ze is inkoopster voor de modeafdeling van de Galeries Lafayette en wanneer ze wel eens komt logeren straalt ze een en al couture en elegantie uit. 'Ik zou dolgraag in Parijs wonen.'

'Dat valt anders ook tegen,' zegt Orla, terwijl ze de handspiegel pakt om zichzelf te bewonderen. 'Amerika lijkt me beter. Veel meer ruimte. Cowboys. Gespierde mannen die op ongezadelde paarden rijden.' Ze trekt een pruilmondje naar haar spiegelbeeld. 'Neem me, ik ben van jou.'

Tegen de tijd dat we bij het dorpszaaltje arriveren is ze weer helemaal de oude. De disco is al opgezet en nadat we tien minuten hebben gedanst gaan we even aan de kant staan met een blikje Irn-Bru om naar de anderen te kijken.

'Zullen we even een luchtje scheppen?' zegt Orla. 'Ik heb wat wodka verstopt onder de tweede struik voorbij de telefooncel.'

Wanneer we naar buiten gaan komt Monica net de hoek om. Ze straalt een en al vijandigheid uit. Ze gloeit op als het peertje van veertig watt in mijn leeslampje en haar borst gaat op en neer alsof ze zojuist een kilometer heeft hardgelopen. Vlak voor Orla blijft ze staan. 'Ik wil met je praten.'

'Nu even niet, Monica.' Orla slaakt een verveelde zucht, maar ik sta zo dichtbij dat ik kan zien dat de slagader in haar nek sneller begint te kloppen. 'Zie je niet dat ik bezig ben? Ik ben mijn verjaardag aan het vieren.'

'Je moeder is een smerige Franse hoer!'

'Monica!' Ik ga voor Orla staan. 'Wat doe je hier! Ga weg! Je bent niet eens uitgenodigd!'

'Dit is iets tussen Orla en mij,' gilt ze. Haar ogen zijn wild en haar haar staat alle kanten op, alsof ze bezeten is. 'En ga nu alsjeblieft opzij.'

Ik kijk Orla aan.

'Laat maar, Grace,' zegt ze, schouderophalend, nonchalant. 'We hebben hier al een aanvaring over gehad. Zo te zien is ze teruggekomen om me nog meer te straffen.'

'Denk maar niet dat je hier ongestraft mee wegkomt.' Monica wijst met een trillende vinger naar Orla's wang. 'Loop naar de hel, Orla Cartwright. Met je hele familie erbij! Het hele zooitje.' De laatste woorden bijt ze Orla toe als een heks die een vloek uitspreekt en het verbaast me niets dat ze het afmaakt door voor onze voeten op de grond te spugen.

Wanneer ze zich omdraait, steekt Orla haar hand uit en grijpt de achterkant van Monica's blouse. Het gebeurt allemaal heel snel en ik reageer traag. Tegen de tijd dat ik een poging doe hen uit elkaar te halen zit Orla al boven op Monica's rug aan haar haren te trekken. Het gegil en gevloek klinkt veel harder dan mijn smeekbedes om op te houden en Orla is sterker dan ik. Ik heb Euans hulp nodig, maar hij is er nog niet. Ik weet wel waar hij is – hij hangt waarschijnlijk bij de haven rond met Callum.

Ik ren zo hard als ik kan en ik hoor hen al voordat ik hen zie. Ze zitten op een van de twee picknicktafels die op het grasveld tegenover de kademuur staan. Ze hebben blikjes bier naast zich staan en zitten armpje te drukken.

'Kom gauw!' Ik hijg en zet mijn handen op mijn knieën. 'Monica en Orla zijn aan het vechten.'

Ze springen allebei overeind en we rennen samen terug naar het dorpsgebouw. Callum trekt Orla van Monica's rug en houdt haar vast terwijl Euan Monica overeind helpt. Hij raadt haar aan even naar de dokter te gaan om naar haar hoofd te laten kijken. Er druppelt bloed over haar wang op het kraagje van haar blouse. Ze voelt er met haar vingers aan. 'Volgens mij is het maar oppervlakkig,' zegt ze tegen hem. 'Ik wil arts worden, weet je. Ik ga hier weg.'

'Oké.' Euan doet een paar stappen naar achteren en komt naast mij staan.

Monica's gezicht vertrekt. Ze ziet er niet uit. Ik vraag me af hoe ze dit thuis gaat uitleggen.

'Ik breng je wel even naar huis,' biedt Callum aan.

Monica kijkt hem aan. 'Doe geen moeite,' zegt ze. 'Veel plezier op het feest.' Haar ogen vullen zich met tranen. 'Laat mij de pret niet bederven.' Ze draait zich om en wankelt weg.

Ik kijk haar na en huiver.

'De voorstelling is afgelopen.' Euan pakt mijn elleboog. 'Zin om te dansen?'

We gaan allemaal naar binnen. Orla veegt met de rug van haar hand het bloed van haar lip, maar verder lijkt ze niets aan de vechtpartij te hebben overgehouden. Ze begint te schuifelen met een jongen uit de vijfde. Zijn handen glijden over haar billen en trekken haar dicht tegen zich aan. Euan pakt mijn hand en leidt me de dansvloer op. Hij slaat zijn armen om me heen.

'Ik heb geen zin meer,' zeg ik. Ik maak me van hem los. 'Ik denk dat ik maar naar huis ga.'

'Ik loop met je mee,' zegt hij. Hij kijkt om zich heen. 'Het is hier toch niet veel bijzonders.'

Ik geef hem een arm en we lopen het strand op, zodat we langs het water naar huis kunnen wandelen. We hebben allebei zaklantaarns in onze zak zitten en we laten het licht voor ons uit schijnen.

'Waar hadden ze eigenlijk ruzie over?'

'Orla's moeder en Monica's vader hebben een verhouding.'

'Shit.'

'Zeg dat wel. Monica is nooit mijn vriendin geweest, maar ik heb toch met haar te doen.' Ik leg mijn hoofd tegen zijn schouder. 'Ik vraag me af of ze maandag haar gezicht weer op school durft te vertonen.'

'Maar het was ook niet echt een goed idee van haar. Ze had op haar vingers kunnen natellen dat ze het tegen Orla zou afleggen.' We lopen heel dicht bij de waterkant, waar golven ons achtervolgen, zich uitrekken en over onze schoenen stromen. IJskoud water spettert tegen mijn enkels.

'Het is stervenskoud!' Ik gil en trek hem mee naar de zandduinen.

Hij legt zijn armen om mijn middel en kust me zacht op mijn lippen.

'Waar heb ik dat aan te danken?'

'Omdat je het mooiste meisje bent dat ik ken.'

'Gewoonweg onweerstaanbaar.' Ik werp hem een kushand toe en loop een stukje als een mannequin op de catwalk. Hij schijnt met zijn zaklantaarn op mij en het licht weerkaatst op zijn gezicht. Ik verwacht hem te zien lachen, maar dat doet hij niet. Hij kijkt heel serieus, alsof hij een wiskundevraagstuk probeert op te lossen.

'Wil je een keer met me uit?' Zijn stem is hees. 'Grace?'

'We zijn altijd samen.'

'Ik bedoel uitgaan. Met elkaar.' Hij trekt met de neus van zijn rechterschoen een halve cirkel in het zand. 'Officieel.'

Ik frons. 'Een afspraakje bedoel je?'

'Ja.' Hij wacht.

Ik denk na. Euan en ik. Ik en Euan. Een stel. 'Goed dan.'

'Goed dan?'

'Goed dan.' Ik begin te giechelen en geef hem een duw. Hij duwt me terug en ik val om en geef een gil.

'Grace, ben jij dat?' Het is de stem van mijn vader.

Euan trekt me overeind.

'Wat is daar aan de hand?' Mijn vader verschijnt op het duin en schijnt met een zaklamp in ons gezicht. 'O, jij bent het, Euan. Ik ben net op weg naar de club voor een potje snooker. Gaan jullie maar gauw naar huis. Het is veel te koud om buiten te lopen flikflooien.'

9

Wanneer Paul naar zijn werk vertrekt en de meisjes naar school, neem ik Murphy mee om even over het strand te rennen en rijd vervolgens naar mijn werk. Euan is er al. 'Heb je nog iets op het internet gevonden over Orla?' vraag ik zodra ik binnenkom.

'Niets. Wat het ook is waarvoor ze in de gevangenis is beland, het kan niet veel aandacht van de pers hebben getrokken.'

'Shit.' Ik knoop mijn jas open. 'Eigenlijk hoopte ik erachter te komen wat ze op haar kerfstok heeft.' Ik denk terug aan Angelines woorden. 'Ik dacht dat ze zei dat ze ten tijde van haar huwelijk Fournier heette, maar misschien heb ik haar verkeerd verstaan.'

'Ik zal nog wel wat andere spellingswijzen proberen, maar intussen heb ik wat rondgebeld en heb ik wel het klooster gevonden waar ze verblijft,' zegt hij. 'Het klooster van St. Augustinus. In de buurt van Hawick.' Hij zet zijn computer uit en komt bij me staan. 'Zullen we gaan?'

'Naar het klooster?' Ik staar hem aan. 'Nu?'

'Waarom niet? Zoals je zelf al zei, we kunnen niet lui achterover gaan zitten en haar alle zetten laten doen.'

'Weet je het zeker?' Dit had ik niet verwacht. 'Het is een lange rit. We zijn de hele dag weg.'

'Ik was toch niet van plan om deze week veel te werken.' Hij staat zijn jas al aan te trekken. 'Ik zal niet veel zeggen. Dat beloof ik je.' Hij pakt mijn elleboog. 'Maar ik zal er zijn als je me nodig hebt.'

'Moeten we niet iemand laten weten dat we eraan komen?'

'Nee. Ik wil niet dat ze een verhaal gaat verzinnen over dat ze geen bezoek mag ontvangen,' zegt hij. 'We kunnen beter opeens voor de deur staan. Op die manier kan ze ons ook niet meer afwimpelen.'

Hij doet de deur van het tuinhuis achter ons op slot en we lopen het pad op, langs het huis. Onaangekondigd bij Orla op bezoek gaan lijkt me een goed idee en ik ben blij dat Euan bereid is met me mee te gaan. De klokt tikt door en de seconden, minuten en uren wegen als een loden last op mijn schouders. Nog minder dan een week tot die zondagslunch wanneer Orla van plan is om – ja, wat eigenlijk? Om tijdens het eten een aankondiging te doen? O, trouwens, mensen! *Heeft Grace al verteld dat zij Rose heeft vermoord? Ja, echt waar! Ze heeft haar in het water geduwd. En haar daar laten verdrinken.* Of is ze van plan Paul even apart te nemen, in zijn werkkamer misschien, waar zijn paperassen en studieboeken hoog opgestapeld op het bureau liggen en foto's van de meisjes vanaf de muren lachend op hem neerkijken; Ella, Daisy en Rose als getuigen van Pauls ontsteltenis wanneer hij alles te horen krijgt over het trieste lot van zijn eerste dochter. Zal ze misschien zelfs Rose' foto in haar handen nemen wanneer ze het hem vertelt?

Ik zal het niet laten gebeuren. Oké, ze is vast veel harder en geraffineerder dan ik en ze houdt er, net als haar moeder, brede marges op na, maar ik vecht hier voor mijn gezin. En dat is voor mij het allerbelangrijkste.

We nemen Euans auto en onderweg vertel ik hem over Angeline. 'Ze gedraagt zich alsof ze de koningin zelf is. En ze heeft geen enkele sympathie voor Orla.'

'Nou, wij anders ook niet.'

'Ja, maar zij is haar moeder! Je zou toch denken dat ze in elk geval blijk zou geven van enige liefde of begrip. Neem nou die abortus. Ze beschreef de zwangerschap als een stomme vergissing en Orla's zelfmoordpoging als een dramatische stunt.'

'Heel veel vrouwen ondergaan een abortus. Die gooien zich naderhand ook niet uit ramen.'

'Ja, maar het was duidelijk een traumatische ervaring voor haar! En waar was de man? Ik wil wedden dat hij nergens last van had.'

'Grace, houd nu eens op met die excuses!' Hij neemt gas terug en draait zich naar me toe om me aan te kijken. 'Orla betekent niets dan ellende. Als ze Paul over Rose' dood vertelt is het leven zoals je dat nu leidt voorbij. Ga nu niet proberen haar te begrijpen.' Zijn stem klinkt ruw. 'Ze kan net zo goed manipuleren als haar moeder. Ze is een gemeen kreng. Dat weet je.'

'Ik weet het, ik weet het.' Zijn felheid verrast me en ik leg mijn hand op zijn knie. 'Ik wilde alleen maar zeggen dat als haar moeder vroeger een beetje meer...' Ik zwijg en denk aan mijn eigen meisjes en hoe ik hemel en aarde zou bewegen om hen te beschermen. Orla is een reële bedreiging voor hun geluk. Er is geen plaats voor zwakheid van mijn kant. 'Je hebt gelijk. Geen medelijden. Helemaal niets.'

Het klooster bevindt zich vlak bij de Engelse grens, aan het einde van een lange, rechte weg met aan weerszijden glooiende heuvels en hier en daar een klein dennenbos. Wanneer we het bord zien, ROOMS-KATHOLIEK KLOOSTER ST. AUGUSTINUS, verlaten we de hoofdweg en rijden een smal pad op, hobbelig van de kuilen, tot we voor een bakstenen muur staan. De muur is een meter of tien hoog en halverwege zit een enorme houten poort, in de vorm van het kaakbeen van een walvis. In de grote poort bevindt zich een kleinere, manshoge deur. We kloppen driemaal aan met de ijzeren klopper, doen een stapje naar achteren en wachten af.

Nog geen minuut later horen we het duidelijk herkenbare geluid van iemand die bezig is de grendels weg te schuiven. Dan zwaait de deur open, wijd genoeg voor ons om een glimlachende non te zien staan. Ze is klein, hooguit één meter vijftig, en zo tenger als een kind. Ik kan me voorstellen dat zelfs een bescheiden windvlaag haar zwarte rokken zou kunnen doen opbollen en haar hemelwaarts zou kunnen dragen.

'Neemt u mij niet kwalijk dat ik u kom storen. Mijn naam is Grace en dit is Euan. Wij willen Orla Fournier graag spreken. Het is dringend,' voeg ik eraan toe.

'Fournier?' herhaalt ze, haar lippen tuitend.

'Cartwright,' zegt Euan en kijkt mij aan. 'Ze gebruikt haar meisjesnaam.'

De non knikt. 'Zijn jullie vrienden van haar, mijn kind?'

'Dat niet precies, maar het is wel belangrijk dat we haar even kunnen spreken.'

'Ja, maar Orla is hier in retraite en in dat geval kunnen wij...'

'Het is een noodgeval. Een familieaangelegenheid,' zegt Euan, terwijl hij een stap naar voren doet, zodat de neus van zijn schoen net in de deuropening zit. 'We kunnen niet weg zonder haar gesproken te hebben.'

Ze blijft glimlachen. 'Bent u de jongeman die ik aan de telefoon heb gehad?'

'Inderdaad,' zegt Euan. 'Het spijt ons dat we geen afspraak hebben gemaakt, maar daar was geen tijd meer voor.'

'Orla gaat ons vrijdag weer verlaten. Kunt u misschien tot zo lang wachten?'

'Ik ben bang van niet,' zegt Euan. 'De tijd dringt.'

'In dat geval moest u maar binnenkomen.' Ze trekt de houten deur verder open. Hij kraakt in zijn scharnieren alvorens tot stilstand te komen tegen de achterkant van de grote poort. 'Ik ben zuster Bernadette.' Ze heeft een stevige handdruk. 'Welkom in ons klooster.'

We lopen een met keitjes bestrate binnenplaats op met een klein vierkant grasveldje in het midden. Het gras is keurig onderhouden en is omzoomd met rozenstruiken.

'Laat mij even de deur achter ons vergrendelen,' zegt zuster Bernadette, terwijl ze met haar kleine vingers handig de zware ijzeren grendels op hun plaats schuift. 'Ik heb begrepen dat een mens niet voorzichtig genoeg kan zijn.'

Een zwart-witte kat komt regelrecht op me af en loopt tussen mijn benen door, waarbij zijn staart langs mijn kuiten strijkt. Dan geeft hij een klaaglijk miauwtje en gaat vlak voor mijn voeten naar me op zitten kijken. Ik buk me om hem te aaien en hij begint hard te spinnen, terwijl zijn oogleden dichtzakken van genot.

'Ik zie dat Bubble al vriendschap met u heeft gesloten,' merkt zuster Bernadette op. 'We komen om in de katten! En ze vangen geen van alle veel muizen.' Ze trekt haar lange rok opzij om ons een grijs poesje te laten zien dat tussen de plooien ligt te slapen. Ze tilt het op en legt het tegen haar hals. 'Maar je kunt er bijna geen weerstand aan bieden, vindt u ook niet?'

Wanneer ik eens goed om me heen kijk, zie ik nog zeker vijf katten in keurige cirkeltjes in het zonnetje op het gras liggen slapen. 'U hebt hier een hele verzameling,' zeg ik.

'Bij de laatste telling waren het er zesendertig.' Ze fronst even. 'We moeten echt een goed tehuis voor hen zien te vinden.' Dan schudt ze de gedachte van zich af en zegt: 'Kom, kinderen.'

We lopen om het gras heen en onder een open poort door het gebouw schuin tegenover de binnenplaats in. Bubble rent over de flagstones voor ons uit. Op lichte, geruisloze pootjes blijft hij voor een deur staan wachten tot wij er ook zijn. We betreden een vierkante ruimte met drie hoge ramen die uitkijken op het zuiden. Het is bijna middag en de zon valt op de stofdeeltjes die in de lucht zweven. Het is een prettige, maar spaarzaam ingerichte ruimte. Twee veelgebruikte banken tegenover elkaar en onder het raamkozijn een massief eiken salontafel. Op de tafel liggen verschillende boeken die sporen van ouderdom en intensief gebruik vertonen.

'Zuster Philomena dreigt met een uitstapje naar Ikea, maar wij zijn er tevreden mee.'

'Het is gezellig,' zegt Euan, terwijl hij zijn hand over de rugleuning van een bank laat glijden. Bubble springt naast zijn hand en wacht tot die misschien zijn kant op komt. 'Mens- en katvriendelijk.'

'Precies! Een beetje geïmproviseerd en aan reparatie toe misschien, maar we zijn hier om het werk van de Here te doen. Laat anderen zich maar zorgen maken over woninginrichting.'

We glimlachen allebei. Ik ben zo gespannen dat mijn gezicht aanvoelt alsof het elk moment kan openbarsten.

'Dan ga ik nu Orla zoeken. Op dit tijdstip is ze waarschijnlijk aan het helpen in de melkschuur.'

'Voordat u gaat, zuster,' zeg ik, met mijn hand langs haar mouw strijkend. 'Ik vraag me af – denkt u dat Orla hier permanent komt wonen?'

'Als novice, bedoelt u?'

Ik knik.

'Daar is vooralsnog geen sprake van. Volgens mij is Orla sterk in de buitenwereld geworteld.' Ze stoot me samenzweerderig aan. 'Ik geloof niet dat ze een leven van gebed ambieert.'

'Ik dacht dat ze zich wellicht had laten overtuigen door de gemeenschapszin en de hele sfeer hier.'

Ze kijkt dubieus. 'Soms lijkt een leven van gebed en eredienst heel aantrekkelijk, maar in werkelijkheid kan het ook heel zwaar zijn.'

Bubble loopt met zuster Bernadette mee en we blijven alleen achter.

'Je had gelijk,' zeg ik tegen Euan. 'Dat hele verhaal over dat ze non wil worden was dus gelogen.'

'Dat zou het makkelijker moeten maken,' zegt hij. 'Als het niet echt een gewetenskwestie is, dan hebben we dus meer kans haar op andere gedachten te brengen.'

'Mijn maag rommelt.'

'Ik ben bij je.' Hij raakt even mijn wang aan. 'Morele steun.'

Het volgende uur zal bepalend zijn voor het verloop van de rest van mijn leven en ik ben doodsbang. Doodsbang, maar tegelijkertijd blij dat ik er iets aan doe. Driemaal is scheepsrecht. Ik kan dit. Ik haal diep adem en loop heen en weer door de kamer. Ik neem me heilig voor deze keer niet mijn zelfbeheersing te verliezen.

Er gaan vijf minuten voorbij en eindelijk komt Orla de kamer binnen. Euan staat bij het raam en ik zit op de armleuning van de bank een exemplaar door te bladeren van *De navolging van Christus* van Thomas à Kempis.

'Grace, Euan.' Ze glimlacht alsof er niets aan de hand is. 'Wat een verrassing.' Ze kijkt naar het boek in mijn hand. 'Zie, Heer, hier sta ik voor U, naakt en armoedig, en smeek U om genade.'

'Zover was ik nog niet,' zeg ik.

'Hoofdstuk 112.' Ze heeft hetzelfde aan als eerst. Donkere broek en vestje, wit topje, haren in een staart en geen make-up.

'Juist.' Ik leg het boekje terug op tafel. 'Luister, het spijt me dat we je storen bij je werk in de melkschuur, maar wij…' Ik kijk naar Euan. Hij staat uit het raam te kijken. 'Ik moet met je praten.'

'Ga zitten.' Ze reikt me een kussen aan met daarop de geborduurde tekst GOD IS LICHT. Ik leg het achter mijn rug. Ze gaat tegenover me zitten, slaat haar ene been over de andere en wacht af. Ik moet onmiddellijk aan Angeline denken. Moeder en dochter hebben allebei een keiharde roerloosheid die naar buiten toe uitstraalt als een soort krachtveld. Ze zijn volkomen zeker van zichzelf, alsof hun gedachten en beweegredenen superieur zijn aan die van de rest van de wereld.

'Welnu… ik heb het gevoel dat we nog niet echt de kans hebben gekregen met elkaar te praten. De eerste keer, in dat restaurant, was ik te geschokt om zinnig te reageren en de tweede keer waren mijn meisjes jarig en, nou ja…' Ik merk hoe het voelt om tegen haar te glimlachen. 'Toen was ik vooral bezig om moeder te zijn.'

Hier stop ik. Zij vult de stilte niet in. Ze zit daar maar, haar handen gevouwen in haar schoot, en kijkt me aan. Mijn glimlach voelt misplaatst, tactisch gezien zwak. Ik haal hem meteen van mijn gezicht.

'Orla, ik ben hier om je te vragen zondag niet naar mijn huis te komen.'

Ze trekt één wenkbrauw op. 'Denk je niet dat het een opluchting voor Paul zal zijn om eindelijk iets te kunnen afsluiten?'

'Paul heeft de uitspraak van de patholoog geaccepteerd.'

'Hij moet toch vragen hebben gehad?'

'Het was een betreurenswaardig ongeluk,' zeg ik nadrukkelijk. 'Waarschijnlijk veroorzaakt door een combinatie van factoren; de storm, onbekend terrein, de natuurlijke nieuwsgierigheid van een kind. Die hebben haar in gevaar gebracht.' Terwijl ik dit zeg komen er allerlei herinneringen boven: Paul die, een paar jaar geleden, Rose' graf bezoekt en in zijn verdriet vraagt: *Waarom is ze het water in gegaan?* Ik knipper de herinnering weg en ga verder. 'Jouw verhaal zou…'

'Mijn verhaal?' valt ze me in de rede. 'De waarheid is geen verhaal. De waarheid is de waarheid. Vind jij ook niet, Euan?'

Euan heeft al die tijd bij het raam gestaan, maar komt nu naast mij zitten, met zijn bovenbeen tegen het mijne. 'De tijd voor de waarheid was toen, Orla.'

'De waarheid komt altijd aan het licht,' zegt ze. Het is bijna een fluistering, zo vloeiend als gesmolten chocolade.

'Alleen omdat jij iets gaat zeggen.'

'En het zal tijd worden.'

'Niemand heeft er iets aan als je alles gaat oprakelen.'

Ze lacht. 'Ik heb er iets aan! Zijn mijn gevoelens soms niet belangrijk?'

'Orla, we hebben onze kans om de waarheid te vertellen gehad,' zeg ik. 'We zijn nu zoveel jaren verder en Paul en ik' – ik leg mijn handen tegen elkaar – 'zijn met elkaar verbonden. We hebben samen twee kinderen. Je moet toch kunnen begrijpen hoeveel schade dit ons als stel en als gezin zou berokkenen. Sterker nog, het zou het einde betekenen van alles! Geen stel meer, geen gezin, helemaal niets meer.' Ik weet mijn stem in bedwang te houden, maar het scheelt niet veel. Ik haal enkele keren diep adem en wacht tot Orla iets terugzegt.

Dat doet ze niet. Ze staart naar Euan en dan naar mij en vervolgens weer naar Euan.

'Laat dit heel duidelijk zijn.' Ze buigt zich naar mij toe. 'Ik ga Paul over die avond vertellen, of je dat nu leuk vindt of niet. Wat jij denkt of voelt is volkomen irrelevant.'

'Maar Orla, jij bent niet eens degene die haar heeft geduwd! Dat was ik! Je was er niet rechtstreeks bij betrokken.'

'Ik was erbij. Ik stond vlak naast je. Het had net zo goed mijn hand kunnen zijn.'

'Maar het was jouw hand niet. Je was niet meer dan een toeschouwer.'

'Juist, ja.' Ze kijkt omhoog naar het plafond en dan weer naar mij. 'Er loopt een blinde over straat. Er zit een put in de weg, maar er ligt geen putdeksel op. Ik zie hem erop aflopen. Ik kijk hoe hij in de put valt. Wiens schuld is dat, Grace? Van degene die vergeten is het putdeksel terug te leggen? Van de man zelf – misschien had hij beter thuis kunnen blijven – of is het mijn schuld, omdat ik heb staan toekijken hoe hij viel?'

'Dat is iets heel anders,' zegt Euan. 'Niemand heeft Rose zien verdrinken.'

'Wil je daarmee zeggen dat Grace onschuldig is?'

Ik houd mijn adem in. Ik verwacht dat hij Orla zal vertellen wat hij al die jaren tegen mij heeft gezegd, dat er geen keihard bewijs is dat het mijn schuld was. Het was een ongelukkige samenloop van omstandigheden. Het feit alleen dat Rose is gevonden in de buurt van de waterkant waar ik haar een duw heb gegeven – dat bewijst nog helemaal niets.

Maar hij trekt mijn schuld niet in twijfel en zegt in plaats daarvan: 'Ongelukken gebeuren nu eenmaal. Tragische ongelukken die niet ongedaan kunnen worden gemaakt.' Hij haalt zijn schouders op. 'Het enige wat je in zo'n geval kunt doen is doorgaan. Het achter je laten en doorgaan met je leven.'

Orla staart Euan doordringend aan. 'Wij hebben iemand gedood,' zegt ze effen. 'Wij hebben een kind gedood.'

'Het was donker, Orla!' schreeuw ik. 'We wisten niet dat ze in het water was gevallen.'

Ze kijkt mij weer aan. 'En de volgende dag dan, toen we haar vonden?'

'Ja, toen was het te laat, of niet soms? Toen was ze al uren dood.'

'We hadden ook eerlijk kunnen zeggen wat er was gebeurd.'

'We hadden...'

'Maar ik heb je ervan weerhouden om iets te zeggen.'

'Maar ik had niet naar jou hoeven luisteren!'

'Natuurlijk wel! Je luisterde altijd naar mij.'

'Ik had ook nog een eigen wil. Ik heb ervoor gekozen die niet te volgen. Dat wil nog niet zeggen dat het jouw schuld is.'

'Zonder mij zouden we daar niet eens zijn geweest.' Ze houdt haar hoofd een beetje schuin en zegt zacht: 'Maar even serieus, hoe heb je er al die jaren mee kunnen leven?'

'Met moeite,' geef ik toe. 'En geloof me – dat is zacht uitgedrukt. Maar ik probeer altijd, áltijd, goed te doen, overal waar ik kan.'

'Ze was nog maar een kind. Wij waren wreed en onverschillig en dat heeft zij met de dood moeten bekopen.'

'Dat weet ik, Orla! Dat weet ik verdomme ook wel.'

Euan legt een hand op mijn arm.

Ik slik, demp mijn stem en zeg: 'Geloof me, er is geen dag voorbijgegaan dat ik niet aan Rose heb gedacht en heb gewenst dat ik het anders had gedaan – maar het is gebeurd. Alles aan Paul vertellen en mijn gezin door het slijk halen zal niets veranderen aan het feit dat wij daar waren en dat Rose is gestorven.'

'Maar je bent er wel door in het verleden blijven steken, hè?'

'Wat bedoel je?'

'Je bent niet verdergegaan met je leven. Je leeft in twee tijdzones en je staat met één been in de ene en één in de andere. Is dat niet ongemakkelijk?'

Ik tik met mijn hakken op de vloer. 'Ik heb geen idee waar je het over hebt.'

'O nee? Weet je zeker dat je niet meer in een tijd leeft waar je bent opgehouden met leven? En Euan dan?' Ze kijkt hem aan, maar hij hapt niet toe. 'De man die je eigenlijk had moeten krijgen. Je gevoelens zijn altijd blijven hangen in de intensiteit van die allereerste verliefdheid. Je grijpt steeds weer terug naar een tijd waarin het leven eenvoudig was, voordat je jezelf overlaadde met schuldgevoelens en spijt en de bagage van een gezin.'

'Mijn gezin is geen bagage, Orla. Het is de reden waarom ik hier zit.'

'Je zit hier voor jezelf.'

De woede die ik voel opkomen is zo allesomvattend dat ik niets durf te zeggen.

'Je zit vast, Grace. Je staat op een loopband die achteruitgaat. Je wordt voortdurend teruggetrokken naar die avond en het afschuwelijke wat erop volgde.' Ze blaast haar wangen bol en zegt: 'Je bent zelfs met haar vader getrouwd.'

'Ik ben verliefd op hem geworden. Dat heb ik je al verteld. Ik houd nog steeds van hem.' Mijn stem klinkt hakkelend en mijn vuisten zijn gebald. Ik wil haar fysiek pijn doen, haar op de grond trekken en wat gezond verstand in haar hoofd stampen. Het is een emotie waaraan ik niet gewend ben en mijn gezicht begint te gloeien van de inspanning die het me kost om stil te blijven zitten.

Ze glimlacht tevreden en ik realiseer me dat het juist haar bedoeling is mij op te fokken. In gedachten zie ik haar op haar knieën voor me zitten, verslagen, met betraande wangen. Ik voel me meteen wat beter. Ik klem mijn voeten stijf tegen elkaar en houd ze stil.

'Zal ik je eens wat vertellen, Grace?' Ze slaat haar handen in elkaar en strekt haar armen recht boven haar hoofd. 'Ik denk dat je je veel lichter zult voelen wanneer dit eenmaal in de openbaarheid is gekomen.' Ze kijkt naar Euan. 'Dat geldt voor ons allemaal.'

'Voor mij is dit geen spelletje.' Ik kan weer met vaste stem praten.

Ze spert haar ogen wijd open, alsof ze niet kan geloven dat ik zoiets durf te suggereren. 'Voor mij ook niet.'

Ik leun naar voren. 'Je moet toch inzien hoe onmogelijk mijn leven zou worden.'

'Maar denk je nu eens in hoe het zal zijn om niets meer te hoeven verbergen.' Ze leunt zelf ook naar voren. Ze fluistert. Voor een buitenstaander zou het lijken alsof we elkaar geheimen zitten te vertellen. 'Hoe denk je dat dat voelt?'

Ik verdrink bijna in haar ogen. Ik kan er niets aan doen. In het zonlicht zijn ze omfloerst, groot, vochtig en zo zacht als kasjmier. Ik denk even na hoe het zou zijn om volkomen vrij en onbezorgd door het leven te gaan, zonder akelige geheimen in donkere hoekjes van de kast. Hoe moeiteloos het zou zijn om te leven zonder de angst ontmaskerd te worden. Hoe verfrissend het zou zijn om helemaal eerlijk te kunnen zijn. Heerlijk. En onmogelijk.

Ik wend mijn blik af en kijk uit het raam. Een oude tuinman staat met een schoffel aan de rand van de gebarsten flagstones onkruid te wieden. Hij werkt langzaam en methodisch en af en toe bukt hij om het onkruid op te rapen en in zijn kruiwagen te gooien. Na een minuutje heb ik mijn gevoelens weer onder controle en kijk ik haar weer aan. Ze leunt achterover, haar benen voor zich uitgestrekt.

'Euan denkt dat er een heel goede mogelijkheid bestaat dat ik Rose helemaal niet heb gedood,' zeg ik.

Ze kijkt in zijn richting. 'O ja?'

'Hij denkt dat er andere verklaringen mogelijk zijn. Ze kan hebben geslaapwandeld, ze kan iets hebben gezocht…'

'Ja, God verhoede dat we Euan niet om zijn mening zouden vragen.'

'Er zit wel wat in.'

'Hij was er niet bij. Hij was zich aan het bedrinken met Callum en co. Nietwaar, Euan?'

Hij geeft geen antwoord.

Ik grijp haar arm. 'Wij zijn er automatisch van uitgegaan dat ik het had gedaan.'

'Het was exact dezelfde plek.'

'Toeval.'

'Ik weet wat er met Rose is gebeurd.' Ze schudt mij af. 'Ik koester geen enkele twijfel. Geen enkele.'

Het wordt donkerder in de kamer. De zon is nu helemaal achter de wolken verdwenen, die donkere schaduwen op de muren werpen. Ik trek mijn vest strakker om me heen en knoop het dicht. 'Wat is er met je man gebeurd?'

Ze haalt haar schouders op. 'Wat kan jou dat schelen?'

'Ik ben nieuwsgierig.'

'Het ging niet meer tussen ons.'

'Hoe dat zo?'

'We pasten niet bij elkaar. Die dingen gebeuren, of niet soms?' Haar stem wordt lager. 'Aanvankelijk leken we voor elkaar gemaakt. We waren allebei half Frans. We hielden allebei van rockmuziek. Hij was sexy.' Ze zwijgt even. 'We kenden elkaar drie weken toen we in Las Vegas trouwden. Het voelde overweldigend, opwindend. We waren een jaar samen toen het me begon te dagen dat hij het toch niet helemaal voor me was.' Haar ogen glijden weg. 'Dat is alles. Meer valt er niet over te zeggen.'

'En de drugs. En de gevangenisstraf?' zeg ik zacht.

Ze schrikt, maar herstelt zich vrijwel onmiddellijk. 'Gefeliciteerd. Je hebt je huiswerk goed gedaan. Euans idee, zeker?'

'Nee, het was mijn idee. En je moeder heeft me geholpen.'

Ze krimpt ineen. Het is kort, maar hevig en ondanks alles voel ik met haar mee. Zelfs nu nog wil ze bij Angeline op de eerste plaats komen.

'Ben je bij haar langs geweest?'

'Gisteren.'

'Ze zal het wel geweldig hebben gevonden jou te zien! Bij al haar dure vriendinnen durft ze niet over mij te praten. Ze moet zich het plezier om over mij te roddelen ontzeggen omdat ze zichzelf daarmee in een slecht daglicht zou stellen. Ik word zorgvuldig buiten beeld gehouden en ze denkt zo min mogelijk aan me.' Ze is zichtbaar van haar stuk gebracht, wiebelt met haar voet en tikt nerveus met haar vingers op de armleuning van de bank. 'Wat zal ze ervan hebben genoten om jou alles te kunnen vertellen over alle slechte mannen voor wie ik in het verleden heb gekozen. Het drugsmisbruik. En dan natuurlijk mijn celstraf. Dat kwam haar trouwens niet slecht uit – het betekende dat ik haar niet kon komen opzoeken. En kwam ze dan bij mij op bezoek, hoor ik je vragen?' Ze trekt haar wenkbrauwen op. 'Niet één keer.' Ze begint te lachen. Het is een misplaatst geluid dat me rillingen bezorgt. 'Ze heeft je zeker weggehouden bij Murray?'

'Hij ging net een rondje golfen. Hij verkeert in de veronderstelling dat je vader haar ontrouw was.'

'Ik weet het. Mijn moeder als slachtoffer?' Haar toon is cynisch. 'Kun je je iets onwaarschijnlijkers voorstellen?'

'Ik heb als kind nooit gemerkt hoe manipulatief ze kon zijn.'

'Daar heeft ze patent op…' Ze zwijgt abrupt en lijkt zich opeens te herinneren dat wij het nergens over eens horen te zijn.

'Dus moet ik je moeder geloven?'

'Het kan me niet schelen wat jij gelooft.'

'Over je vaders dood liegen. Dat was…' Ik probeer een passende term te vinden. 'Laag. Dat was laag en harteloos.'

'Nou én? Het heeft er wel toe geleid dat je erin toestemde me te ontmoeten.' Ze zegt het zonder emotie. Haar stemming gaat heen en weer tussen ingehouden agitatie en ongedwongenheid. Ze heeft een absoluut verontrustende blik – veelbetekenend en tegelijkertijd meedogenloos. Het doordringt me ervan dat ze niet langer het meisje is dat ze vroeger was. Ik dacht te maken te hebben met een volwassen versie van het meisje dat ik ooit heb gekend – een meisje dat impulsief was en koppig, dat kon liegen en bedriegen, maar ondanks dat alles een warm kloppend hart bezat. Dit is niet langer dat meisje.

'Zo herinner ik me jou helemaal niet.' Ik leg mijn hand op haar knie en schud hem heen en weer. 'Wat is er met je gebeurd?'

'We moeten allemaal partij kiezen.'

'Wat voor partij?'

'We moeten kiezen tussen goed en kwaad. Als iemand iets slechts doet, moet hij worden gestraft, of ben je het daar niet mee eens?'

'Eh, ja, maar…'

'Wat vind jij, Euan?' zegt ze op harde toon. 'Mogen mensen er ongestraft afkomen?'

'Rose' dood was een ongeluk,' zegt hij. 'Straf hoeft niet altijd openbaar te zijn of onmiddellijk. Er zijn heel veel manieren om boete te doen.'

'En dat heb ik gedaan,' zeg ik. 'Ik maak Paul gelukkig. Echt gelukkig. Hem de waarheid over Rose vertellen zal hem geen goed doen.'

'En heb jij het recht om die beslissing voor hem te nemen? Stel dat jij een van je dochters zou verliezen, zou je dan ook niet willen weten wie ervoor verantwoordelijk was?'

De gedachte een van mijn meisjes kwijt te raken is afschuwelijk. Ik wil er niet aan denken. En ik ga ook niet stilstaan bij het verdriet dat Paul nog steeds heeft. Het is iets waaraan ik zelfs op mijn rustigste momenten, wanneer iedereen ligt te slapen en ik tegen Pauls rug opgekruld lig, niet durf te denken.

Ik begin over iets anders. 'Maar je wordt dus toch geen non?'

'Wie zegt dat?'

'Zuster Bernadette. Volgens haar is daar geen sprake van.'

Orla haalt haar schouders op. 'En wat dan nog?'

'Dan heb je dus gelogen. Dan bemoei je je dus met zaken die je niet aangaan. Dan geef je dus geen zak om anderen, alleen maar om jezelf.'

'Grace.' Euan legt zijn hand op de mijne en ik leun naar achteren en haal een keer diep adem.

'Ja! Luister maar goed naar Euan,' zegt Orla, met een spottend lachje op haar gezicht. Ik heb zin om haar te slaan. 'Hij houdt je wel op het rechte pad.'

'Wat wil je nu eigenlijk bereiken, Orla? Na vierentwintig jaar duik je opeens op om het verhaal recht te zetten. Waarom?'

Ze haalt haar schouders op. 'Herinneringen. Voorbije levens. Je kent dat wel.'

'Nee. Ik ken dat niet. Ik snap niet wat dat ermee te maken heeft.'

'Ik hoef aan jou geen verantwoording af te leggen.' Ze kijkt naar Euan. 'En aan jou evenmin.'

In mijn tas zit nog steeds de foto die ik bij mijn ouders van de muur heb gehaald, de foto waarop Orla en ik in onze rijbroeken en rijlaarzen, van top tot teen onder de modder, poseren met onze gewonnen rozetten. Zes jaar lang waren we de beste vriendinnen. Bijna al onze vrije tijd brachten we samen door. We wisten waar de ander wel en niet van hield, konden elkaars zinnen afmaken en elkaars gedachten lezen. Dat moet toch zeker nog wel iets waard zijn.

'Ik heb een foto bij me.' Ik zoek in mijn tas. 'Herinner je je dit nog?'

Ze werpt er een blik op en draait dan haar hoofd om.

'Nee, kijk dan!' Ik buig me naar voren om hem aan haar te geven. 'Kijk er nu eens echt naar.'

Ik zie haar ogen over de foto dwalen, van het ene detail naar het andere.

'Jij had die dag geloof ik gewonnen, hè?'

'We hadden allebei gewonnen.' Ik wijs naar de rozetten. 'Jij met springen en ik met crosscountry.'

'Bobbin had niet voldoende geduld voor crosscountry. Hij bleef altijd ergens staan omdat hij een lekker polletje gras zag.' Ze geeft de foto terug. 'We hebben veel plezier gehad.'

'Dat is waar. Dat is echt waar.' Ik glimlach en zie een harde blik op haar gezicht verschijnen.

'Maar uiteindelijk waren we toch niet zulke goede vriendinnen, nietwaar?'

'Orla…'

'Mijn brieven.'

'Welke brieven?'

'Die ik je na de dood van Rose heb gestuurd. Die heb je nooit gelezen, toch?'

Ze heeft gelijk, ik heb ze nooit gelezen. Ze heeft me binnen drie maanden een stuk of twintig brieven gestuurd – waarvan ze de helft nog persoonlijk is komen afgeven, en toen gingen ze verhuizen en werd de andere helft vanuit Engeland gestuurd. Eerst verscheurde ik ze en gooide de snippers in de wind. Daarna deed ik zelfs dat niet meer. Ik gooide ze gewoon ongeopend in de vuilnisbak.

'Ik heb er heel veel tijd in gestoken. Ik probeerde het goed te maken met je. Je had ze moeten lezen.'

'Orla…' Ik aarzel. 'Ik was echt heel erg in de war. Ik kon niet eens meer uit bed komen. Ik kon amper op mijn benen staan. Ik leefde in een soort roes, als de dood dat iemand zou ontdekken wat ik had gedaan en tegelijkertijd bang dat dat niet zou gebeuren en ik de rest van mijn leven met mijn schuldgevoel zou moeten rondlopen.' Ze kijkt naar haar voeten. Ik sta op het punt haar hand te pakken, maar bedenk me dan en bal mijn vuist in mijn schoot. 'Het spijt me dat ik er niet voor je was, maar ik was er niet eens voor mezelf! Ik was net een zombie. Weet je nog, Euan?'

Ze kijkt op. 'Waarom doe je dat? Waarom zoek je altijd bevestiging bij hem?'

'Hij was erbij!'

'Je kijkt altijd naar hem alsof hij alles weet en jij niet.'

'Hij kent me. Hij heeft gezien wat ik doormaakte.'

'Dat zal best.'

'Luister! Jij bent niet de enige met een geweten. Maar de waarheid vertellen verandert niets aan de uitkomst. Je wint er helemaal niets mee.'

'Ik ben op zoek naar verlossing. En die zal ik vinden.' Ze staat op. 'Die avond, wat er met Rose is gebeurd? Dat ging niet allemaal om jou. We hadden elkaar kunnen helpen. Als je ook maar een heel klein beetje aan mij had gedacht...'

Ik ga tegenover haar staan. 'Dus je doet me dit aan omdat ik vierentwintig jaar geleden een paar brieven die je me hebt gestuurd niet heb gelezen?' Ik moet bijna lachen. 'Christus, Orla! Het spijt me dat ik je heb gekwetst.' Ik leg mijn hand op mijn borst. 'Maar...'

'Het is te laat. Ik heb jouw toestemming niet nodig om de waarheid te vertellen. Of die van jou.' Ze werpt Euan een venijnige blik toe. 'En rot nu maar op, allebei.'

Ze loopt de kamer uit. Voordat ik de kans krijg om te reageren springt Euan overeind en rent haar achterna. Wanneer ik hen in de gang aantref, houdt hij haar arm vast, vlak boven de elleboog. Hij praat heel snel en dringend en zij luistert en lacht dan, spuugt hem in zijn gezicht en zegt iets terug. Hij grijpt haar bij de keel en duwt haar tegen de muur. Ik hoor de doffe klap van haar hoofd tegen de stenen.

'Euan!' Ik probeer hem bij haar weg te trekken, maar het is alsof ik niet besta.

Ze staan elkaar strak aan te kijken. Ze probeert zijn hand niet van haar nek weg te halen. En zij ziet er niet bang uit. Vreemd genoeg glimlacht ze. Na enkele ogenblikken laat hij haar los, draait zich om en loopt naar de voordeur.

Ik ben verbijsterd door deze plotselinge agressie en nog meer door Orla's plezier erin en kijk haar vragend aan. 'Orla?'

Haar ogen schitteren, helder en levendig, alsof ze zich kostelijk amuseert. Het staat zo in tegenstelling tot wat er zojuist heeft plaatsgevonden dat ik naar achteren deins en meteen gaat haar aandacht naar zuster Bernadette, die van de andere kant in onze richting komt gelopen. 'Ik verheug me zo op die lunch, aanstaande zondag,' zegt Orla hardop, mij tegen zich aan trekkend. 'Paul en ik hebben zoveel bij te praten.' Ze kust mijn wang en fluistert: 'Mij houd je niet voor de gek met al dat gelul over ik-hou-meer-van-mijn-gezin-dan-van-wat-ook-ter-wereld.' Ze wijst naar Euans rug. 'Je mag van geluk spreken dat ik Paul niet over hem ga vertellen.'

April 1996

Ik doe de deur open. Euan staat op de stoep. Hij draagt een donkerbruin leren jack en heeft de kraag tot over zijn oren opgetrokken. Zijn haar is langer geworden en wappert in de wind. Krulletjes waaien langs zijn voorhoofd.

'Grace,' zegt hij.

Ik staar hem aan. Zijn ogen zijn zo blauw dat ik de zomerlucht erin kan zien.

'Grace,' zegt hij nog een keer en hij lacht naar me.

Ik kan niets zeggen. Eerlijk gezegd wil ik dat ook niet. Ik voel me compleet verloren in het moment, alsof ik een heerlijke droom heb en de betovering zal verbreken zodra ik met mijn ogen knipper.

'Mag ik binnenkomen?' vraagt hij.

Ik ga voor hem opzij. Terwijl hij langs me heen loopt adem ik diep in en doe mijn ogen dicht. We staan in het portaal. Dat is vierkant, nog geen anderhalf bij anderhalve meter. Hij ruikt naar de wind en de zee, maar hij ruikt vooral naar zichzelf.

'Grace?'

Ik kijk in zijn ogen. Ik voel me heel dapper, alsof ik op het punt sta om te gaan bungeejumpen of van een brug te springen. 'Je ruikt nog precies hetzelfde,' zeg ik tegen hem.

'Ruik ik hetzelfde?' vraagt hij lachend. 'Ja, waarom ook niet?'

Ik kijk naar hem. Drink hem in. 'Je ziet er ook hetzelfde uit.'

'Als twaalf jaar geleden?'

Ik knik. We hebben elkaar niet meer gezien sinds we zestien waren en hij naar Glasgow verhuisde.

'Ik heb wat rimpeltjes rond mijn ogen.' Hij lacht. 'Zie je wel?'

Ik knik weer.

Hij heeft zijn handen in zijn zakken en wiebelt op en neer op zijn hielen. 'Zullen we naar binnen gaan?'

'Ja.'

Hij loopt naar de achterkant van het huis en ik volg hem. Voor het keukenraam blijft hij staan en kijkt naar het uitzicht. 'Mam vertelde me dat je een meisjestweeling hebt. Zijn ze thuis?'

Ik huiver onwillekeurig. Ik reik voor hem langs en trek het openstaande raam dicht. 'Paul heeft de meisjes meegenomen naar zijn ouders op Skye,' vertel ik hem. 'Als het goed is komen ze morgenochtend terug. Hij is heel goed met de kinderen,' voeg ik eraan toe.

Hij kijkt naar de berg papier op tafel, pakt een van mijn houtskooltekeningen op en legt hem weer neer.

'Ik zat te tekenen. Ik was aan het nadenken.' Ik stop, neem een hap lucht en probeer het nog een keer. 'Ik hoopte wat te kunnen tekenen. Ik zat erover te denken het schilderen weer op te pakken. Ik wil toch weer gaan schilderen,' besluit ik, terwijl ik machteloos voor hem sta.

Hij leunt tegen het aanrecht en slaat zijn armen over elkaar. 'Schilderde je dan niet meer?'

Ik geef geen antwoord.

'Je was zo goed. Wat is er gebeurd?'

Ik leg de vellen papier op een keurig stapeltje en haal mijn schouders op. 'Het leven, baby's.'

'Ben je blij met je leven?'

'Jij?'

Hij knikt. 'Ja. Grotendeels wel, ja.'

Ik ontwijk zijn blik, zet de waterkoker aan en lepel koffie in twee bekers. Ik schenk er kokend water op en een scheutje melk en schuif op het bankje aan tafel, met mijn beker in mijn handen. Hij gaat tegenover me zitten. Onder de tafel raakt zijn linkerbeen het mijne aan en ik schuif nog wat verder.

'Ik kan je helaas geen koekjes aanbieden,' zeg ik. 'Ik wilde vanmiddag eigenlijk wat gaan bakken, maar…' Ik zwijg en kijk in mijn beker. Er zit te veel melk in. Ik schuif hem weg. 'Eerlijk gezegd ben ik niet zo'n keukenprinses.' Ik denk aan de puinhoop in de rest van het huis. 'Ik ben helemaal niet zo'n goede huisvrouw.' Ik lach – het klinkt schel en ik frons.

'Heb je een hulp?'

Ik trek een gezicht. 'Waarom zou ik een hulp nodig hebben? Het is heel simpel allemaal. Ik moet er alleen wat harder mijn best voor doen.'

'Waarom doe je dat dan niet?'

'Omdat… omdat… ik zo moe ben.' Ik haal mijn schouders op alsof hij dat toch zou moeten begrijpen.

'De meisjes. Ze zijn nu bijna vier, nietwaar? Slapen ze goed?'

Ik knik. Dan schud ik mijn hoofd. 'Het ligt niet aan de meisjes.'

'Waar ligt het dan wel aan?'

'Waar ligt wat aan?'

Hij geeft niet onmiddellijk antwoord. Hij kijkt me alleen maar aan, alsof hij teleurgesteld is, alsof ik hier ter plekke mijn hart zou moeten uitstorten, mijn hele ziel en zaligheid zou moeten blootleggen, als een opengesneden koe in een abattoir.

'Je bent mager,' zegt hij ten slotte.

Ik probeer te lachen. 'Dat is toch juist goed?'

'Is dat zo?'

'De meeste vrouwen vinden van wel.' Ik heb het gevoel dat ik stik en ik kuch in mijn hand. 'Waarom ben je eigenlijk gekomen? Ik verkeerde in de veronderstelling dat je me niet meer wilde zien. Mo heeft me vanzelfsprekend op de hoogte gehouden. Gefeliciteerd met je kinderen, trouwens. Volgens Mo zijn het schatjes.' Ik probeer haar zonnige humeur te imiteren, maar het lukt me niet.

Hij neemt me aandachtig op. 'Je ziet er niet goed uit, Grace.'

Ik ben gekwetst, verslagen. Het kost me ontzettend veel moeite niet te huilen en ik druk mijn nagels in mijn hand. Ik weet natuurlijk wat hij bedoelt. God mag weten dat ik de eerste zal zijn om toe te geven dat ik er niet uitzie. Mijn haar zit slonzig. Ik knip de pony zelf met een schaar. Ik had er genoeg van dat het steeds in mijn ogen viel, dus heb ik er zelf de schaar in gezet, alleen heb ik er rechts meer afgeknipt dan links. Mijn kleren zitten onder de vieze vingertjes. Van vier kleine handjes. Het lukt me maar niet om ze schoon te houden. Ik heb de yoghurt nog niet van de handjes van de ene dochter geveegd of de andere heeft alweer een kleurpotlood gevonden, een plas, een gesmolten chocolaatje. En ik ben mager, dat weet ik. Mijn blouse slobbert om mijn lijf, mijn ogen lijken te groot in mijn gezicht, mijn jukbeenderen steken scherp af onder mijn huid. Er hangen spiegels in de gang en in de twee badkamers. Ik zie mezelf. Maar zijn woorden doen me pijn omdat ik wil dat hij me ziet zoals ik was.

Hij zit naar me te kijken en wacht tot ik iets zeg, hem een verklaring geef. Wat? Dat ik de moeite niet neem om te eten? Dat ik te moe ben om te eten? Dat de moeite die het me kost om een vork op te tillen en een hap eten naar mijn mond te brengen al voldoende is om me van mijn eetlust te beroven? Dat ik het trouwens toch niet proef? En het ergste van alles, dat ik de zin ervan niet inzie?

'Ben je op bezoek bij je ouders?' vraag ik uiteindelijk wanneer de stilte me dreigt te verstikken.

'Ja en nee. Ik kom weer in het dorp wonen met Monica en de kinderen.'

Ik weerhoud mijn handen ervan te trillen door ze onder mijn bovenbenen te schuiven. 'Waarom? Ik dacht dat je niet kon wachten om hier weg te komen?'

'Ach ja, we hebben besloten dat het hier eigenlijk zo slecht nog niet was. Sarah is bijna vier, Tom net twee.' Hij kijkt uit het raam, langs het klimrek en de tuinhut, over het lage houten hek, naar het zandstrand waar de zee op en neer rolt over het strand. 'Hebben we het hier niet heerlijk gehad?' vraagt hij aan mij. 'Zou jij een betere plek weten om kinderen groot te brengen?'

'Je klinkt nostalgisch,' zeg ik en in gedachten denk ik terug aan strandpicknicks, vossenjachten, forten die we bouwden in de duinen. Rennen, rennen, op blote voeten over het strand rennen, ongeacht wat voor weer het was. Rotspoelen, zandkastelen in de regen, ijsjes die over onze vingers dropen, huppelen over de kademuur. Uitdagingen over en weer. Wedden dat ik hoger in die boom kan klimmen dan jij, wedden dat je gepakt wordt als je op mevrouw Youngs deur krijt? Waterpokken, allebei twee weken thuisblijven en in de woonkamer eindeloos Monopoly spelen, waarbij we elkaar vals lieten spelen zodat we eerder hotels konden gaan kopen. Ik heb alle blauwe en gele, Kalverstraat en Leidsestraat, Lange Poten, Spui en Plein; hij heeft Coolsingel, Blaak en Hofplein en Heerenstraat, Groote Markt en A-Kerkhof. We spelen ganzenbord. We leren schaken en zitten geconcentreerd tegenover elkaar totdat een van ons door de verdediging heen breekt en de ander verslaat.

'Dus je komt terug?' Mijn stem klinkt zo zacht dat ik hem zelf nauwelijks kan horen.

'Monica heeft een baan aangeboden gekregen in een huisartsenpraktijk in St. Andrews.'

'Ze heeft het ver geschopt,' zeg ik, me afvragend hoe ze dat allemaal doet met twee kleine kinderen. 'Maar zij is altijd al zo georganiseerd geweest.' Het klinkt krengerig. Zo bedoel ik het niet.

Hij glimlacht. 'Monica was altijd al veel meer bereid haar best te doen dan jij of ik.'

'Maar jij bent toch architect geworden?'

'Ja, maar niet zo'n erg ambitieuze.' Hij lacht alsof het iets is wat gevoelig ligt. 'Dus we komen weer thuis. Ik begin een parttime zaak die ik goed met de kinderen kan combineren. Monica gaat fulltime werken. We hebben het oude huis van de Jardines gekocht. Herinner je je dat nog?'

'Bij Marketgate?'

'Dat, ja.'

'Daar moet wel heel veel aan gebeuren.'

Hij knikt, schuift zijn beker weg en zet zijn ellebogen op de tafel. Ik krijg bijna geen lucht. Mijn hoofd gonst, vrolijk en blij; net als bij een ritje in een achtbaan lijkt het opeens voor me uit te schieten en ik stel me voor hem weer in mijn leven te hebben, de geweldige mogelijkheden, ik zal hem zomaar tegenkomen bij de krantenkiosk, bij zondagse lunches in de pub, oudercommissies, onze dochters die vriendinnetjes worden, oud-en-nieuwvieringen en misschien zelfs wel eens een zomerse barbecue.

'Goh, Grace, twaalf jaar. Hoe is het?'

Zijn stem is vriendelijk, alsof hij het tegen een klein meisje heeft, maar hij snijdt door me heen als een kettingzaag door een eik en ik probeer me niet te verslikken. 'Het is... ja... het is...' Ik zwijg. Probeer tijd te winnen. 'Hoe is wat? Specifiek, bedoel ik.'

'Hoe is het met je leven? Vind je het fijn om echtgenote en moeder te zijn? Hoe is het met jou?'

Ik speel wat met een lepeltje, begin wat te neuriën, pak een stapel kinderkleertjes die net uit de droger komen en vouw ze op. Ik ben aan mijn vierde T-shirtje bezig wanneer hij zijn hand op de mijne legt.

'Hoe gaat het met je?'

Ik trek mijn hand niet weg. Hij voelt zo warm, zo gloeiend, dat ik het liefst mijn kleren wil uittrekken om een zonnebad te nemen.

'Vertel eens.'

De laatste tijd voel ik me bloedeloos, alsof er niets door mijn aderen stroomt, maar nu stijgt het bloed naar mijn gezicht en kleurt mijn wangen. 'Het gaat wel,' zeg ik ten slotte.

'Kijk me aan.'

Ik kijk.

'Vertel het me,' zegt hij.

Ik schud mijn hoofd.

'Grace?'

'Wat?'

'Ik ben je vriend.'

'Is dat zo?' Het is een fluistering en hij leunt naar voren om me te verstaan en strijkt mijn haar uit mijn gezicht.

'Vertel het me,' zegt hij.

'Ik lieg heus niet,' zeg ik. 'Ik lieg nooit. Niet tegen jou.'

'O, Grace.'

Meer zegt hij niet – o, Grace – en dan reikt hij over de tafel en begin ik te huilen, niet zomaar een beetje, maar dikke, dikke tranen die me openbreken als voetstappen op een dichtgevroren vijver. Hij staat op, tilt me van het bankje, leunt met zijn rug tegen de muur en houdt me tegen zijn borst terwijl ik zijn overhemd nat huil. Hij zegt niets, houdt me alleen maar vast, streelt mijn haar en wanneer ik ben uitgehuild pakt hij mijn handen, leidt me naar de woonkamer en zet me op de bank. Hij geeft me papieren zakdoekjes, hurkt voor me neer en wrijft over mijn knieën.

'Je bent ijskoud,' zegt hij. Hij trekt de plaid van de rugleuning van de bank en slaat hem om me heen. Hij wikkelt me erin als een baby en ondanks alles begin ik te giechelen.

'Je bent een goede vader,' zeg ik tegen hem.

'Meestal wel. Niet altijd.' Hij glimlacht naar me en streelt met zijn vingers over mijn gezwollen oogleden. 'Vertel me nu eens, wat is er met jou aan de hand?'

'Ik zie haar,' zeg ik onmiddellijk. 'Ik zie Rose. Voornamelijk in mijn dromen en dan verdrinkt ze en kan ik haar niet redden, maar ik zie haar ook wel eens op het strand of in de tuin en in mijn meisjes – ik zie haar in mijn meisjes. Het ging heel goed met me, totdat ik naar Schotland terugkwam.'

'Je bent moe, Grace.' Hij kijkt ernstig en zijn gezicht staat strak. 'Dat is het gewoon.'

'Het is niet alleen vermoeidheid.' Ik grijp zijn hand. 'Ik zie haar echt, Euan. Echt waar.'

'Geesten bestaan niet. Je bent uitgeput van je kleine kinderen. Je eet niet genoeg. Luister!' Hij houdt mijn gezicht heel dicht bij het zijne. 'Ik wil al mijn geld eronder verwedden dat Rose niet door jouw toedoen is gestorven.'

'Echt waar?'

'Absoluut. Jij bent een goed mens. Een beter mens dan de meesten. Ik ken geen beter mens dan jij. Dat meen ik oprecht.' Zijn toon is vol medeleven en dringend. Het voelt als balsem, als vergiffenis. 'Je moet dit loslaten. Anders ga je er kapot aan. En Paul en de meisjes zullen er ook onder lijden.'

Ik knik. 'Met Paul kan ik er niet over praten. Dat heb ik nooit gekund. Volgens de dokter heb ik een depressie.'

'Dat heb je helemaal niet.' Hij heeft een felle blik in zijn ogen. 'Je moet alleen wat aardiger voor jezelf zijn. Je moet vooruitkijken en je moet eten.' Hij loopt naar de keuken. Ik hoor hoe hij de koelkast opent en de keukenkastjes. Ik leg mijn hoofd tegen de rugleuning van de bank en voor het eerst in jaren heb ik het gevoel dat ik gewoon even rustig mezelf kan zijn. Ik zit warm en knus en strijk met mijn wang langs de zachte randen van de plaid.

Euan komt terug. Hij heeft voor ons allebei roereieren klaargemaakt. 'En nu niet zeggen dat je dit niet lust,' zegt hij. 'Want ik weet toevallig dat je er wel van houdt.'

Bij de aanblik van eten begint mijn maag goedkeurend te rommelen. Ik pak het bord van hem aan en slik het speeksel in dat me in de mond loopt. Ik zet het bord op mijn knie en kijk ernaar. Het is een van de borden van Pauls moeder, met een wilgenpatroon, heel teer blauw en wit. De zonnig gele eieren zijn van onze kippen, die vrolijk rondlopen in de ren die Paul aan het einde van de tuin voor hen heeft gemaakt. Het brood is grof volkoren. Het is een perfect plaatje, maar ik wil het niet eten. In plaats daarvan schuif ik er wat mee heen en weer, tot de eieren netjes op het brood liggen en het toefje peterselie precies in het midden ligt. (Peterselie? Ik wist niet eens dat we dat in huis hadden. Ik heb geen idee waar hij het vandaan heeft gehaald.)

Het is zo stil in de kamer dat ik mijn eigen horloge hoor tikken. Ik draai mijn vork om in mijn hand. Hij wacht tot ik een hap neem. 'Begin maar, hoor,' zeg ik tegen hem.

'Eerst jij.' Hij brengt de vork naar mijn mond. Ik houd mijn lippen op elkaar. 'Zullen we vliegtuigje spelen?' vraagt hij.

Ik zucht. 'Ik denk dat het zo ook wel lukt.' Ik doe mijn ogen dicht en mijn mond open. Het liefst wil ik het weer uitspugen, maar dat doe ik niet. Ik kauw. Langzaam. Het is lekker. Hij heeft er geraspte kaas doorheen gedaan. Hij voert me nog een paar happen. 'Ik zou nu best als een kindje in een kinderstoel willen zitten,' zeg ik.

'Heb je zoveel verzorging nodig? Dan ben ik je man.'

Wanneer ik mijn eieren opheb, geeft hij me zijn eigen bord en klopt op zijn platte maag. 'Mijn moeder laat geen gelegenheid onbenut om me vol te proppen. Je zou me er een plezier mee doen.'

Ditmaal eet ik zelf. Ik eet zijn eieren ook op en lik nog net niet het bord af. Dan leun ik naar achteren en blaas mijn wangen bol. 'Dat was lekker. Ik had er geen idee van dat ik zo'n honger had.'

Hij laat zijn handen langs mijn armen glijden en pakt mijn handen. 'Oké, Grace, laten we het volgende afspreken,' zegt hij. Jij gaat Rose loslaten en je weer dingen herinneren. Je gaat je herinneren dat wij vrienden zijn en dat je kunt tekenen en schilderen. Beloof je dat?'

'Ja.'

'Ik kan je niet goed horen.'

'Ja,' zeg ik, iets harder.

Ik kijk hem aan. Hij houdt een hand bij zijn oor.

'Ja, ja, ja.' Vanbinnen lach ik. 'Ik beloof het.'

We praten en we praten, over van alles en nog wat: hoe het is om kinderen te hebben, of hij nog steeds in het donker naar de radio luistert, of ik nog steeds alles moet tekenen wat ik zie. Rond middernacht gaat hij weg. In de deuropening slaat hij zijn armen om me heen en we knuffelen en dan draait hij mij om en duwt me naar binnen. 'Zie ik je morgen bij de kademuur?'

Ik knik.

'Twee uur? Neem de meisjes mee. Het wordt hoog tijd dat ik ze leer kennen. Ik ben praktisch hun oom.'

Ik kijk hem na tot het einde van de straat en ga dan naar binnen. Mijn hart zweeft achter mijn ribbenkast en mijn gezicht doet pijn van het lachen. Euan is als een broer voor me. Toen we klein waren was hij altijd bij me. Goed, we hadden ook wel eens ruzie, maar we maakten voornamelijk plezier. En nog steeds bezorgt hij me een goed gevoel over mezelf en herinnert hij me eraan dat ik degene ben die ik wil zijn. En als de enig andere die het weet van Rose, vormt hij een tegenwicht voor mijn eigen angst. Dat hij weer in het dorp komt wonen is een geschenk. Al mijn kerstmissen en verjaardagen in één.

De volgende ochtend sta ik vroeg op, neem een douche, was mijn haar en droog het enigszins in model. Ik vind een topje dat het groen van mijn ogen accentueert. Ik trek het aan over een wit T-shirt met lange mouwen en een gemakkelijke broek met diepe zakken halverwege de pijpen. Na wat zoeken in mijn make-uptasje vind ik oogschaduw, een half uitgedroogde mascararoller en een lippenstift. Ik ruim de vaatwasser uit, schrijf AFSPRAAK KAPPER op het memobord in de keuken en zet een kom op tafel, met een lepel ernaast. Ik strooi wat muesli uit de voorraadpot en schenk er melk overheen. Ik pak mijn lepel en aarzel, sluit mijn ogen en adem diep in. Ik eet langzaam en zorgvuldig, alsof er een alarm zal afgaan als ik geluid maak en de aandacht op mezelf vestig. Ik eet een hele kom leeg en begin bijna te huilen van opluchting. In plaats daarvan ga ik voor de spiegel staan en lach naar mezelf, om mezelf weer vertrouwd te maken met mijn eigen gezicht. Ik ben nog steeds te mager, te vermoeid, maar desondanks schijnt er een lichtje in mijn ogen dat ik lang niet meer heb gezien. Als ik het zou moeten benoemen, zou ik het hoop noemen.

Wanneer mijn gezin thuiskomt zit ik te tekenen – simpele houtskoolschetsen van mijn meisjes, deels uit mijn hoofd, deels van de foto's die in Pauls studeerkamer aan de muur hangen.

Paul komt alleen de keuken binnen; de meisjes zijn in de auto in slaap gevallen en ik laat hem de tekeningen zien. 'Wat vind je ervan?'

'Ik vind ze prachtig.' Hij bestudeert ze een voor een, houdt ze tegen het licht en bekijkt ze vanuit verschillende hoeken. 'Mag ik ze hebben?' Hij kijkt me aan. 'Ik zou ze graag willen inlijsten.'

Ik leun tegen zijn arm en glimlach. 'Daar zijn ze niet goed genoeg voor, Paul.'

'Ik ben een andere mening toegedaan. En wat meer is: ik kan de meisjes uit elkaar houden.' Hij wijst de kinderen een voor een aan.

'Je hebt gelijk. Hun houding verschilt.' Ik denk erover na. 'Ella heeft gewoon een heel andere houding.'

Opeens slaat hij zijn armen om me heen en zegt in mijn haar: 'Ik ben zo bang geweest dat we je misschien zouden kwijtraken,' zegt hij, met een stem die hees klinkt van emotie.

Ik til mijn hoofd op, zodat ik hem kan aankijken. 'Paul, ik weet dat ik de afgelopen tijd geen geweldige vrouw en moeder ben geweest.' Hij wil iets zeggen, maar ik leg mijn hand op zijn mond. 'Nee, echt, dat weet ik heus wel. Maar ik denk dat ik kan veranderen. Ik weet het eigenlijk wel zeker.'

Hij begint me te kussen en ik leun tegen hem aan, ontspan mijn lichaam tegen het zijne, adem zijn vertrouwde geur in en sluit mijn ogen voor alles behalve het gevoel dat ik veel meer bemind en begeerd word dan ik weet.

Na enkele ogenblikken maakt hij zich van me los en ik probeer hem weer naar me toe te trekken. Hij kijkt over mijn schouder naar de voordeur en wanneer ik luister, hoor ik kreten van buiten. 'Papa, papa, nu!' Hand in hand lopen we naar buiten en daar treffen we de meisjes aan terwijl ze zitten te worstelen om zich te bevrijden uit hun autozitjes.

'Jullie zijn wakker!' Paul tilt Ella uit de auto en even wrijven ze hun neuzen tegen elkaar. Ik loop om de auto heen en open de gesp van Daisy's zitje. Ze glijdt in mijn armen en legt haar wangetje tegen de mijne.

Even voor tweeën zet ik hen in de buggy. Ze zijn groot genoeg om te lopen, maar Ella eist nog steeds haar eigen plekje in de buggy op. Ze dragen een maillot en een rokje, kaplaarsjes en zelfgebreide vestjes in een Fair Isle-patroon: groen, roze en gebroken wit voor Ella, blauw, rood en gebroken wit voor Daisy. Mijn moeder vindt het heerlijk om te breien en de meisjes hebben meer wollen kleertjes dan zelfs met dit Schotse weer nodig is.

Ik geef ze allebei een zak broodkruimels voor de meeuwen en we lopen het pad af naar de haven. Het pad is bestraat met keien en de meisjes gillen van plezier wanneer ze op en neer stuiteren over de stenen. Het is een prachtige dag. De zee is kalm en het wateroppervlak van glinsterend glas wordt slechts verbroken door meeuwen die er af en toe in duiken voor een vis.

Wanneer ik het begin van de kademuur bereik, blijf ik staan. Ik verwacht niet echt dat hij er zal zijn. Ik vraag me zelfs af of ik me de vorige avond misschien heb ingebeeld: een soort intense wensvervulling, voortkomend uit een lege maag en gebrek aan slaap. Ik houd mijn hand boven mijn ogen en kijk de hele muur langs. Binnen een paar tellen zie ik hem. Hij staat een meter of vijftig verderop met een paar vissers te praten die op een zonnig plekje hun netten zitten te repareren. Dan kijkt hij op en ziet mij, klautert op de muur en komt naar me toe rennen, één been gevaarlijk dicht bij de buitenrand. Wanneer hij vlak bij me is lijkt het net even alsof hij achterover van de muur zal vallen en ik slaak een kreet en grijp hem bij zijn broekspijp.

'Bangerik.' Hij grijnst en springt van de muur. De meisjes bekijken hem met koele, ernstige blikken.

'Domme meneer,' zegt Ella, terwijl ze naar hem wijst.

'Kinderen en gekken spreken de waarheid.' Ik lach zo breed dat mijn gezicht het gevaar loopt in tweeën te splijten. We leunen met onze rug tegen de muur en hij begint een gesprek met de meisjes. Het gaat ongeveer zo: 'Ik ben Euan en jullie zijn?' Hij wacht, zijn wenkbrauwen vragend opgetrokken.

Geen van de meisjes verwaardigt zich zijn vraag te beantwoorden.

'Dat is Daisy.' Ik gebaar in haar richting. 'En dit is Ella.'

'Ik dacht al dat ik alles dubbel zag.'

Ze zeggen niets.

Ik fluister in zijn oor: 'Die horen ze wel vaker.'

'Is dat voor de meeuwen?' Hij steekt zijn hand uit naar Ella's zakje broodkruimels en zij trekt het stijf tegen haar buikje. Hij kijkt me om hulp smekend aan.

Ik grinnik en schud mijn hoofd.

Hij leunt naar achteren, kijkt naar de lucht en buigt zich dan opeens weer naar voren. 'Ik weet wat!' Hij wrijft zich in zijn handen. 'Wie wil er een ijsje?'

'Ikke!' roepen ze allebei tegelijk en ze beginnen met hun armpjes te zwaaien en met de achterkant van hun laarzen tegen de wieltjes van de buggy te stampen.

'Moeten we niet eerst de meeuwen voeren?' vraagt hij.

'Nee,' roept Ella, die aan de riemen om haar schouders en middel zit te trekken. 'Die hebben geen honger.'

'Ze lijkt op haar moeder,' zeg ik, terwijl ik me buk om eerst haar en dan Daisy los te maken. 'Geen geduld.'

Ze rennen samen het pad af naar Di Rollo's en hun laarzen spetteren door het zilte water dat uit de kisten met vis is gelekt die op een vrachtwagen worden geladen. Euan pakt mijn arm, trekt hem door de zijne en duwt met zijn andere hand de buggy. Wanneer we bij de winkel aankomen staat Ella al naar het grootste hoorntje te wijzen.

'Dat krijg je nooit op voordat het gaat smelten,' zegt Gianluca tegen haar. 'Kijk eens wie we daar hebben!' Hij komt achter de toonbank vandaan om Euan de hand te drukken. 'Kom je je familie opzoeken?'

'Ik kom hier weer wonen,' antwoordt Euan. 'In Londen is geen fatsoenlijk ijsje te krijgen.' Hij kijkt neer op Ella en Daisy. 'Wat zal het zijn, meiden?'

Ella pakt zijn broekspijp vast en springt op en neer. 'Met stukjes chocola, met stukjes chocola!'

Hij kijkt naar mij en knipoogt. 'Waarom verbaast me dat nou niet?'

Gianluca schept twee bolletjes ijs in een hoorntje en overhandigt dat aan Euan, die het aan Ella geeft. Ze kijkt er even naar met een soort verschrikt ontzag en begint dan te likken, het ijs tevreden smakkend in haar mond slurpend.

'Daisy?'

Daisy staat te kijken. Ze wil iets zeggen, maar er komt geen geluid uit. Ze kijkt me weifelend aan. Euan tilt haar op en ze leunt tegen het glas, kijkt fronsend in de bakken en draait zich vervolgens, helemaal overweldigd, weer om naar mij.

'Je neemt meestal pepermunt,' breng ik haar in herinnering. 'Net als papa.'

Ze knikt en Euan zet haar neer. Dan rent ze naar mij toe, slaat haar armen om mijn benen en stopt haar duim in haar mond.

'Weet je zeker dat ze eeneiig zijn?' vraagt Euan, terwijl hij geld uit zijn zak haalt.

Ik haal mijn schouders op. 'Ik snap er ook niets van. Ze zijn zo verschillend.' Ik leg mijn hand op Daisy's hoofdje. 'Altijd al geweest.'

'Daisy is een beetje verlegen,' zegt Gianluca, terwijl hij zich over de roestvrijstalen toonbank buigt om Daisy haar hoorntje aan te reiken. 'En daar is helemaal niks mis mee, hè, *bambina?*'

Ze lacht hem toe en gaat in haar buggy zitten om van haar ijsje te genieten.

Terwijl Euan mijn ijsje even vasthoudt, doe ik servetjes om hun nek en dan nemen we afscheid en lopen weer naar buiten, de zon in. We wandelen naar de vissers en gaan, net als zij, op omgekeerde kisten zitten. Ella wringt zich tussen mij en Euan in. Meeuwen cirkelen krijsend boven onze hoofden en landen dan naast ons op de straat, waar ze ruziemaken om een afgedankte boterham met ham.

'Wat een herrieschoppers,' zegt Callum. Hij zit zeewier uit zijn net te halen en gooit het wier over zijn schouder. 'Wat vind jij van al dat lawaai, Daisy?'

Daisy vindt Callum aardig en bij wijze van antwoord geeft ze haar ijsje aan mij en houdt allebei haar handjes tegen haar oren. Hij lacht naar haar en buigt zich naar voren om haar knieën te kietelen en zij werkt zich uit de buggy en probeert een leeg kreeftennet op te tillen en bij de andere te leggen.

'Gaan de zaken een beetje goed?' vraagt Euan aan hem.

'Ik mag niet klagen.' Hij haalt de naald door het net en maast een kruislings patroon over de scheuren. 'We kunnen in elk geval alle kreeften en krabben die we vangen goed verkopen. Aan al die chique restaurants bij jou in de buurt.'

'Dat is mijn buurt niet meer,' vertelt Euan hem. 'Ik kom weer hier wonen.'

'Goed zo. Wordt hij toch eindelijk nog eens verstandig, hè Grace?' Hij kijkt mij aan. 'Wat vind jij ervan? Euan komt terug naar waar hij thuishoort, ten noorden van de grens.'

'Ik vind het geweldig.' Het is zo'n enorm understatement dat ik begin te beven van een soort opgekropte hysterie, als een flesje koolzuurhoudende frisdrank dat wordt geschud en op het punt staat te gaan spuiten. Ik sta op en help Daisy het kreeftennet versjouwen. Wanneer ik omkijk, zit Euan te lachen.

*

10

Ik volg Euan het klooster uit. Hij is ziedend. Met trillende handen en benen stapt hij in de auto. We zeggen geen van beiden iets, tot hij wat al te dicht voor een bocht een vrachtwagen inhaalt en ik hem vraag wat langzamer te gaan rijden. Zonder iets te zeggen gaat hij langs de kant van de weg staan, in een parkeerhaven. Voor ons aan de horizon pakken zich donkere wolken samen, de wind blaast ze naar binnen en naar buiten alsof ze ademen.

'Luister, dit is niet jouw strijd.' Ik wrijf over zijn linkerhand. 'Ik wil je niet meesleuren. Misschien kun je me beter loslaten.'

Hij laat een kort lachje horen. 'En hoe zou ik dat moeten doen? Jij bent meer een deel van mij dan mijn eigen zussen. Jij zit hier.' Hij tikt tegen zijn slaap. 'Jou loslaten is geen optie. Ik denk dat we moeten proberen haar te slim af te zijn.'

'Hoe dan?'

'Door te zeggen dat we samen waren in de nacht dat Rose stierf. Gewoon met een stalen gezicht. Ze heeft geen enkel bewijs. Wie gaat haar nu geloven? Kijk eens naar haar verleden – geestesziekte, drugs, gevangenisstraf. Een minder betrouwbare getuige kun je je bijna niet voorstellen.'

'Maar als we zeggen dat we samen waren, dan moeten we liegen. Dat is toch meineed?'

'Het zal heus niet tot een rechtszaak komen, Grace.'

'Maar toch.' Ik denk erover na. Ik weet niet of ik het zou kunnen. Ondanks de manier waarop ik de afgelopen vierentwintig jaar heb geleefd, gaat liegen me niet gemakkelijk af. In feite ben ik nooit echt ondervraagd over Rose' dood. Men ging ervan uit dat haar dood een ongeluk was en dat niemand iets had gezien of gehoord. Ik heb me nooit hoeven verdedigen en ik weet zeker dat ik Paul niet recht in de ogen kan kijken en onschuld kan voorwenden.

'Ik kan gewoon niet geloven dat ze zo geworden is,' zeg ik. 'Er is niets meer over van het meisje dat ze was.'

'Zo is ze altijd al geweest. Alleen niet tegen jou. Nu zie je haar andere kant. Ik neem een sigaret.' Hij opent zijn portier. 'Wil je er ook een?'

'Nee.' Ik heb het geluid van mijn mobiele telefoon uitgezet en wanneer ik er even naar kijk zie ik dat ik een oproep van Paul heb gemist. Ik kan hem niet te woord staan – nog niet. In plaats daarvan stuur ik hem een sms'je: *Ben wat later thuis. Eten in oven.*

Ik leun naar achteren en bijt op mijn nagels, kwaad en geërgerd over hoe het in het klooster is gegaan. Niets van wat we zeiden heeft ook maar enig verschil gemaakt. Het tegenovergestelde leek eerder waar. Hoe meer ze zag dat ik niet wilde dat ze het Paul zou vertellen, hoe vastberadener ze leek te worden het toch te doen.

Buiten begint het te stortregenen en Euan komt weer in de auto zitten. We zitten samen door de voorruit te staren. De regen plenst uit een laaghangende hemel, plet het gras en vormt heel snel plassen. Een stuk of zes schapen, koppen diep weggetrokken, lijven zo dicht mogelijk tegen elkaar aan, blijven stoïcijns op de helling staan, hoewel hun hoeven wegglijden op de gladde stenen.

Ik wrijf met mijn handen over mijn gezicht. 'Ik wou maar dat ik die ellendige brieven had gelezen.'

'Dit gaat niet over brieven,' zegt Euan. 'Het gaat over macht en over wraak.'

'Wraak waarvoor?' Ik kijk hoe er zich nog twee schapen bij het groepje op de helling voegen. 'Ik snap echt niet waarom ze na al die tijd is teruggekomen.'

'Zo gaat het soms met mensen.' Hij kijkt me aan. 'Oude grieven blijven jarenlang etteren. Dan gebeurt er iets wat als een katalysator werkt, en bingo.'

Ik laat mijn handen zakken en kijk opzij, zodat onze gezichten heel dicht bij elkaar zijn. 'Wat heb je tegen haar gezegd?'

'Wanneer?'

'Nu net. Voordat je haar bij haar keel greep.'

'Om het te laten rusten. Weer terug te kruipen onder de dichtstbijzijnde steen.'

'En wat zei ze?'

Hij haalt zijn schouders op. 'Niets wat het herhalen waard is.'

'Maar wat zei ze waar je zo verschrikkelijk kwaad om werd? Toen ze op je spuugde?' vraag ik.

Hij schudt zijn hoofd. 'Schelden. Onzin. Ze is geen rationeel denkend mens.'

Ik kan niet anders dan het met hem eens zijn. Vlak voordat we weggingen lichtten haar ogen op in een ongezonde euforie: een euforie die eerder van waanzin getuigt dan van vreugde.

'Het regent niet zo hard meer,' zegt Euan. 'We moesten maar eens teruggaan.'

'Ik ben niet van plan haar zondag in de buurt van Paul te laten komen,' zeg ik. 'Ik ga niet lijdzaam toezien hoe zij het hem vertelt.'

'Rustig aan.' Hij draait het contactsleuteltje om. 'Het spel is nog niet gespeeld.' We rijden de weg weer op en hij houdt een redelijke snelheid aan. 'Bij lange na niet.'

Ik probeer me te ontspannen, zwijgend, ten prooi aan mijn eigen gedachten. Ik heb het gevoel dat het verleden het heden heeft ingehaald. Het is alsof de afgelopen vierentwintig jaar zijn teruggebracht tot één enkele dag. Ik ben weer terug bij af. Zojuist heb ik Rose vermoord. Ik voel mijn handen tegen haar borst duwen alsof het gisteren was. Ik ben de vijftienjarige ik in het lichaam van een vrouw. Ik voel de paniek en de angst en ben in staat uit de auto te springen en op de vlucht te slaan.

Ik kijk naar Euan, nu in het lichaam van een man, maar nog heel erg de jongen van zestien die ik me herinner. Ondanks zijn beheerste rijden en zijn dure auto, ondanks al zijn geld en succes, was het verlies van zijn zelfbeheersing zo-even in het klooster niet Euan de echtgenoot, vader en vooraanstaand lid van de gemeenschap, maar Euan zoals hij op zijn zestiende was, impulsief en koppig.

Wij zeggen geen van beiden iets totdat we de brug oversteken en Fife binnenrijden.

'Wil je soms ergens stoppen om een hapje te eten?'

Ik kijk op mijn horloge. Het is even over drieën. 'Beter van niet. Ik moet aan dat doek voor Margie Campbell beginnen. Ik loop al dagen achter. Misschien bezorgt het me wat afleiding.'

Hij knikt instemmend en rijdt verder.

Wanneer we in het tuinhuis zijn gearriveerd ga ik achter mijn bureau zitten, sta onmiddellijk weer op en begin te ijsberen. Euan heeft de ketel opgezet en staat een sandwich te maken in het kleine keukentje tussen de werkkamer en de slaapkamer. 'Misschien kan ik beter eerst een eindje gaan lopen,' zeg ik. 'Even uitwaaien.'

'Zoals je wilt.' Hij wijst op de broodplank. 'Wil je ook?'

'Nee, dank je.' Ik open de voordeur en realiseer me dan opeens dat ik helemaal niet wil wandelen. Ik wil praten. Ik loop weer terug naar Euan en zeg plompverloren: 'Weet je, Orla had gelijk, dat ik met één been in het verleden sta.'

Hij kijkt me snel aan en wendt dan zijn blik weer af.

'Heb jij ooit het gevoel dat je nog steeds zestien bent?'

'Nee.'

'Zelfs niet een heel klein beetje?'

Hij denkt even na. 'Ik heb nog wel wat van dezelfde gevoelens als toen ik zestien was, maar ik voel me geen zestien meer.'

Ik heb er een hekel aan wanneer hij dat doet – alles heel precies ontleden en mij corrigeren, alsof ik debiel ben. Ik krijg het warm. 'Weet je wat ze tegen me zei toen we weggingen? Ze zei dat ik blij mocht zijn dat ze Paul niet over ons vertelt.'

Hij houdt op met melk in zijn beker schenken en geeft mij zijn volle aandacht.

'Hoe kan ze dat nu weten? Hoe kan zij weten dat wij een verhouding hebben gehad?'

'Dat weet ze ook niet!' Hij schudt geërgerd zijn hoofd. 'Ze heeft er gewoon een slag naar geslagen en toen vertelde de blik op jouw gezicht haar ongetwijfeld dat ze goed zat.'

'Het is anders niet mijn gezicht dat ons heeft verraden. Op het feest van de meisjes zei ze al tegen me dat jij me smachtende blikken toewierp. Dat zei ze echt.'

Hij spreidt zijn armen. 'En wat dan nog?'

'We hebben samen iets afgesproken.' Ik sla met mijn vlakke hand op het aanrecht.

'Ik heb me eraan gehouden.' Hij loopt langs me heen naar de

gootsteen. 'Je moest jezelf eens kunnen zien! Ze fokt je gewoon op en jij laat het gebeuren.'

'Nou, jou wist ze op het laatst anders ook aardig gek te maken! Je had haar nota bene bij haar keel! Je had haar wel kunnen verwonden.'

'Had dat je iets kunnen schelen, Grace?' Zijn stem is zacht, zijn gezicht heel dichtbij. 'Had dat je nu echt iets kunnen schelen?'

Ik denk eraan hoe kwaad ze me kan maken: toen ze voor de deur stond op het verjaardagsfeestje van de meisjes; net nog, toen ik haar achterliet in het klooster, met die katachtige glimlach op haar gezicht; toen ze in het restaurant een hele maaltijd lang glimlachend tegenover me zat, alleen om te dreigen mijn hele wereld op te blazen. Was mijn dreigement om haar pijn te doen een loos dreigement? Die vraag kan ik niet beantwoorden. Zou ik iets doen om haar te redden? Nee, dat niet. Ik zou haar beslist niet redden.

'Ik wil haar gewoon uit mijn leven hebben,' zeg ik zwakjes.

'Nou, dat zal niet gebeuren tenzij je maatregelen neemt om haar tegen te houden. Word godverdomme toch eens wakker.'

Ik krimp ineen. 'Ik wil niet dat je vloekt.' Ik prik mijn wijsvinger in zijn richting alsof ik het tegen Ella heb en hij begint te lachen. 'Het is niet grappig, Euan.'

'Nee, het is niet grappig,' zegt hij. 'En kijk eens! Nu heeft ze ons al zover dat we ruziemaken.'

'Ik vind het vreselijk wanneer je vloekt. Dan klink je zo hatelijk. Niet als jezelf.' Ik druk mijn vingers tegen mijn slapen. Er zwermen allerlei gedachten door mijn hoofd, niet op de sociaal georiënteerde manier van vogels, maar op een totaal ongecoördineerde manier, tegen elkaar aan botsend, rumoerig en chaotisch. Ik heb het gevoel dat het nog maar een kwestie van tijd is voordat mijn hoofd volledig uit elkaar barst. Ik druk mijn handen ertegen aan en begin heen en weer te wiegen.

'Kom hier.' Euan slaat zijn armen om me heen en meteen voel ik iets anders: iets liefs en vertrouwds, dodelijk, iets wat absoluut vermeden dient te worden. Ik duw hem weg.

'Niet doen,' zeg ik.

Hij laat me los en zucht.

'Het spijt me,' zeg ik snel. 'Ik weet het even niet meer. Ik kan niet helder denken. Verdomme, ik heb geen flauw idee wat ik moet doen.'

'Nou, zodra je het weet, geef je me maar een seintje. Intussen neem ik iets te eten.'

Hij loopt naar binnen en gaat aan zijn bureau zitten. Ik probeer op te houden met ijsberen, trillen, steeds opnieuw dezelfde angstige gedachten herhalen – maar het lukt me niet. Mijn hoofd zit vol angst en verwijten, een tredmolen van stel dat en wat nu en hoe kan ik mezelf redden voordat het te laat is. Er staat nog wat whisky achter in het keukenkastje. Ik schenk wat in een glas en sla snel een paar slokken achterover, onwillekeurig huiverend wanneer het brandend door mijn keel glijdt. Binnen enkele minuten krijg ik een loom gevoel in mijn ledematen, maar de stemmen in mijn hoofd gaan nog even hard tekeer. Op zoek naar vergetelheid schenk ik nog een glas in. Na nog een aantal minuten verspreidt zich een aangenaam roezig gevoel in mijn schedel en ben ik in staat het lawaai buiten te sluiten en mijn aandacht te richten op rustiger gedachten: een herinnering.

Ik ben zeven jaar en mijn vader en ik zitten op de fiets. Het is zomer en we rijden elke avond naar het nabijgelegen weiland om het paard wortels te voeren en vervolgens zijn geliefde pepermuntjes. Hij komt altijd meteen aangerend en laat me zijn fluwelen neus strelen en dan lacht hij en laat me al zijn tanden zien en daar moet ik zo van lachen dat ik er bijna in blijf. Maar vandaag, net wanneer wij aankomen, zijn we er getuige van dat het paard een kogel in zijn hoofd krijgt. Op het moment dat de kogel zijn schedel raakt stort hij ter aarde. Het geluid splijt de lucht en kraaien fladderen op en laten hun schorre kreten horen. Ik val van mijn fiets en begin te gillen. Mijn vader helpt me overeind en gaat dan even praten met meneer Smith, de eigenaar, en de dierenarts.

'Hij was ziek, Grace,' legt mijn vader uit. 'de dierenarts moest hem uit zijn lijden verlossen.'

'Hij was helemaal niet ziek!' schreeuw ik en het is de eerste keer dat ik besef dat volwassenen niet altijd te vertrouwen zijn, dat ze niet altijd de waarheid spreken.

Ik krijg nachtmerries. Ik zie bloed en ingewanden en allerlei dingen die niet eens gebeurd zijn. De enige die me kan troosten is Euan, niet door iets wat hij zegt of doet, maar alleen door mij naast zich in bed te laten slapen. Drie hele nachten lig ik naast hem. Ik denk nergens aan, lig alleen maar naast hem met een leeg hoofd, mijn gewonde hart getroost door het geluid van zijn ademhaling.

Mijn ledematen zijn zwaar, maar ik kan nog net lopen zonder om te vallen en ik loop naar de kamer en kijk naar Euan. Het gonst in mijn oren en mijn hart bonkt tegen mijn ribben alsof het gevangenzit en eruit wil. Wat ik nu ga doen is verkeerd, maar ik ben er oprecht van overtuigd dat ik er een goede reden voor heb.

'Weet je nog toen Smithy's paard moest worden afgemaakt?' Ik weet dat mijn lippen bewegen, maar mijn stem klinkt heel ver weg. 'Toen heb je mij bij je in bed laten slapen.'

Hij is klaar met eten en leunt achterover in zijn stoel, met zijn voeten op het bureau. 'Hoe oud waren we toen?'

'Zeven.'

'En heb ik niet eens misbruik van je gemaakt?'

Ik weersta de verleiding terug te plagen. 'De vierde avond kreeg je er genoeg van en schopte je me eruit omdat ik je bed te warm maakte, maar die drie avonden was je alles voor me.' Ik loop naar hem toe, door een onzichtbaar koord in zijn richting getrokken. 'En toen Rose stierf was jij de enige aan wie ik het kon vertellen.' Nog dichterbij. 'En toen je terugkwam naar Schotland, heb je me weer uit de put gehaald. Ik weet dat we allebei met een ander zijn getrouwd en ik weet dat ik dit eigenlijk niet hoor te zeggen…' Ik stop, wankel, probeer te slikken, maar mijn tong neemt te veel ruimte in in mijn mond. 'Maar jij hebt altijd geweten hoe je ervoor kon zorgen dat ik me weer goed voelde. Altijd.'

Zijn blik wordt zacht. 'Grace?' Hij staat op.

Ik concentreer me op de details van zijn overhemd. Op de knoopjes. Het zijn er zes, lichtblauw en met een geribbeld randje. Het bovenste knoopje staat open. Ik maak het volgende ook open en laat mijn hand naar binnen glijden, vlak onder zijn sleutelbeen. Zijn borst is bedekt met zachte haartjes die om mijn vingers krullen. Mijn gezicht volgt mijn hand. Hij ruikt naar gemberkoekjes en warme chocolade en naar iets anders, wat me helemaal gek maakt.

Troost. Ik denk er niet bij na – in plaats daarvan laat ik me meesleuren in een gevoel van diepe en sterke verbondenheid. Ik kus de snel kloppende slagader in zijn hals en fluister: 'Alsjeblieft.'

Hij zegt nogmaals mijn naam, maar ditmaal is het geen vraag en ik voel mijn laatste remmingen wegvallen. Hij draait me om zodat ik met mijn rug tegen zijn borst sta. Ik kijk door het raam de tuin in, waar Muffin languit in de zon ligt. Hij slaat zijn armen om mijn middel. Hij wiegt me heen en weer en ik leun tegen zijn borst. Wanneer hij mijn nek begint te kussen, doe ik mijn ogen dicht. Zijn handen glijden omhoog langs mijn rug, maken de haakjes van mijn beha los en omvatten mijn borsten. Hij trekt mijn broek omlaag, schuift zijn hand tussen mijn dijen en opent mij met zijn vingers. Hij steekt ze in me en ik houd mijn adem in, leun naar voren en wanneer ik hem de gulp van zijn jeans hoor openritsen begin ik te kreunen. Eerst maakt hij korte, ondiepe bewegingen en wanneer ik meer wil stoot hij hard en diep tot ik zeg dat ik ga klaarkomen en dan stopt hij, kneedt de achterkant van mijn schouders, wacht op me. Ik ben ontspannen tot in mijn vingertoppen en glimlach van het gevoel van verlichting en verwondering dat dit mij schenkt. Ik fluister nee wanneer hij zich terug wil trekken en draai me om om hem in mijn hand te nemen.

Hij loopt achteruit de slaapkamer in. Hij gaat op het bed zitten, leunt tegen het hoofdeinde en ik laat me op hem zakken. 'Ik heb je gemist.'

'Meer.' Hij kijkt me snel aan, pakt mijn heupen en trekt me verder omlaag. 'Ik heb jou meer gemist.'

We haasten ons niet. We doen het langzaam aan en stellen de momenten uit en dan, wanneer we allebei bevredigd zijn, strekken we ons uit op het bed: ik op mijn buik, Euan op zijn rug. Ik steun op mijn elleboog en kijk op naar zijn gezicht. Ik voel me loom en zacht tot in mijn botten. Zijn hand streelt mijn rug, van mijn middel tot in mijn haar. Zo blijven we nog een paar minuten liggen en dan zegt hij zacht: 'We moeten beslissen wat we aan Orla gaan doen.'

De herinnering kruipt omhoog vanuit mijn buik en bijt me. 'Inderdaad.' Ik wrijf met mijn gezicht over zijn borst. 'Heb jij een idee?'

'We kunnen haar afkopen?'

'Ik heb geen geld.'

'Ik wel.'

'Nee.' Ik kijk hem fronsend aan. 'Ik neem jouw geld niet aan. Dat niet. God weet dat ik verder alles al neem.'

'Doe niet zo raar.' Hij tilt mijn vingers op en kust ze. 'Als zij eropuit is jouw leven te verwoesten en bereid is voor geld haar mond te houden, dan geven we haar dat toch gewoon.'

Ik ben hem dankbaar. De tranen schieten me in de ogen en ik knipper ze weg, stap uit bed en trek zijn overhemd aan. 'Ik zou het je tot de laatste cent terugbetalen.' Ik knik. 'Echt waar.'

Hij glimlacht. Hij oogt ontspannen, vrij, als de jongen die ik me herinner.

Ik leun naar hem toe en kus hem. 'Ik ga iets te drinken voor ons pakken.' Ik loop naar de kitchenette, vul een bierglas met ijsblokjes en jus d'orange en ga weer terug naar het bed. We gaan allebei met onze rug tegen het hoofdeinde zitten. Ik neem een paar slokken en geef het glas aan hem. Ze blijven een tijdje zitten, terwijl we het glas steeds aan elkaar doorgeven.

'Toen ik gisteren op het kerkhof was,' zeg ik, 'probeerde ik te bedenken wat Mo van dit alles zou hebben gevonden.'

'Mijn moeder was een praktische vrouw. Als zij een formule had gekend om de schade te beperken denk ik dat ze die zou hebben gebruikt.' Hij kijkt op zijn horloge en staat op. 'Laat Orla zondag maar gewoon komen lunchen. Zorg dat Paul niet in het dorp is. Eigenlijk moeten jullie allemaal, als gezin, een dagje weg.'

'En wanneer ze dan komt opdagen?'

'Dan zal ik haar ontvangen,' zegt Euan. 'En dan bied ik haar geld aan.' Hij bukt zich om zijn kleren op te rapen. 'Ik zorg er wel voor dat ze weggaat.'

Ik ga naast hem staan. 'Maar stel dat…'

Hij legt zijn hand op mijn mond. 'Vertrouw me nu maar,' zegt hij. 'Ik verzin er wel wat op. En dan wordt alles weer normaal.'

Normaal. Normaal is goed. Normaal is prima. Normaal betekent dat we weer niets anders zullen zijn dan jeugdvrienden, volwassen collega's. Normaal is dat Paul er geen idee van heeft dat ik iets meer weet over de dood van Rose. Normaal is een jaar naar Australië gaan, of langer, voorgoed.

'Euan?' Ik bijt op mijn lip. Ik heb hem nog niets verteld over Pauls sabattical in Australië. Ik heb het hem niet verteld omdat ik het gevoel had dat hij zou proberen het uit mijn hoofd te praten en nu we weer zo intiem zijn is het juist nog belangrijker dat ik wegga.

'Ja?' Hij is half aangekleed en verdwijnt langzaam in zijn kleren. En dan zal hij weer weggaan. Het liefst zou ik hem nu op het bed duwen en boven op hem klimmen.

'Dank je.' Ik trek zijn overhemd over mijn hoofd en reik het hem aan. 'Dat is van jou.'

Langzaam laat hij zijn blik over me heen glijden.

Ik zie zijn ogen bewegen en staren. Ik wacht. En wanneer hij me tegen zich aan trekt, slaak ik een zucht van verlichting.

'Laat dat overhemd maar zitten.' Zijn handen zijn overal tegelijk, langs mijn rug, mijn nek, mijn haar, en weer omlaag. 'Dit is van mij.' Hij pakt mijn hand en leidt hem tussen mijn benen. 'Vergeet dat nooit.'

Ik glimlach. 'Nee, dat is van mij.'

'Jij hebt nooit goed kunnen delen.' Hij kust mijn hals en ik voel mezelf groeien. 'Dat krijg je ervan als je enig kind bent.' Hij bijt in mijn oorlelletje. 'Wacht maar, dat krijg ik er nog wel uit.'

Ik stribbel niet tegen en wanneer hij me een uur later uitgeleide doet bij het hek, kijk ik links en rechts de straat in, zie niemand en neem het risico me nog even om te draaien voor een laatste kus.

Mijn gezin is thuis. Ze roepen allemaal hallo wanneer ik binnenkom. Paul zit tussen Daisy en Ella in. Ze zitten naar een film te kijken.

'Waar is Ed?' vraag ik.

'Op de bowlingbaan.'

Paul wil opstaan, maar ik gebaar dat hij moet blijven zitten en slaag erin hem een zoen te geven en tegelijkertijd afstand te bewaren. 'Ik heb een hectische dag gehad. Vind je het erg als ik meteen naar bed ga?'

Hij kijkt bezorgd. 'Kan ik je iets brengen?'

'Nee, dank je.' Ik laat mijn hoofd zakken alsof ik doodmoe ben. 'Ik wil gewoon slapen.'

Ik zeg welterusten en ga naar boven, neem een douche en ga dan in bed naar het plafond liggen staren. Het is rustig in mijn hoofd. Alle gedachten zijn gedesintegreerd. Ze zijn kortstondig, doorschijnend, krachteloos. Ik ben niet veel meer dan een voelende machine. Mijn lichaam trilt nog van de naschok van wat ik heb gedaan. Mijn ledematen zijn buigzaam, zacht tot op het bot en mijn kern bestaat niet uit bloed en tranen maar uit lucht en muziek. Op de achtergrond ligt een gevoel van zelfverachting op de loer – ik ben niet vergeten dat overspel alleen maar tot narigheid leidt – maar op dit moment voel ik me alsof ik doortrokken ben met honing.

Wanneer Paul uren later naar bed komt ben ik nog steeds wakker. Hij komt naast me liggen en ik voel zijn lichaam naast het mijne. Ik houd van hem – daar heb ik nooit aan getwijfeld – maar op dit moment kan hij me niet helpen. Ik moet hem tegen de waarheid in bescherming nemen, omwille van hem en van mezelf. Sommige herinneringen zijn net diepe wonden die nooit helen. De huid die ze bedekt is zo kwetsbaar dat één klein schrammetje ze alweer doet bloeden. Voor ons allebei is Rose die herinnering en wij delen hetzelfde verdriet: een diepe spijt, een gevoel van ongeloof en een diepgevoelde wens om die dag over te doen en ditmaal anders.

19 juni 1984

Het is nu drie dagen geleden dat we Rose' lichaam hebben gevonden en ik lig in bed. Ik lig hier al de hele dag, vrijwel roerloos. Telkens wanneer mijn vader of moeder mijn kamer binnenkomt doe ik mijn ogen dicht en begin langzaam en diep adem te halen. Even voor theetijd hoor ik Orla bij de voordeur. Mijn moeder vertelt haar dat ik slaap en zegt dan: 'Maar kom even binnen om een kopje thee te drinken! Grace komt vast wel uit haar bed wanneer ze weet dat jij er bent.'

Echt niet. Vergeet het maar.

Orla zegt dat ze niet kan blijven. Haar ouders verwachten haar elk moment thuis. Maar ze heeft weer een kort briefje voor me geschreven – haar derde sinds het is gebeurd. Mijn moeder komt het samen met mijn thee brengen.

Lieve Grace
Alsjeblieft! Ik ben zo bezorgd om je. Negeer me alsjeblieft niet langer.
Ik ben ook overstuur. Ik kom morgen weer bij je langs, om vier uur.
Praat dan alsjeblieft met me. Ik moet je iets vertellen. Ik denk dat we
elkaar kunnen helpen.
Liefs
Orla xxxxx

Wanneer mijn moeder de kamer uit is, scheur ik het briefje in kleine, onbeduidende snippertjes, ga bij mijn raam staan, open mijn handpalm en kijk hoe de snippers wegwaaien.

Even voor halfacht wordt er weer aangebeld.

'Neemt u me niet kwalijk dat ik u kom storen…'

'Meneer Adams,' zegt mijn vader. 'Komt u binnen.'

Ik blijf doodstil in bed liggen. Ik durf geen vin te verroeren, niet eens met mijn ogen te knipperen.

'Ten eerste,' zegt mijn vader op ernstige toon, 'willen mijn vrouw en ik u ons intense medeleven betuigen met het verlies van uw dochtertje.'

'Inderdaad.' Mijn moeder staat nu ook in de gang. 'Wij vinden het zo verschrikkelijk erg voor u.' Haar stem breekt en ik weet dat ze nu tegen mijn vader aanleunt om steun.

'Kom binnen,' zegt mijn vader. 'Kom even bij ons zitten.'

Ze laten de woonkamerdeur openstaan, maar hoezeer ik mijn oren ook spits, het enige wat ik kan horen is het trage gemompel van meneer Adams en mijn ouders die meelevende geluidjes maken. Ik sta op en loop naar de trap. Hier gaat het wat beter – ik hoor woorden als 'verontrustend' en 'prachtig' – maar het is niet genoeg om te verstaan waar ze het precies over hebben, dus sluip ik zachtjes een paar treden lager en ga vlak boven de trede zitten waar de leuning begint en trek mijn voeten in zodat ze me vanuit de woonkamer niet kunnen zien.

'En ik wil Grace bedanken. Ik wil haar bedanken omdat ze nog heeft geprobeerd Rose te redden.'

'Wij zullen het aan haar doorgeven, meneer Adams.' Nu is het mijn vader die aan het woord is. 'Helaas is Grace er nog niet aan toe om bezoek te ontvangen. De dokter is bij haar langs geweest en hij zegt dat ze een shock heeft.'

'Ik hoopte eigenlijk dat zij me iets meer zou kunnen vertellen over waarom Rose de tent uit is gegaan.'

'Ze heeft de politie alles verteld wat ze weet,' zegt mijn vader. 'Ze is een eerlijk meisje, een gevoelig meisje.'

Ik krimp ineen.

'Natuurlijk, en ik wil haar beslist niet lastigvallen. Absoluut niet. Rose was juist zo blij dat ze in haar patrouille was ingedeeld. De avond voordat ze wegging kon ze over niets anders praten, hoe lief Grace was en hoeveel plezier ze met elkaar hadden.'

Ik krimp nogmaals ineen, trek mijn knieën tegen mijn borst en doe mijn uiterste best om niet te gaan huilen.

'Mensen die in shock zijn reageren allemaal anders. Ze zegt niet veel.'

'Nee, niet veel,' echoot mijn moeder.

'Ik begrijp het,' zegt meneer Adams. 'Er zijn alleen zoveel onbeantwoorde vragen en ik vroeg me af of Grace me misschien kon helpen iets meer te begrijpen van wat er is gebeurd. Rose kon niet zwemmen, ziet u. Ze was bang voor water. Ze zou dus nooit zonder een goede reden het water in zijn gegaan.'

'Het was midden in de nacht. Ze moet zijn uitgegleden. Is dat niet wat de politie denkt?'

'Ja, maar waarom zou ze de tent uit gaan? Ze was pas negen. En ze was een lief, gehoorzaam meisje.'

'Misschien moest ze naar de wc en wilde ze niemand wakker maken,' zegt mijn vader. 'En is ze toen verdwaald in het donker.'

'Ze hoefde er 's nachts nooit uit om naar het toilet te gaan. Nooit. Ik heb het gevoel dat er een andere reden was waarom ze uit haar slaapzak is gekropen.'

'Zal ik een kopje thee zetten?' zegt mijn moeder op geforceerd luchtige toon. 'En ik heb vanmiddag bitterkoekjes gebakken.'

Wanneer ze onder me langs loopt om naar de keuken te gaan, schuif ik zo ver mogelijk naar achteren, met mijn rug tegen de muur. Meneer Adams heeft er goed over nagedacht. Net als ik is hij geobsedeerd door de details – details die hij niet kent en ook nooit mag kennen. Want hoe kan ik het hem vertellen? Hoe kan ik hem vertellen dat Rose die nacht uit bed is gekomen omdat ze mij iets belangrijks wilde vertellen? Dat ik geen belangstelling had voor wat zij te zeggen had? Hoe ze in het water is beland? Ik stel me voor hoe ik naar beneden zou kunnen lopen en zou kunnen zeggen: *Ik heb het gedaan! Ik heb Rose vermoord. Ik heb haar in het meer geduwd.* Ik stel me voor dat mijn moeder zou gaan gillen en dat mijn vader me fronsend zou aankijken en me zou vragen waarom ik zoiets verzon. Het tumult dat het zou veroorzaken. Orla en ik die verhoord zouden worden door de politie. Allebei bestempeld als wreed en harteloos – in- en inslechte meisjes.

Mijn moeder komt terug met de thee en ik zit nog steeds op de trap. Het is te laat voor eerlijkheid. Ik ben de weg van de leugen ingeslagen en kan niet meer terug.

'Is er iemand die voor u zorgt?' vraagt mijn moeder aan hem.

'Mijn ouders zijn een poosje bij me.' Het theekopje rinkelt op het schoteltje. Waarschijnlijk trillen zijn handen. 'Ze wonen op Skye, vlak bij Portree.'

'Zij zullen er ook wel kapot van zijn. Hun kleindochtertje. Wat een verdriet.'

'Ja. Ze waren heel erg dol op Rose. We zijn altijd heel veel bij hen geweest, vooral na de dood van mijn vrouw.'

'Wat een afschuwelijke tragedie,' zegt mijn moeder en ik hoef haar gezicht niet te zien om te weten dat ze nu haar mond stijf dichthoudt om niet in tranen uit te barsten.

'Ik wou dat ik haar niet mee had laten gaan met het gidsenkamp. Ik wou dat ik erbij was geweest,' zegt meneer Adams. 'Ik zat thuis te lezen of ik lag te slapen terwijl mijn dochter verdronk. Ze was klein en kwetsbaar en ik was er niet om haar te helpen.'

Mijn vader mompelt iets kalmerends en dan valt er een ongemakkelijke stilte, een volle minuut of nog langer, tot meneer Adams zijn keel schraapt en zegt: 'Ik zal u niet langer ophouden. Misschien kunt u, als Grace er ooit weer over kan praten, mij dat laten weten.'

'Natuurlijk,' zegt mijn vader.

Wanneer ze allemaal opstaan, sluip ik weer naar boven en trek een punt van het gordijn opzij om te zien hoe meneer Adams in zijn auto stapt. Hij rijdt niet meteen weg. Hij blijft nog even in het donker zitten nadenken. Ik weet dat hij, net als ik, gekweld wordt door gedachten aan haar laatste ogenblikken. Heeft ze geworsteld en gevochten voordat ze kopje-onder ging? Heeft ze gegild? En toen haar longen zich met water vulden, in plaats van met lucht, waren de pijn en de angst toen overweldigend? Is ze verdronken omdat ze verstrikt raakte in de waterplanten of is haar lichaam rustig boven komen drijven toen ze dood was?

Ten slotte start meneer Adams zijn auto en rijdt weg, langzaam, alsof hij niet goed weet waar hij is.

11

Het dorp waar ik woon is rustig en traag. Er gebeurt hier niet veel buiten de simpele bezigheden van het leven van alledag: boodschappen doen, koken, kinderen grootbrengen, zondags lunchen in de pub of een weekendpicknick op het strand. De mensen zijn vriendelijk – sommigen zouden hen bemoeiziek noemen – en net als in elk ander klein dorp worden roddels uitgewisseld als een teken van vriendschap en erbij horen. Het weer is altijd het eerste onderwerp van gesprek en vervolgens gaan mensen verder met wie er net een baby heeft gekregen, wie er op zijn laatste benen loopt en wie verantwoordelijk is voor eventueel vandalisme. En vrijwel altijd is dat er eentje van de McGoverns of de Stewarts. Twee families – meer is er niet voor nodig – met elk vier zonen die niet willen deugen houden de roddelaars dagen achtereen bezig met de vraag wie van hen verantwoordelijk is voor de graffiti op de kerkdeuren, wie er flessen heeft stukgeslagen tegen de kademuur en of zij wellicht drugs in ons midden brengen.

Toen we jong waren, voelde het dorp benauwend en saai en fantaseerden we vaak over de drukke straten van Edinburgh of Glasgow – zelfs Sterling was beter geweest dan dit – maar nu vind ik het hier heerlijk. Elke dag, met regen of zonneschijn, wind of ijzel, wandel ik over het pad op het klif en geniet ik van de zilte lucht in mijn longen en de snijdende wind van de Noordzee, die me probeert mee te voeren en mijn haren en kleren doet opwaaien.

Maar het kan verkeren, zoals Mo altijd zei, en mijn leven zoals het nu is ligt onder vuur. Waarom heb ik het al die jaren geleden niet anders aangepakt? Vijftien was toch zeker oud genoeg om onder ogen te zien wat ik had gedaan. Oud genoeg om te erkennen dat de consequenties van het bewaren van zo'n dreigend, kolossaal geheim veel zwaarder zouden wegen dan de pijn van het meteen opbiechten.

Mijn lichaam hunkert naar Euan en een herhaling van gistermiddag, maar ik wil er niet aan denken en ik wil niet aan hem denken. Hij heeft me vanmorgen twee keer gebeld. Toen ik niet opnam, stuurde hij me een sms'je: *Ik weet dat je me uit de weg gaat. Kom werken. Ik ben er deze week toch bijna niet. Er zal heus niets gebeuren.*

Het heeft voordelen als mensen je zo goed kennen: ze voorzien wat je nodig hebt, ze weten precies waar je om moet lachen en ze kunnen je opbeuren wanneer je in de put zit. Ze weten wat ze moeten zeggen om ervoor te zorgen dat je je beter gaat voelen. Ze weten hoe ze je zelfvertrouwen kunnen opkrikken.

En de nadelen? Die vormen de keerzijde van de voordelen: Euan weet me met een natte vinger te lijmen. Hij maakt dat ik me tegelijkertijd machtig en machteloos voel, zo kneedbaar als boetseerklei.

Ik ken hem en ik ken mezelf. Als ik vandaag naar het tuinhuis ga, zullen we weer in bed belanden. Het enige wat ervoor nodig is is een halve seconde van onbewaakt verlangen, en dan word ik weer teruggetrokken in zijn invloedssfeer. Die ene keer was een noodgeval, een laatste kans om te ontsnappen aan de chaos in mijn hoofd – en het heeft gewerkt. Ik voel me helderder, minder bang, meer in staat om licht te zien aan het einde van deze donkere tunnel. Maar twee keer zou het begin zijn van een vast patroon en ons weer terugvoeren naar een echte verhouding. Ik heb dat al een keer meegemaakt en uit liefde voor Paul en mijn meisjes heb ik er heel lang en heel hard aan gewerkt om mezelf er weer aan te ontworstelen.

Op het bordje staat STOOT JE KOP NIET! Ik buk gehoorzaam en loop Callums viswinkel binnen.

'Daar is ze! Mijn favoriete klant,' zegt hij. 'Had je nog een hoop rommel na het feestje?'

Even vraag ik me af waarover hij het heeft. Het feest van de tweeling lijkt weken geleden. 'Nee, dat viel wel mee. We hadden alles zo weer op orde.'

Hij slaat zijn armen over elkaar voor zijn schort. 'En hoe kwam het nou dat Orla opeens opdook als een soort geest uit een ver verleden?'

'Als jij het weet mag je het zeggen. Ik had geen idee dat ze zou komen.'

'Vroeger waren jullie anders dikke maatjes.'

'Vroeger, ja.' Was die vriendschap maar genoeg voor Orla geweest om van gedachten te veranderen. Maar ons bezoek gisteren aan het klooster had die hoop weggenomen. 'Maar dat is wel heel erg lang geleden.'

'Dus die vriendschap is wel voorbij? De agressie was bijna voelbaar. Ik dacht echt even dat Euan en ik jullie uit elkaar zouden moeten halen.'

'En wat nog erger is: Paul heeft haar uitgenodigd om zondag te komen lunchen.'

'Dan zeg je toch tegen haar dat het niet doorgaat? Makkelijk zat. Je verzint gewoon iets. Je moet naar Aberdeen om een zieke kennis op te zoeken of je maag is van streek door een dubieuze kerrieschotel. Van een leugentje om bestwil is nog nooit iemand doodgegaan,' vervolgt Callum, terwijl hij zijn werkblad schoonveegt. 'En wat kan ik voor je doen?'

'Ik dacht erover krabpaté te maken. Voor een familiepicknick.' *Voor Rose. Ter herinnering aan haar. Herinner je je haar nog, Callum? Ik heb haar vermoord. Ik. Hoe is het mogelijk, hè? Dat ik dat heb gedaan?*

'Dus je wilt alleen het witte vlees?'

Ik knik en hij begint de krab schoon te maken.

'Een stuk of twee?'

'Klinkt goed.'

'Vergeet niet een beetje nootmuskaat toe te voegen. Dat komt de smaak ten goede.'

'Komt voor mekaar, meneer de chef-kok,' zeg ik, hoewel ik in werkelijkheid niet zo opgewekt ben. Morgen is het Rose' sterfdag. Het is precies vierentwintig jaar geleden dat zij is overleden. Het is een bijzondere dag voor ons gezin en al sinds de meisjes heel klein waren hebben we de gewoonte op die dag met een foto van Rose naar het kerkhof te gaan en Pauls dochter en het halfzusje dat de tweeling nooit heeft gekend te gedenken. In de loop der jaren ben ik er steeds minder tegen op gaan zien, maar dit jaar, nu Orla op het punt staat alles op z'n kop te zetten, ben ik nerveuzer dan ooit.

'Heeft Euan het erg druk?'

'Hij werkt aan een schuurverbouwing, voor de Turners.'

'Misschien heeft hij wel zin om met me te gaan vissen. Het is mijn dagelijks werk, maar ik heb er toch wel zin in. In de buurt van Inverness kun je goede zalm vangen.'

'Hij moet deze week veel voor school doen. Ze hebben allerlei activiteiten georganiseerd voor het vierde jaar.'

'Dat is waar ook, Jamie heeft zich opgegeven voor een zeiltochtje. Tieners, hè? Apen zou je d'r mee vangen.'

Hij begint te vertellen over alle gemiste kansen van zijn zoon en ik knik op de juiste momenten. Vissen? Het zet me aan het denken. Het is alweer een tijd geleden dat Paul en Ed naar Skye zijn geweest. Het huis waar Paul is opgegroeid is nog steeds in de familie. Het staat in de buurt van Portree, met de Cuillin Hills op de achtergrond en de zee er vlak voor. Ik zal het eens voorstellen. Dan kunnen de meisjes en ik naar Edinburgh om te winkelen. Een kans om te gaan winkelen slaan ze nooit af, vooral niet wanneer ik zeg dat we iets voor hen gaan kopen. Wanneer Orla dan komt lunchen, zal ze Euan aantreffen, in plaats van Paul.

Callum overhandigt me de krab.

'Bedankt. Zet je het op de rekening?' zeg ik en op dat moment komt er een andere klant de winkel binnen. Mevrouw McCulloch, een goede vriendin van mijn moeder. We groeten elkaar.

'De wind is wat minder guur dan gisteren,' zegt ze. 'Maar eigenlijk hoort het toch al wat warmer te zijn. Ik hoop maar dat we een fatsoenlijke zomer krijgen. Geef mij maar een stukje van die schelvis, Callum.' Ze draait zich om naar mij. 'Natuurlijk! Jij kent haar nog wel, Grace! Roger Cartwrights dochter. Mooi meisje, haar moeder was Frans.'

Mijn hart slaat een slag over. 'Orla?'

'Dat is ze! Een Ierse naam. Ik wist het! En ze heeft een buitenlandse achternaam. Zal wel getrouwd zijn, maar ik heb geen man gezien. Dat vervallen huisje aan het eind van de haven – je weet wel, waar je met de auto niet kunt komen – dat heeft zij gehuurd. Ze trekt er binnenkort in.'

Mijn maag trekt samen en opeens moet ik bijna overgeven van de vislucht.

'Het schijnt dat ze een paar maanden geleden al een keer is komen kijken. Heeft ze je toen niet opgezocht?'

Ik loop snel naar buiten, zonder me er iets van aan te trekken dat mijn haastige vertrek weer iets zal zijn om over te praten en ren de trappen op naar High Street. Ik heb nog meer nodig: melk, brood en tomaten, maar ik ga geen enkele winkel meer in. Ik blijf rennen tot ik thuis ben. Eenmaal binnen sluit ik me op in de badkamer op de begane grond en ga op de wc-bril zitten om na te denken.

Dus Orla komt weer in het dorp wonen. En ze is een paar maanden geleden al een kijkje komen nemen. Als ik Angeline moet geloven, moet dat zijn geweest kort nadat ze uit de gevangenis is ontslagen en een paar weken voordat ze mij heeft opgebeld. Ze is dit dus al langere tijd van plan. Ik vraag me af hoeveel ze van ons weet. Sterker nog, ik durf er mijn laatste cent om te verwedden dat ze toen ik haar in Edinburgh ontmoette, al precies wist met wie Euan en ik getrouwd waren, hoeveel kinderen we allebei hadden en dat we allebei in zijn tuinhuis werkten. En vast nog meer dan dat. Ze heeft ons allebei voor de gek gehouden. Euan heeft gelijk: ze is berekenend en boosaardig en wil bloed zien. Ik bel zijn mobieltje. 'Ik ben het. Kun je praten?'

'Mam!' giechelt Daisy. 'Ik heb Euans telefoon. Hij is aan het windsurfen. Het is echt zo grappig want...' Ze stopt. Nog meer gegiechel. 'Nee, je bent nat!' roept ze.

Op de achtergrond hoor ik een jongen lachen. 'Daisy? Vraag Euan of hij me belt zodra hij er even kans toe ziet, ja?'

'Oké.' Wanneer ik ophang is ze nog steeds aan het lachen.

Ik ga de badkamer uit. Ella ligt op de bank naar MTV te kijken. Ze werkt zich gestaag door een pakje crèmekoekjes heen, waarbij ze met haar tanden de crème ertussen vandaan schraapt en de koekjes aan Murphy geeft. Hij ligt naast haar, met zijn kop vlak bij haar hand, in afwachting van wat ze hem toestopt.

Ze ziet mijn gezicht. 'Ik lust alleen het crèmelaagje.'

'Het is niet goed voor hem.'

Ze legt haar wang tegen zijn zachte vacht. 'Ze weet het ook altijd weer voor ons te verzieken, hè?'

Ik verbijt me. Zoals ik al had verwacht is onze verbeterde verstandhouding slechts van korte duur geweest. 'Heb je hem al uit-gelaten?'

'Hij hoeft niet te worden uitgelaten! Hij ligt lekker!' Ze staat op en gooit hem het lege pakje toe. Hij neemt het mee naar zijn mand en begint het daar in stukken te scheuren.

'Heb je dan in elk geval de vaatwasser ingeruimd?'

'Ik ga zo naar Sarah. Monica betaalt ons twintig piek om deze week haar zolder leeg te ruimen.' Ze trekt een arrogant pruilmond-je. 'Zíj verwacht geen slavenarbeid.'

Ik voel een bijna overweldigende drang om haar te slaan: voor haar brutaliteit, haar onverschilligheid en haar houding van wat-kan-het-mij-verdommen. Ik strek mijn vingers en roep Murphy. Ik kan beter naar buiten gaan. Weidse luchten, eindeloze zee, misschien worden mijn problemen daar ook kleiner en zal ik me niet zo ver-domd wanhopig voelen.

Ik zet er flink de pas in langs de kustlijn, die zich tot aan St. An-drews voor me uitstrekt. Dat Orla weer in het dorp komt wonen is al erg genoeg, maar dat Orla hier weer komt wonen met de bedoe-ling de waarheid over Rose te vertellen is te veel om in één keer te bevatten. Ik kan me hier niet bij neerleggen. Orla kan hier niet komen wonen. Iemand moet haar duidelijk maken dat dat gewoon onmogelijk is.

Er komt iemand over het strand in mijn richting aangelopen. De gestalte is aanvankelijk nog te ver weg om te kunnen zien of het een hij of een zij is, maar nu we elkaar naderen zie ik dat het Monica is. 'Ik was even vergeten hoe krachtig deze wind kan zijn,' roept ze me toe, met een hand in haar nek om haar haren vast te houden. 'Vind je het goed als ik een eindje met je meeloop?'

'Ja, hoor.' Mijn gezicht glimlacht. Gisteren ben ik nog met haar man naar bed geweest, maar op de een of andere manier lukt het mij me normaal te gedragen. Ze komt naast me lopen. 'Ella zei dat ze Sarah gaat helpen je zolder leeg te ruimen.'

'Ik ben in geen jaren boven geweest en nu Euan de komende week al die activiteiten heeft, wilde ik maar eens een paar dagen vrij nemen om al die rotzooi op te ruimen. Er zit ook troep van hem bij. Dat wil hij na al die tijd vast niet meer bewaren.'

We bereiken het eind van het zandstrand en klauteren omhoog over de met gras begroeide heuveltjes langs het pad naar de ruïne van een huisje. Hierboven waait het zo mogelijk nog harder en we houden allebei onze jassen vast. Tegen de tijd dat we boven zijn staan we te hijgen en ik draai me om om te genieten van het uitzicht dat zich voor ons uitstrekt. De loodgrijze zee brult, geeuwt en hapt naar de kustlijn, terwijl de blauwe lucht erboven bijna volledig schuilgaat achter enorme grijswitte wolken die door de wind in oostelijke richting worden gejaagd.

'Ik vind dit zó deprimerend,' verklaart Monica. 'Donker, onheilspellend, naargeestig. Alles wat ik haat aan de Schotse landsaard komt terug in het landschap.'

'Helemaal niet!' Ik draai me naar haar om. 'Het is opwindend en dramatisch en wanneer de zon erdoorheen komt bestaat er geen mooiere plek op de wereld.'

Ze pakt mijn arm en kijkt me aan. 'Geloof jij erin dat de geschiedenis zich altijd herhaalt, Grace?'

Ze is hier al eens eerder over begonnen, laatst, na het feest van de meisjes. Ik denk even na. Monica wacht. Haar ogen zijn groot en lijken mijn eigen gevoel van naderend onheil te weerspiegelen. Ze verwacht een diepzinnig antwoord van me, iets wat haar bevrediging zal schenken, een raadsel voor haar zal oplossen. 'Ik geloof dat uiteindelijk waarschijnlijk iedereen zal oogsten wat hij zaait,' zeg ik ten slotte.

'Wist jij dat mijn vader zelfmoord heeft gepleegd?'

'Eh...' Ik vermoedde wel al zoiets. Toen ik zestien was, heb ik eens een gefluisterd gesprek tussen mijn moeder en Mo afgeluisterd.

'Vanwege Angeline.' Ze klimt op een berg stenen en kijkt op mij neer. 'Denk je dat er een suïcidaal gen bestaat?'

'Ik heb geen idee.' Ik weet niet wat ik hiermee aan moet.

'Maar wat denk je zelf?'

'Ik ben geen wetenschapper! En ik ben geen expert op het gebied van menselijk gedrag. Soms...' Ik aarzel even. 'Misschien is er wel een verklaring voor.'

'Mijn vader heeft zelfmoord gepleegd en mijn moeder heeft zich dood gedronken. Hoe zou dat anders te verklaren zijn?'

'Kennelijk konden je ouders hun lot niet aanvaarden, maar dat wil nog niet zeggen dat jou dat ook zal overkomen.' Dan herinner ik me dat zij, net als ik, enig kind is. Maar in tegenstelling tot mij heeft zij haar vader al op haar zestiende verloren en haar moeder toen ze twintig was. Dat moet heel erg zwaar voor haar zijn geweest. Ik pak haar hand. 'Luister, Monica, ik heb met je te doen, echt waar. En ik wou dat ik iets had gedaan om je te helpen toen we jong waren.'

Ze werpt me een effen blik toe. 'Begrijp je nu waarom ik Orla zo haat?'

'Ja... en nee.'

'Het kon haar niet schelen, Grace. Het kon haar niet schelen dat haar moeder mijn hele familie kapotmaakte.'

'Volgens mij kon het haar wel degelijk iets schelen. Op de avond van haar zestiende verjaardag had ze een enorme ruzie met Angeline. Ze keurde absoluut niet goed wat haar moeder deed. Sterker nog...' Ik sta op het punt haar te vertellen wat Orla tijdens onze lunch in Edinburgh heeft gezegd. Dat ze het haar moeder nooit heeft vergeven. Maar ik doe het niet, want laten we wel zijn – uiteindelijk kan ik niets van wat Orla zegt geloven en bovendien ben ik wel de laatste die het voor haar zou moeten opnemen. 'De zelfmoord van je vader moet heel moeilijk voor je zijn geweest.'

Ze haalt haar schouders op. 'Het was niet zijn schuld.' Ze perst haar lippen op elkaar. 'Het was de schuld van Angeline. Zij had hem in haar macht.'

'Ze heeft hem niet tegen zijn wil vastgehouden,' zeg ik zacht.

'Het scheelde anders niet veel. Vrouwen als Angeline hebben geen enkel respect voor familie of verplichtingen. Mijn vader was een fatsoenlijke man en een uitstekende echtgenoot en vader. En toen kreeg Angeline hem in haar klauwen.' Ze trekt een brede grashalm in dunne slierten. 'Wij vormden een volmaakt gezinnetje totdat Angeline kwam.'

Ik weet zeker dat dit niet waar is. Monica's moeder en de mijne zaten samen in de Vrouwenvereniging. Ik herinner me heel goed dat mijn moeder mijn vader vertelde hoe nalatig Peter was, dat hij er nooit was voor zijn dochter en Margaret nooit genoeg geld gaf voor het huishouden.

'Mijn vader ging Angeline helpen met de boekhouding van die schoonheidssalon die ze was begonnen.' Ze kijkt me aan. 'Daar was hij goed in. Een groot aantal kleine bedrijfjes was afhankelijk van hem. Je had alle kaarten moeten zien die we kregen toen hij was overleden! Niets anders dan lovende woorden voor zijn zorgvuldigheid en aandacht. Maar Angeline… die betoverde hem. Het zou me niet verbazen als ze iets in zijn thee heeft gedaan.'

Monica praat maar door en haalt herinneringen op aan denkbeeldige momenten in haar jeugd toen haar vader nog perfect was, een sprookje over een gelukkige familie die hem van alle blaam zuivert; veel beter om hem te zien als het onschuldige slachtoffer van een berekenende heks. Angeline was de hoer en de boosdoener. Het enige waaraan haar vader zich had schuldig gemaakt was dat hij te goed van vertrouwen was geweest om het te zien aankomen.

Ironisch genoeg geeft het op eigen wijze interpreteren van haar verleden haar iets gemeenschappelijks met Angeline. Maar in het geval van Angeline gaat het om het manipuleren van andere mensen – het is beter als Murray haar als een trouwe echtgenote beschouwt – terwijl voor Monica het leven alleen draaglijk is wanneer haar vader geen blaam treft. Want een man die zijn minnares boven zijn vrouw en kind verkiest is geen man die van zijn gezin houdt en verdient het dus ook niet dat er van hem wordt gehouden.

Euan en ik. De parallellen liggen voor het oprapen. Maar wij zullen nooit twee gezinnen kapotmaken. En wij houden van onze partners en onze kinderen. Wij hebben dit al een keer eerder overwonnen en zullen het ook dit keer overwinnen. Paul krijgt zijn aanstelling in Australië en dan ga ik weg uit het dorp en zal er geen verleiding meer zijn.

'Het is belangrijk om te begrijpen waarom dingen gebeuren, Grace.'

'Dat is niet altijd mogelijk.' Dit hele gesprek komt te dicht in de buurt van mijn eigen situatie en het kost me de grootste moeite om kalm te blijven. 'Soms is het gewoon een kwestie van pech en slecht inschattingsvermogen, maar het hoeft niet altijd een schaduw te werpen op de fijne momenten en de goede beslissingen en de dagelijkse zorg voor elkaar.' *Althans, dat houd ik mezelf altijd voor.*

'Je hebt gelijk.' Monica kijkt me glimlachend aan. 'Mijn vader heeft zijn best gedaan. Mijn moeder? Ach.' Ze haalt haar schouders op. 'Die dronk al lang voor de verhouding.' Ze kijkt naar de lucht en ademt diep in. 'Orla is geen bedreiging voor mij. Waarschijnlijk zien we haar niet meer terug.'

Was het maar waar. Ik realiseer me dat ik het haar zal moeten vertellen. Anders hoort ze het toch wel van iemand anders. 'Orla komt weer in het dorp wonen.' Ik zie haar glimlach verdwijnen. 'Dat heb ik vanochtend gehoord.'

'Dat kan niet!' Ze zet een paar stappen naar achteren. 'Dat kan ze niet maken!'

'Dat kan ze wel en dat gaat ze ook doen. Ze heeft een huisje gehuurd. Ik weet niet voor hoelang.'

Ze pakt mijn pols en grijpt me zo stevig vast dat haar nagels door mijn huid prikken. 'Ik moet haar tegenhouden.'

'Monica! Je moet het wel in het juiste perspectief blijven zien!' Ik trek mijn pols tussen haar vingers vandaan en schud haar zachtjes door elkaar. 'Ik weet dat ze herinneringen aan je ouders bij je losmaakt en ik weet dat dat pijn doet, maar nu, in het heden, heb je niets van Orla te vrezen.' Haar ogen vertellen een ander verhaal en wanneer ze me aankijkt zie ik dat ze op het punt staat me iets te vertellen. 'Wat is er, Monica? Wat is er?' Mijn hoofdhuid tintelt. 'Gaat het over Rose?'

Haar blik vertroebelt. 'Ik ben hiervoor gewaarschuwd. Ik ben gewaarschuwd…'

'Waar heb je het over? Door wie ben je gewaarschuwd?'

'Grace!' sist ze. 'Heb je enig idee hoeveel schade ze kan aanrichten?'

Ik lach, niet omdat het grappig is, maar omdat ik toch wat emotie kwijt moet.

'De status quo mag nimmer worden onderschat. Het leven gaat door. Misschien is het wel eens saai…' Ze kijkt naar rechts en lijkt de woorden zó uit de lucht te plukken. 'Orla is gevaarlijk. Ze zal verwoestingen aanrichten en dan zal ze weer weggaan. We moeten haar tegenhouden.'

'Geloof me, ik wil haar hier ook niet hebben.' Ik pak haar hand. 'Vertel me nu eens wat je zo dwarszit.'

'Dat kan ik niet.' Ze rukt zich los. 'Dat is vertrouwelijk.' Ze deinst nog wat verder naar achteren. 'Kun jij erachter komen wat Orla wil? Kun je dat?'

Dat weet ik al. 'Ik zal mijn best doen.' Ik probeer optimistisch te kijken. 'Ik laat het je wel weten.'

'Goed.' Ze herstelt zich en slaat onhandig haar armen om me heen. 'Ik mag dan niet populair zijn geweest op school en thuis was het een puinhoop, maar hé!' Ze kijkt om zich heen, naar de zee en de lucht en alle ruimte daartussen. 'Ik heb een geweldige carrière, twee fantastische kinderen en ik ben getrouwd met de man van mijn dromen. Ik beschouw mezelf echt als een geluksvogel. Nou ja, hij is toch ook geweldig, of niet soms?' Ze lacht. Ik zie geen spoor van valsheid op haar gezicht. 'Maar dat hoef ik jou immers niet te vertellen, Grace?'

14 mei 1999

Euan en ik delen nu al een jaar een werkruimte in het tuinhuis. Het is koud buiten en de verwarming staat aan. Wanneer ik binnenkom ontdoe ik me van mijn sjaal, jas en muts, ga tegenover mijn halfvoltooide doek staan en warm mezelf aan de radiator. Ik kijk eerst naar het doek en dan naar de foto's waar ik van werk: de hemel bij zonsondergang, wolken die zich samenpakken boven de zee, een epicentrum van wervelende zwarte wolken boven de horizon. Wanneer ik weer naar het doek kijk zie ik meteen wat ik verkeerd doe. Het schilderij begint vorm te krijgen, maar het contrast tussen licht en schaduw is niet scherp genoeg en zo raak ik elk besef van de naderende storm kwijt.

Euan komt binnen. Hij loopt te fluiten. 'Goeiemorgen,' zegt hij. 'Ik ben even een paar croissantjes gaan halen.' Hij neemt er een uit de zak en legt het naast me op de tafel.

'Waar wordt je blik naartoe getrokken in dit schilderij?'

Hij heeft een ander croissantje in zijn hand. Hij neemt een hap en doet peinzend een stapje naar achteren. 'Dit hier.' Hij wijst naar de rand van het doek. 'Wat is dat?'

'Op dit moment alleen nog maar een klodder rood, maar het

wordt het pannendak van een huis.' Ik schud mijn hoofd. 'Er zit geen beweging in.'

'In het huis?'

'In het schilderij. Er moet beweging in, drama, met de storm als middelpunt. Het licht is helemaal verkeerd.'

'Koffie?'

'Graag.'

Het begint al wat warmer te worden in de kamer. Ik trek mijn vest uit, rol de mouwen van mijn blouse op en kijk nog eens goed naar de foto's. Dit is altijd het moeilijkste. Ik weet dat het schilderij niet goed is en de kans bestaat dat ik het eerst alleen nog maar erger maak voordat het uiteindelijk beter zal worden. Euan geeft me een kop koffie, gaat dan aan zijn bureau zitten, legt zijn handen achter zijn hoofd en leunt naar achteren. Ik kijk de andere kant op, maar ik voel hem denken. Ik weet dat hij iets gaat zeggen.

'Grace?'

'Mmm?'

'Denk jij er wel eens aan hoe het zou zijn als wij met elkaar naar bed zouden gaan?'

Hij zegt het, plompverloren, alsof het een volkomen normale vraag is om op een maandagochtend aan een collega te stellen. Ik ben blij dat ik hem niet aankijk. Ik adem in, maar het kost me moeite om weer uit te ademen. Ik geef geen antwoord en even later vraagt hij het nog eens.

'Denk je er wel eens aan hoe het zou zijn als wij met elkaar naar bed zouden gaan?' Hij komt bij me staan. 'Grace?'

'Daar geef ik liever geen antwoord op,' zeg ik.

'Waarom niet?'

'Omdat,' ik wuif met mijn handen om me heen, 'omdat dit juist zo goed gaat. Waarom zouden we iets goeds verpesten?'

'Wees nu eens eerlijk.' Er glijdt een blik over zijn gezicht, maar het gaat te snel. 'Alsjeblieft.'

'Waarom?'

'Ik wil het weten.'

'Waarom?'

'Ik wil weten wat ik me moet voorstellen.'

Ik kijk naar hem op en probeer het moment vast te houden zodat het me niet zal ontglippen, maar het is nu eenmaal een feit dat ik hem niets kan weigeren. 'Ja, daar denk ik wel eens aan,' zeg ik zacht.

'Weet je waarom ik hier weer ben komen wonen?'

'Toe nou, Euan.' Ik denk dat ik wel weet waar dit opeens vandaan komt. Drie maanden geleden is Mo overleden. Haar dood heeft een zware tol geëist van de hele familie. Euan is het ene ogenblik rusteloos, het andere boos, en het volgende terneergeslagen. 'We hebben het de laatste tijd allemaal moeilijk gehad. En jij nog wel het meest van iedereen.'

'Dit heeft niets met mijn moeder te maken.' Hij pakt mijn ellebogen en tilt ze op. Mijn hoofd gaat naar achteren. 'Het is voor jou dat ik hier weer ben komen wonen. Ik ben teruggekomen voor jou.'

Ik wil huilen. Ik kan me niet herinneren dat in mijn hele leven ooit iemand iets tegen mij gezegd heeft wat zoveel voor me betekent als dit. Ik weet niet wat ik terug moet zeggen, dus kijk ik hem alleen maar aan en ga door met ademhalen.

'Ik denk er voortdurend aan hoe het zou zijn om met jou naar bed te gaan. Ik wil gewoon dat je dat weet.' Hij laat mijn armen los, draait zich om en loopt terug naar zijn bureau.

Ik blijf doodstil staan. Ik heb het gevoel dat de lucht leeft en ik, als ik me verroer, mijn leven in een bepaalde richting zal duwen en ik weet niet welke kant ik op zal gaan. Ik krijg een drukkend gevoel in mijn borst. Ik draai me om. 'En dat is dat?' Hij zit achter zijn bureau door wat papieren te bladeren alsof er niets is gebeurd. 'Je doet een mededeling die een donderslag bij heldere hemel is en je gaat gewoon zitten?'

'Je kunt het nauwelijks een donderslag noemen.' Hij hapt in een nieuwe croissant en neemt een slok koffie. 'Dit is nu al maanden tussen ons gaande, jaren, tientallen jaren, sinds we uit onze kinderwagens klauterden.'

'Maar je hebt zojuist een grens overschreden door erover te praten,' zeg ik. 'Dat kunnen we niet meer terugdraaien.'

'Ik wil het niet terugdraaien.'

'Maar ik misschien wel. Heb je daaraan gedacht?'

'Wil je dat echt?'

'Ja.' Ik knik nadrukkelijk. 'Ik wil het graag terugdraaien, want nu heb ik het gevoel dat je elk moment een poging kunt gaan doen mij te versieren.'

'Dat ga ik niet doen.'

'We werken zo dicht op elkaars lip.' Ik kijk om me heen. Hoe worden we nu geacht verder te gaan?'

'Deze ruimte meet honderdvijftig vierkante meter en trouwens' – hij schudt zijn hoofd – 'ik ben niet van plan je te versieren.'

'Waarom niet? Waarom begin je erover zonder er verder iets mee te willen doen? Omdat we getrouwd zijn? Omdat je onze vriendschap niet op het spel wilt zetten? Omdat je hem niet omhoog kunt krijgen?'

'Dacht je dat ik hem niet omhoog kan krijgen?'

'Wel dan?'

'Wil je met me naar bed?'

'Nee. Ik wil dat je eerst bewijst dat je hem omhoog kunt krijgen.' Ik leun tegen mijn bureau, tuit mijn lippen en sla mijn armen over elkaar. Mijn hart gaat als een razende tekeer, maar ik ben woedend. Ik verwacht niet anders dan dat hij zal inbinden, zijn excuses zal aanbieden.

Maar dat doet hij niet. Hij maakt zijn broek open. 'Wil je me even helpen?'

Ik geef geen antwoord. Ik heb het veel te druk met weer rustig worden en dan kijk ik naar hem en vraag me af wanneer hij besneden is.

'Maak je blouse open,' zegt hij.

Ik doe het. Ik draag een mooie kanten beha die ik in de winteruitverkoop heb gekocht. Hij is donkerblauw en het is een balconettemodel dat mijn borsten uitstalt als panna cotta op een mooi dessertbordje. Hij raakt zichzelf niet aan en kijkt alleen maar.

'Wanneer ben jij besneden?'

'Toen ik twaalf was. Nauwe voorhuid.'

'Dat heb je me nooit verteld.'

'Ik probeer me te concentreren.' Zijn blik schiet naar mijn gezicht. 'Ik geloof dat ik hier iets moet bewijzen.'

Ondanks alles glimlach ik en dan schiet ik in de lach, want wat wij hier doen is natuurlijk belachelijk. Mijn borsten wiebelen ervan. Dat ziet hij kennelijk graag. Ik zie hem hard worden.

'Ben je nu tevreden?' vraagt hij.

'In zekere zin.' Ik doe een stapje naar achteren, knoop mijn blouse weer dicht en hoor hem zijn broek dichtritsen. De telefoon gaat. Hij neemt op en praat alsof er niets aan de hand is. Ik ga aan mijn bureau zitten. Wat was dát in vredesnaam? Ik zit te trillen.

Wanneer hij weer heeft opgehangen kijkt hij in mijn richting. 'Was dat alles?'

Mijn hart slaat een slag over. 'Is wat alles?' zeg ik.

'Ik dacht even dat we zoiets deden als laat-mij-de-jouwe-zien, dan-laat-ik-je-de-mijne-zien.'

'Waar komt dit opeens vandaan, Euan?'

Hij schudt zijn hoofd alsof dat toch duidelijk is. 'We kunnen later nog zo lang dood zijn.'

Ik houd zijn blik vast en zie verlangen in zijn ogen en tederheid en een schittering van angst. Ik sta op, loop op hem af, blijf vlak voor hem staan en trek mijn lange broek en slipje uit, niet elegant, dat komt later wel. Ik ruk ze omlaag. Ik heb mijn ogen dicht. Van binnen gilt een stemmetje: *Waar ben je in vredesnaam mee bezig?* Het probeert me eraan te herinneren dat ik moeder ben. Het laat me mijn twee meisjes zien die door de speeltuin hollen, terwijl de pomponnetjes op hun mutsjes op en neer gaan op de maat van hun rennende beentjes.

Wanneer ik mijn ogen opendoe, zit Euan tussen mijn benen te kijken. Zijn mond hangt half open en ik zie het puntje van zijn tong tussen zijn tanden. Ik begin te tintelen en de hitte verspreidt zich naar mijn onderbuik en ik weet dat ik binnen een paar tellen zo hevig naar hem zal verlangen dat ik erom zal smeken. 'Zo genoeg?' zeg ik.

'Zeg jij het maar.'

Ik val. Het voelt bedwelmend, een golf van zoetheid en licht. Een laatste poging. Ik denk aan Paul, hoe hij op dit moment met zijn studenten over hun dissertaties zit te praten, de manier waarop hij naar me kijkt wanneer hij thuiskomt van zijn werk, me tegen zich aan trekt, me naar mijn dag vraagt, me stimuleert, met me vrijt, me geld geeft en tijd en zichzelf. Ik denk aan mijn dochtertjes, hun handjes in de mijne, die naast me in slaap vallen, hartjes tekenen, groot en rood om aan mij te geven, die kushandjes geven en roepen *Mammie, ik vind je lief!* Ik denk aan Mo, hoe ze huilde op mijn bruiloft, hoe ze voor me zorgde alsof ik haar eigen kind was en hoeveel ze van ons allebei hield.

'Als ik terug kon gaan in de tijd zou ik bepaalde dingen anders doen,' zeg ik. 'Toen jij naar Glasgow ging, heb ik erover gedacht je te gaan zoeken. Ik stelde me voor hoe ik bij het huis van je oom voor de deur zou staan om je te verrassen. Ik stelde me voor dat je van me weg zou lopen…'

'Ik zou niet van je zijn weggelopen.' Hij trekt me op zijn schoot. 'Dat zou ik nooit hebben gedaan.' Hij begint me zo zachtjes te kussen dat ik het bijna niet voel. Mijn huid zingt. Ik schuif mijn handen onder zijn T-shirt. Zijn borst voelt warm en ik woel met mijn vingers door zijn borsthaar.

Zo begint het.

Die eerste keer bedrijven we de liefde en al het wachten en het fantaseren ontbranden met de aanraking van onze lichamen als zuurstof door een vlammetje. Ik ben schaamteloos. Ik kan mijn benen niet wijd genoeg spreiden. Ik wil hem alles van mezelf laten zien. Hij neemt me zo volledig dat ik het gevoel heb dat mijn lichaam het zijne is. Dat hij me heeft geschapen. Mijn gevoelens voor hem strekken zich uit naar alle uithoeken van mezelf en weer terug. Hij voelt sterk, warm, verrukkelijk, bedwelmend.

Op het moment dat ik die middag het tuinhuis verlaat om naar huis te gaan, begint het schuldgevoel. Waarom heb ik het gedaan? Waarom? Ik houd van Paul, ik houd van mijn kinderen en ik houd van mijn leven. Natuurlijk, soms is het een sleur, maar de verbondenheid met mijn gezin is diep en bevredigend.

Uiteindelijk schrijf ik het toe aan een aanval van pure wellust. Het zal nooit meer gebeuren. Zo ben ik niet. Ik sta bijna een kwartier onder de douche. Ik voel me alsof ik in hem ben ondergedompeld en ik ben bang dat Paul hem aan me zal ruiken. Ik bereid een snelle gezinsmaaltijd en ga daarna vroeg naar bed, onder het voorwendsel dat ik moe ben.

De volgende dag ga ik niet naar mijn werk. Om tien uur belt Euan.

'Kom je nog werken?'

'Nee.'

'Waarom niet?'

Ik knijp mijn ogen stijf dicht. 'Ik ben veel te bang.'

'Je hebt een uur de tijd en dan kom ik je halen.'

Ik ga. We doen het weer en daarna weer. We nemen risico's, maar proberen ze wel te beperken. Monica komt bijna nooit naar het tuinhuis, maar voor het geval dat, koop ik precies dezelfde lakens en wanneer we een middag in bed hebben doorgebracht, verschoon ik ze. Ik zorg er zelfs voor dat we hetzelfde wasmiddel gebruiken. We sturen elkaar nooit sms'jes. We e-mailen niet en bellen elkaar alleen als het met de kinderen te maken heeft. We beperken onszelf tot één keer per week. We controleren zorgvuldig of Sarah en Tom niet onverwacht thuis kunnen komen.

Soms stel ik vragen en dring ik aan. Ik kan er niets aan doen. Ik wil hem begrijpen. Ik wil weten waarom hij van me houdt, zodat ik het kan beschermen, en het kan koesteren zodat het nooit over zal gaan.

'Waarom ben je met Monica getrouwd?'

'Monica is een goed mens, Grace. Ze werkt hard. Ze is trouw en lief. Daarom houd ik van haar.'

'Meer dan van mij?'

'Anders.'

Ik kan het niet laten. 'Maar als je tussen ons moest kiezen?'

'Ik weet het niet. Zij is de moeder van mijn kinderen.'

'Wil dat zeggen dat je voor haar zou kiezen?'

'Het wil zeggen dat ik het niet weet.'

En nog kan ik niet ophouden. 'Maar als je heel diep in je hart kijkt – kies je dan haar of mij?'

Hij kijkt me heel lang aan. Ik wacht en terwijl ik wacht dringt het tot me door dat ik het helemaal niet wil weten. Ik sla mijn handen voor mijn gezicht en gluur tussen mijn vingers door. 'Het spijt me,' zeg ik. Ik zie dat ik hem heb gekwetst. 'Het spijt me,' zeg ik nogmaals. 'Het spijt me zo.'

'Volgens mij hebben we een paar regels nodig.' Hij pakt mijn pols en kust de binnenkant ervan. 'We praten niet over onze partners. Nooit. Dat moet een grens zijn.'

'Ik begrijp het.'

Dus stellen we regels op:

1. We praten nooit over de seks die we hebben met onze partners.
2. We praten niet over de toekomst en wat er met ons zou gebeuren als we elkaar niet hadden.
3. We verzetten ons tegen alle pogingen van onze partners om als gezinnen dingen met elkaar te doen.

Getrouwd zijn heeft alles te maken met liefde en vertrouwen, trouw en eerlijkheid. Dat weet ik. Wat ik doe is verkeerd, gevaarlijk en dom. Maar o zo moeilijk om mee op te houden. Ik weet dat onze relatie vergeleken met het huwelijk in het voordeel is. Wij ervaren niet het dodelijke effect van eindeloze dagen vol alledaagse activiteiten. Euan is altijd een man voor mij, nooit een echtgenoot of kostwinner, iemand die de vuilnisbak kan buitenzetten of op weg naar huis nog even hondenvoer moet meenemen. De uiterst ontvlambare mengeling van liefde en verlies voedt ons. Het interesseert mij niet of hij ook nog een omelet kan bakken of eraan denkt zijn vuile kleren in de wasmand te gooien. Wat mij interesseert is hem aan het lachen te maken, hem te strelen, hem lief te hebben en erachter te komen wat hij opwindend vindt.

We leven niet meer in de negentiende eeuw. We zouden onze gezinnen kunnen verlaten en samen opnieuw kunnen beginnen. Het zou akelig zijn, pijnlijk ook, maar dat houdt heel veel mensen niet tegen. We denken er wel over na en daarna praten we erover. Eén keer maar. Maar ik kan niet nóg iets verkeerds doen. Vreemdgaan is verkeerd, dat weet ik, maar het is iets minder verkeerd dan twee verder heel gelukkige gezinnen verscheuren.

Na acht maanden spreken we af elkaar los te laten. Er zit geen toekomst in, de pijn van een ontdekking zou veel zwaarder wegen dan het plezier en we kunnen geen risico's blijven nemen. Ik weet dat we er verstandig aan doen en word weer een eerlijke echtgenote en moeder. Ik heb de juiste keus gemaakt en zou blij moeten zijn, maar ik ben niet blij, ik ben absoluut wanhopig, geamputeerd, leeg vanbinnen. Ik kan niet slapen en lig halve nachten opgekruld op de badkamervloer.

Met Euan gaat het al niet veel beter. Hij ziet er uitgeput en moe uit, snauwt zijn klanten af en loopt zonder reden te zuchten. We werken nog steeds in dezelfde ruimte, maar zitten met onze rug naar elkaar toe en onze blik omlaag gericht.

Het wordt gemakkelijker. Ik werk meer thuis en Euan heeft een groot project in Dundee waar hij veel moet zijn. Dit houden we vier jaar vol. En dan op een dag, voel ik me een beetje somber. Pauls moeder is overleden en bij Ed is de diagnose alzheimer gesteld. Ik ben aan het werk en probeer niet aan Pauls verdriet te denken en aan het leven dat Ed te wachten staat. Euan en ik willen tegelijkertijd de waterketel pakken en onze handen raken elkaar, we pakken elkaars hand vast. Ik begin te huilen. Hij neemt me mee naar de slaapkamer en we brengen de hele dag in bed door, waar we van elkaars lichaam genieten en de verloren tijd inhalen.

Drie weken waarin we elkaar weer volop beminnen en dan een schok. Het gaat bijna mis. Sarah en Ella betrappen ons bijna samen in bed. We houden er weer mee op. Het is moeilijk en pijnlijk, maar we doen het. Er gaan weer vier jaar voorbij en dan komt Orla terug.

12

Ik heb een steeds terugkerende nachtmerrie en in tijden van stress neemt die me altijd hartgrondig te grazen. Er wordt op de deur geklopt. Er staan twee mannen op de drempel, met hun handen in de zakken van hun zwarte overjassen en dan halen ze allebei hun identiteitsbewijs tevoorschijn en houden dat voor mijn gezicht. De een is jong, met een vierkante kin; de ander is een oudere man, langer, taai en verweerd en met een lelijk litteken, van zijn slaap omlaag langs zijn linkerwang, als het zilverachtige spoor dat wordt achtergelaten door een slak.

'Bent u mevrouw Grace Adams?'

Ik knik.

'Zou u zo goed willen zijn even met ons mee te gaan naar het bureau?' zegt de grote man. 'Wij hebben reden om aan te nemen dat u betrokken bent bij de dood van een jong meisje in 1984. Gaat er nu een belletje rinkelen, mevrouw Adams?'

Hij heeft een spottend, smalend gezicht dat langzaam in dat van een duivel verandert met hoorns en ogen als gloeiende kolen. Zijn litteken scheurt open en er komt een slak uit. Zijn voelsproeten zijn lang, tasten om zich heen en schieten dan naar mijn ogen.

Wanneer ik wakker word houd ik mijn handen voor mijn gezicht. Ik verwacht iets slijmerigs te voelen, maar dat is er niet. Ik ben het maar, mijn eigen huid en botten. Ik wil Paul niet wakker maken, dus glip ik uit bed en ga naar beneden, zet een kopje thee voor mezelf, ga met mijn benen onder mijn billen getrokken op de bank zitten en wacht tot ik wat rustiger word. Het is maar een droom, houd ik mezelf voor. Ik heb wel vaker last van nachtmerries, net als zoveel mensen. Het heeft geen enkele zin de droom te analyseren en het schuldgevoel en de spijt onder de loep te nemen. Dat helpt toch niet.

Het is twee uur 's nachts en ik ben klaarwakker, een en al adrenaline. Ik weet dat het geen zin heeft om weer naar bed te gaan, dus ga ik maar naar de keuken, maak de paté en zet de picknickglazen en het bestek vast klaar.

Orla had gelijk – ik zit vast. Net zoals zij al zei, altijd maar terug-glijden, denken aan Rose, die avond opnieuw beleven, me aan Euan vastklampen, mezelf in zijn ogen zien; de zelf zoals die was vóór het gidsenkamp, de zelf die eerlijk en oprecht is. Ik heb geprobeerd mijn schuldgevoel te sussen door een leven met een gezin en liefde en toewijding. Ik heb Rose' vader gelukkig gemaakt. Paul houdt van mij en ik van hem. Maar wat heb ik al die jaren nu echt gedaan? Het moment uitstellen waarop ik zal moeten boeten voor wat ik heb gedaan. En intussen de inzet verhogen. Ik had nog steeds in het buitenland kunnen wonen – maar nee, ik moest zo nodig terug-keren naar het dorp. Ik woon niet alleen op de plek waar het alle-maal is gebeurd, maar ik ben ook nog met Rose' vader getrouwd. Ik had mijn lot niet op meer spectaculaire wijze kunnen bezegelen als ik het met opzet zo had gepland.

En Euan. Toen hij me gisteren terugbelde, wist hij al dat Orla in het dorp komt wonen. Meteen nadat ze was thuisgekomen van onze wandeling over het strand, had Monica het hem verteld. Ik vroeg hem waarom Monica zo overstuur was. Was dat vanwege haar va-ders overspel of was er meer aan de hand? Hij wist het niet of wilde er niet over praten, dat weet ik niet, want alleen het woord 'over-spel' bracht ons al te dicht bij wat we opnieuw zijn begonnen. Hij vroeg me wanneer ik weer kwam werken. Ik zei dat ik vond dat we beter niet meer samen konden zijn. Ik vertelde hem dat we ons geen herhaling van maandag konden veroorloven. Hij zei: natuurlijk niet. Dat wist hij ook wel. Maar we moesten het over Orla hebben. Ik vertelde hem dat Paul en Ed een weekendje gaan vissen en dat de meisjes en ik naar Edinburgh gaan. Dan heeft hij dus de zondag om Orla te ontmoeten. En haar om te kopen. Haar om te praten? Laat dat maar aan mij over, zei hij, en toen hingen we allebei op.

Wanneer de picknick geregeld is, ga ik weer naar bed, draai me om naar Paul en krul mezelf tegen zijn rug aan. Hij wordt niet wak-ker, maar zijn lichaam past zich aan aan het mijne. Ik doe mijn ogen dicht en hoop op vergetelheid, maar in plaats daarvan zie ik Angeline, met haar krachtige mengeling van charme en sensualiteit, waar mannen op afkomen als nachtvlinders op een vlammetje. Haar losbandige verleiding van Monica's vader, de verstrekkende gevolgen: een meisje zonder haar papa, een vrouw zonder haar man.

Ik pak Paul wat steviger vast en verdrijf alle gedachten aan parallellen. Over twee uur moet ik opstaan en de dag beginnen en wanneer ik eindelijk indommel, slaap ik heel onrustig. Ik word wakker wanneer Paul uit bed stapt.

'Ik dacht dat we wel voor elven naar het kerkhof kunnen gaan, Grace.'

'Geen probleem.' Ik zet mijn voeten op de grond. 'Dan zal ik eerst het ontbijt klaarmaken.'

Het is een warme dag en de hemel is onbewolkt en helder. We ontbijten met ons allen en na afloop stappen we allemaal in de auto. Ed zit rechtovereind tussen de meisjes in. Sinds een paar dagen gaat hij me een beetje uit de weg. Elke keer wanneer ik naar hem kijk, wendt hij zijn blik af. Ik weet niet of het iets met de alzheimer te maken heeft. Ik heb geprobeerd er met hem over te praten, maar toen ik hem vroeg wat er aan de hand was, wierp hij me een vernietigende blik toe en zei: 'Als je dat niet weet, ben ik niet degene om het je te vertellen.'

We verzamelen ons voor Rose' graf. Paul, de meisjes en ik gaan op het gras zitten. Ed zit druk in het kleine perkje voor haar grafsteen te graven en zet wat nieuwe perkplantjes in de omgewoelde aarde. De emoties gieren door mijn lijf als een storm op zee. Het graf herinnert me eraan dat mijn hele leven om Rose draait en dat het er nu werkelijk op aankomt datgene wat al die jaren geleden is gebeurd geheim te houden.

'Mama!' zegt Daisy. 'Je zit te slapen. Is alles in orde?'

Paul zit naar me te kijken. Iedereen zit naar me te kijken. 'Ja, hoor.' Ik breng een glimlach op mijn lippen. 'Het spijt me, wat zei je?'

'Hoe komt het eigenlijk dat jullie zijn getrouwd?' zegt Daisy. 'Dat heb je ons nog nooit verteld.'

'We hebben elkaar een paar maanden na de dood van Rose ontmoet in La Farola,' zegt Paul. 'Hoewel het toen nog geen La Farola heette. Toen heette het Donnie's Bites.'

'Donnie's Bites? Dat klinkt als een vette hap.'

'Nee, het was best goed, hè lieveling?' Hij kijkt me aan en ik knik.

'Donnie was eigenlijk wel een echte fijnproever,' zeg ik.

'Donnie was zijn tijd ver vooruit,' vervolgt Paul. 'Als echte door de wol geverfde Schot had hij al cordon bleus op de kaart staan. Voor Donnie geen haggis of patatjes. Als ik het me goed herinner had hij een Italiaanse schoonmoeder.'

'Die stond achter in de keuken met een zwarte sjaal om haar hoofd,' zeg ik. 'En het enige Engels dat ik haar ooit heb horen zeggen was "luie meid die je bent" of "luie jongen die je bent".'

'Jullie moeder was serveerster. Ze droeg een schattig uniformpje waaronder haar benen heel goed uitkwamen.'

'Heb je dat nog, mam?' vraagt Daisy. 'Dat is leuk voor een gekostumeerd feest.'

'Het zal nog wel ergens op zolder liggen.'

'Ik ben binnenkort jarig,' zegt Paul. 'Misschien leuk als speciale verrassing?'

Ik begin te lachen en Ella trekt een vies gezicht. 'Alsjeblieft!'

'En?' zegt Daisy, terwijl ze aan Pauls knie schudt. 'Ging je daar vaak eten?'

'Ik had thuis niemand die op me wachtte. En zoals je weet ben ik geen geweldige kok.'

'Dat hoef je mij niet te vertellen,' zegt Daisy.

'Ik kwam er een paar keer per week. We raakten aan de praat.' Hij kijkt me glimlachend aan. 'We ontdekten dat we veel met elkaar gemeen hadden. We begonnen samen te squashen en we maakten lange wandelingen. Je moeder nam dan altijd haar schetsboek mee en ik mijn fototoestel.'

'Geen al te spannende verkeringstijd dus?' zegt Ella. We negeren haar.

'En vonden opa en oma het wel goed dat jij al zo jong ging trouwen, mam?'

'Er was niet veel overredingskracht nodig om hun toestemming te krijgen.' Paul kijkt me aan. 'Toen ze eenmaal zagen hoeveel we van elkaar hielden' – hij buigt zich naar voren en kust mijn lippen – 'smolten al hun bezwaren weg als sneeuw voor de zon.'

'Kunnen jullie dat kleffe gedoe niet achterwege laten?' vraagt Ella. Ze plukt de blaadjes van een boterbloempje. 'En moeten we trouwens niet over Rose praten?'

'Ik herinner me Rose nog heel goed,' zegt Ed, zich op zijn knieën omdraaiend. 'Ze had haar eigen setje tuingereedschap en dat spoelde ze af met de tuinslang zodat ze het 's avonds mee naar haar slaapkamertje kon nemen. Ze vond het heerlijk om me te helpen in de tuin.'

Terwijl Paul het verhaal overneemt sta ik op om mijn benen te strekken. Het pad dat voor me ligt loopt helemaal door tot waar het land afloopt naar zee. De kerk staat de andere kant op. De stenen zijn verweerd en hij staat al meer dan tweehonderd jaar op deze heuvel strijd te leveren met de elementen. Het is de kerk waarin ik ben getrouwd en in gedachten zie ik Paul nog voor het altaar staan en hoe hij zich omdraaide om mijn hand te pakken en me gedurende de hele plechtigheid in de ogen bleef kijken. Ik hield toen zo verschrikkelijk veel van hem, zo absoluut en onvoorwaardelijk. En ik houd nog steeds van hem. Maar het is niet meer hetzelfde. En ik ben degene die het heeft verpest, niet hij. Toen Euan weer in mijn leven kwam, werd een deel van mij herboren. Ik kan het mezelf niet eens uitleggen, maar hij geeft me iets, een gevoel, een liefde, een bevestiging waar ik bijna niet zonder kan. Hoe kan ik van twee mannen tegelijk houden?

Wanneer ik me omdraai om terug te wandelen naar mijn gezin, zie ik dat er nog iemand op het kerkhof is – een vrouw. De manier waarop ze staat, de stand van haar hoofd, voert me met een schok terug naar het verleden. Angeline. De vakantie die we in Le Touquet doorbrachten toen Orla en ik veertien waren; Orla die haar ergernis onderdrukte wanneer haar moeder met mannen zat te babbelen en vervolgens zonder iets te zeggen dagen achtereen verdween.

Maar deze vrouw kan Angeline niet zijn – ze is te jong. Ze draagt een rode driekwartbroek en een witte blouse. Haar haar is steil en ligt losjes rond haar schouders – daarom herken ik haar niet onmiddellijk. Nu haar jukbeenderen niet meer worden verzacht door krullen, lijkt haar gezicht hoekiger. Naarmate ik dichterbij kom zie ik dat ze niet alleen de simpele kleren heeft geloosd, maar dat ze make-up draagt. Haar oogleden zijn grijs, haar wimpers lang en gekruld van de zwarte mascara. Daisy en Ella bewonderen samen haar schoenen en zij houdt zich vast aan Pauls arm terwijl ze ze uittrekt. Ella trekt ze meteen aan en begint erop heen en weer te paraderen.

'Ze staan je fantastisch!' roept Orla uit. 'Ik kan je wel vertellen waar ik ze heb gekocht.' Ze klapt in haar handen. 'Nee, ik weet nog iets beters! Waarom gaan we niet een keertje samen winkelen? Nu ik hier toch weer kom wonen, kunnen jullie moeder en ik vriendinnen zijn en dan kan ik jullie…'

'Surrogaattante worden?' zegt Ella, terwijl ze de schoenen aan Daisy geeft.

'Precies!'

'Mam?' Daisy ziet dat ik naar hen sta te kijken. 'Wat denk jij?' Ze komt naar me toe. 'Ze zou met ons mee kunnen naar…'

'Orla! Wat een verrassing,' zeg ik, Daisy in de rede vallend voordat ze over ons winkeluitje van zondag begint. 'Weer terug in het dorp.'

'Waar anders?' Ze draait met gespreide armen en haar ogen dicht een rondje. 'Ik zou niet weten waar ik liever zou zijn.'

'Zo dachten wij er ook over toen we terugkwamen.' Paul kijkt me aan. 'Toen we pas getrouwd waren hebben we in Boston gewoond, hè, Grace?'

'Ja.' Ik klem mijn lippen stijf op elkaar, kokend van woede, en tegelijkertijd ijskoud van een soort staalharde, geconcentreerde razernij die ik nooit eerder heb gevoeld. De gevoelens wisselen elkaar bij elke ademtocht af.

Wanneer Orla haar armen uitstrekt en me omhelst, strijkt ze met haar vingers mijn haar opzij en fluistert: 'Rustig maar! Ik zal het hem niet vertellen. Nog niet.'

Ik blijf doodstil staan en weet mezelf er nog net van te weerhouden haar weg te duwen.

'Een picknick!' roept ze uit. 'Wat leuk! Is dit een bijzondere dag?'

'Het is Rose' sterfdag,' zegt Paul.

'Natuurlijk. Neem me niet kwalijk.' Ze legt een hand op Pauls onderarm. 'Wat dom van me.' Ze kijkt ons ernstig aan. 'Ik stoor jullie.'

'Helemaal niet,' zegt Paul. 'We wilden net naar het strand wandelen voor onze picknick. Waarom ga je niet mee?'

'Dat kan ik onmogelijk doen. Ik weet zeker dat Grace heerlijk kookt' – ze werpt mij een bewonderende blik toe – 'maar ik wil jullie werkelijk niet storen.'

'Je stoort ons helemaal niet,' zegt Paul, mij aankijkend voor bevestiging. 'Grace heeft meer dan genoeg ingepakt, nietwaar, lieveling?'

'Ik denk dat Orla het erg druk heeft met verhuizen,' zeg ik. 'Een andere keer misschien.'

'Grace heeft gelijk. Er moet nog heel wat aan het huisje gebeuren voordat ik me er echt thuis zal kunnen voelen.' Ze zucht opgewekt. 'Maar het duurt nog wel even voordat ik ga verhuizen, dus ik heb alle tijd van de wereld.'

Ik reageer niet. Ze legt het er wel heel erg dik bovenop en alles wat ze zegt is bedoeld om mij nog banger te maken. Maar het mist zijn uitwerking. Ik voel me eigenaardig sterk, alsof ik alles aankan, en iedereen.

'Rose was zo'n heerlijk kind,' zegt ze, Paul aankijkend. 'Grace en ik genoten ervan om tijdens het kamp op haar te passen, hè Grace?'

Ik zeg niets.

'Weet je nog hoe dol ze was op dat liedje dat we allemaal zongen? Hoe ging dat ook weer?' Ze doet net of ze diep nadenkt. 'Het was een volksliedje. Ze wilde graag gitaar leren spelen.'

'Dat wist ik niet.' Paul kijkt me vragend aan.

'Dat was ik vergeten,' zeg ik, hoewel ik heel goed weet dat Orla liegt, maar ik verdom het om haar tegen te spreken en de weg vrij te maken voor nog meer spelletjes. Ed en de meisjes beginnen al naar het strand te lopen en ik volg hen met mijn ogen.

'Ja, we moeten ervandoor,' zegt Paul, terwijl hij de picknickmand oppakt. 'Heb je het nog over zondag gehad, Grace?'

'Nog niet, maar dat zal ik nu doen.' Ik haak mijn arm door die van Orla. 'Ik loop even met je mee naar het hek,' zeg ik, haar alleen een paar ogenblikken de tijd gevend om afscheid te nemen alvorens haar mee de heuvel op te nemen, weg van het strand. Mijn dwang verrast haar en ik weet haar buiten gehoorsafstand van mijn familie te krijgen voordat ze zich losrukt.

'Wil je me nu dan eens loslaten?' Ze kijkt me woedend aan.

'Over zondag,' zeg ik, vastbesloten dat de afspraak moet blijven staan, zodat ze Euan zal treffen, in plaats van Paul en mij. 'We vroegen ons af of we nog rekening moeten houden met dingen die je wel of niet eet: vegetarisch, veganistisch, notenallergie. Van die dingen.'

'O ja?' Ze slaat haar armen over elkaar.

'Ja.' Ik ga net zo staan als zij. 'Nou?'

'Nee. Maar ik vind het vreemd.' Ze tikt met haar voet op de grond. 'Je wist opeens niet hoe snel je me weg moest krijgen. Verzwijg je soms iets voor me?'

Ze lijkt mijn gedachten weer eens te lezen. Ik glimlach, ondanks mijn ergernis. 'Al die onzin zo-even – we zongen helemaal geen volksliedjes tijdens het kamp.'

'Nee, maar het klonk wel goed. En het maakte Paul blij. Dat doe jij toch ook? Paul blij maken met leugens?'

'Ik heb nooit tegen hem gelogen.'

'Zelfs niet door dingen te verzwijgen?' Ze houdt haar hoofd een beetje schuin en haar haar glijdt over haar schouders. 'De klok tikt door, Grace.'

'Is het je soms om geld te doen?'

'Denk je nu heus dat ik dit voor het geld doe?' Ze lacht spottend.

'Waarom dan wel? Om een paar brieven die ik niet heb gelezen?'

Ze geeft geen antwoord.

Ik probeer het meest voor de hand liggende. 'Een schuldig geweten?'

Ze begint te lachen. Het is een kakelend geluid dat op mijn zenuwen werkt. 'Ik word niet gedreven door schuldgevoelens. Ik heb haar niet geduwd. Dat heb jij gedaan.'

'Waarom dan, Orla?' Ik kijk haar recht in de ogen. 'Waarom doe je dit?'

Ze denkt even na. 'Omdat ik het kan.' Ze kijkt over mijn schouder, naar het strand. 'In de gevangenis heb ik veel tijd gehad om na te denken. Een van de eerste dingen die ik heb gedaan toen ik vrijkwam was naar het dorp komen – één keer maar – om te kijken hoe het jou was vergaan. Ik zag jou en Euan over het strand lopen. En jullie zagen er zo' – met een angstwekkende, bijna maniakale blik op haar gezicht zoekt ze naar het goede woord – 'zo verdomd gelukkig uit.'

Ik doe een stap naar achteren. 'Gaat dit om mij en Euan?'

Ze geeft geen antwoord. Ik kijk haar aan. Ze wil iets zeggen, maar stopt en bijt op haar onderlip. Haar ogen zijn zwart en peilloos diep. Haar gedachten zijn heel ergens anders. Ik zie dat er een herinnering door haar gedachten speelt. Ik weet dat dit het moment is. Als ze nu geen open kaart met me speelt, zal ze het nooit meer doen.

'Zal ik je eens wat vertellen?' Ze kijkt mij weer aan. 'Ik hoop dat Paul je op straat zet wanneer hij de waarheid hoort. Ik hoop dat je dochters je nooit meer willen zien. Ik hoop dat iedereen je met de nek zal aankijken.' Er verschijnen rode vlekken op haar wangen. 'En ik hoop dat de wroeging net zo lang aan je zal vreten tot er niets meer van je over is.'

Haar vijandigheid is tastbaar, maar het kost me nog steeds geen moeite om door te blijven ademen. 'Haat je me zo erg?'

'Ik haat je niet. Ik minacht je.' Ik voel haar speeksel in mijn gezicht. 'Jij bent voor mij niets anders dan een pion.'

Ik veeg met de rug van mijn hand mijn wang af en houd mijn kin op mijn borst terwijl er een diepe woede in me opkomt, die echter meteen weer wegzakt en ergens diep vanbinnen blijft nagloeien. 'Ik heb nooit eerder gezien wat een rancuneuze, wraakgierige onruststoker jij eigenlijk bent. En altijd bent geweest.' Ik kijk naar haar op. 'Je moet hier nu onmiddellijk mee ophouden, voordat dit uit de hand loopt.'

'Is dat een dreigement?'

'Het is eerder een waarschuwing.'

'Ga je Euan soms op me af sturen?' vraagt ze op vernietigende toon en ik vraag me af hoe het toch kan dat ze er altijd in slaagt onze volgende zet te voorzien. 'Gaat hij soms eens rustig met me praten? En als dat niet lukt, gaat hij me dan op een minder vriendelijke manier proberen te overreden?' Haar ogen glinsteren. 'Ik weet het al! Waarom vermoordt hij me niet meteen?' fluistert ze.

'Ik wil niet dat je doodgaat,' zeg ik op effen toon. 'Ik wil dat je weggaat.'

'Euan is er altijd goed in geweest om te doen wat er moet gebeuren, nietwaar?' Ze loopt om me heen en buigt zich tijdens het praten naar me toe. 'Jij kunt me vasthouden en dan kan Euan het doen. Dan heeft hij eens een keer vuilere handen dan jij. Jij hebt al die jaren met één dode geleefd. Dus waarom geen tweede? Ik zal me niet verzetten.' Ze steekt twee vingers in de lucht. 'Dat beloof ik.' Dan loopt ze lachend weg, kijkt nog even naar me om en werpt me een theatrale kushand toe.

November 1983

'Dit is een belangrijk jaar voor jullie allemaal. Nu wordt het erop of eronder. Tijd om het koren van het kaf te scheiden.'

We zitten in de aula. We zijn vijftien. Bijna zestien. De rector is al een kwartier aan het woord. De drang om te gaan zitten draaien en klieren is bijna overweldigend, maar twee van de leraren zitten met arendsogen te kijken en noteren de namen van iedereen die in lijkt te zakken of wiens aandacht verslapt.

'Hard werken is van het allergrootste belang. Niet te laat in de les komen. Huiswerk op tijd inleveren. Heeft iedereen dat goed begrepen?' Niemand geeft antwoord. 'Mooi zo,' zegt hij. 'En dan nu aan de slag.'

We lopen in lange rijen zwijgend door de gangen. Aan de linkerkant. Niet rennen. Stropdassen recht, knoopjes van onze blazers dicht. Vulpennen. Goniometrische tabellen. De constante van Avogadro. Ik moet een pauze binnenblijven omdat ik mijn Franse woordjes niet heb geleerd en de scheikundeleraar vindt mijn huiswerk 'het nakijken niet eens waard'.

De bel voor het einde van de laatste les kan niet snel genoeg gaan. Orla en ik zitten samen in de bus. Het is een rit van twintig minuten naar het dorp en we praten over de schooldisco die binnenkort wordt georganiseerd; wat we aan zullen trekken, met wie we gaan dansen, of het zal lukken om wodka binnen te smokkelen. Halverwege de rit moet de buschauffeur stoppen omdat de jongens achterin zitten te roken. Hij leest ze stevig de les, waarbij hij als een generaal door het gangpad heen en weer marcheert en met allerlei straffen dreigt waarvan we weten dat hij ze toch niet kan uitvoeren, en rijdt dan verder naar het dorpsgebouw, waar we allemaal uitstappen. Orla en ik gaan allebei een andere kant op. Ik beloof haar straks te bellen en begin dan te rennen om Euan in te halen. Hij loopt heuvelopwaarts in de richting van onze huizen en laat intussen zijn vingerkootjes kraken, een voor een, eerst de linkerhand en dan de rechter. Het is iets wat hij doet wanneer hij ergens mee zit.

'Onze moeders zijn vandaag naar Edinburgh voor de kerstinkopen.' Hij stapt stevig door en ik loop te hijgen. 'Ik hoop dat ik een nieuwe platenspeler krijg. En jij?'

Hij geeft geen antwoord. Zijn gezicht staat ernstig, behoedzaam, alsof hij ergens aan loopt te denken en ik niet mag weten wat het is. Hij laat nog steeds zijn vingers kraken en het geluid werkt op mijn zenuwen. Ik pak zijn handen.

'Macintosh!' brult een stem achter ons.

Ik kijk om. Het is Shugs McGovern, de jongen voor wie iedereen bang is. 'Niet omkijken, Euan,' zeg ik.

Euan trekt zijn handen los en draait zich om. Blijft staan. Wacht. Ik wacht ook. Shugs haalt ons in. Zijn gezicht zit onder de acne. Sommige puisten zijn heel groot, rood en vurig en staan strak van de pus. 'Ik neem je te grazen, Macintosh.' Hij laat zijn wijsvinger dwars over zijn eigen keel glijden en wijst dan op Euan. 'Na voetbal.' En dan loopt hij terug naar het dorpsgebouw, waar een stuk of vijf jongens op hem staan te wachten.

De angst slaat me om het hart. Euan perst zijn lippen op elkaar, alsof hij elk moment over zijn nek kan gaan. Ik pak zijn arm. Hij schudt mij af. 'Ik ga het tegen jouw vader en mijn vader zeggen en dan gaan ze naar de politie,' zeg ik haastig.

'Als je het maar laat!' Hij kijkt me woest aan. 'Dat maakt het alleen maar erger.'

'Je kunt niet tegen hem vechten!' sis ik. 'Hij is een rotzak. Hij vermoordt je.'

'Laat nou maar.' Hij prikt een vinger in mijn richting. 'Waag het niet om het iemand te vertellen. Ik wist dat het ging gebeuren en ik weet wat me te doen staat.'

'Wat?' Ik duw hem tegen een heg. Ik ben doodsbang. Mijn wangen gloeien en ik weet dat ik op het punt sta in tranen uit te barsten. 'Je kunt niets tegen hem beginnen. Hij weet niet van ophouden. Hij slaat je het ziekenhuis in.'

'Ik zorg wel dat ik hem voor ben.'

'Maar, Euan…' Ik pak de revers van zijn blazer en leun tegen hem aan. Hij ruikt naar schoolbanken en sigaretten en dat eigen speciale luchtje van hem dat al zolang ik me kan herinneren een bron van troost voor me is. 'Ik wil niet dat hij je pijn doet.' Mijn stem klinkt gesmoord. Ik droog mijn tranen af aan zijn overhemd.

'Het is nu eenmaal niet anders. Als ik het nu niet doe, moet ik het volgende maand doen, of over een jaar. Dan heb ik het maar liever achter de rug.' Hij slaat een arm om me heen en zo lopen we het laatste stukje naar huis, dicht tegen elkaar aan. Wanneer we bij zijn tuinhekje komen, laat hij me los en sta ik even te aarzelen.

'Ik ga met je mee.'

'Nee. Dat wil ik niet hebben.' Hij wrijft over mijn handen. 'Dan raak jij er straks ook nog bij betrokken. Ik red me wel.' Hij loopt het paadje op naar zijn voordeur en roept achterom: 'Maar het is lief dat je het je zo aantrekt.' Dan gaat hij glimlachend naar binnen.

Ik ben ervan overtuigd dat het de laatste keer is dat ik hem ooit nog zal zien lachen. Ik weet zeker dat hij straks met hersenletsel in coma zal liggen, of in een rolstoel zal belanden, of dat minstens al zijn tanden uit zijn mond zullen worden geslagen. Shugs staat bekend om zijn gewelddadigheid. Als hij geen kleine dieren martelt, loopt hij wel ruzie te zoeken. Hij komt regelmatig in aanraking met de politie, pas nog omdat hij een jongen een gebroken sleutelbeen heeft bezorgd. En vorig jaar is hij van school gestuurd wegens het verkopen van drugs en heeft hij twee maanden in Edinburgh doorgebracht, in wat mijn moeder eufemistisch 'het tehuis voor stoute jongens' noemt. Sinds hij terug is, is hij al bezig oude rekeningen te vereffenen – hij denkt dat Euan hem heeft verlinkt – en wanneer Shugs je uitdaagt voor een gevecht, is weigeren geen optie.

Het voetballen begint om zeven uur. Om kwart voor zeven sta ik voor mijn slaapkamerraam en zie Euan weggaan, een eenzame figuur, sporttas over zijn schouder, helemaal alleen de heuvel af. Ik ben niet goed in bidden, maar zit de rest van de avond op mijn knieën God te smeken op hem te passen.

Om negen uur houd ik het bijna niet meer en wanneer er wordt aangebeld, storm ik de trap af en loop bijna mijn moeder omver. Het is Euan. Ik loop naar buiten, laat mijn blik over zijn lichaam glijden en zie dat alles nog heel is. Voor alle zekerheid voel ik zelfs aan zijn gezicht en armen en bovenlichaam.

'Ik zou vaker een robbertje moeten vechten,' zegt hij lachend.

Ik sla mijn armen om hem heen en zijn gezicht vertrekt niet eens. 'Wat is er gebeurd?' Ik kijk hem verbaasd aan. 'Je bent helemaal niet gewond!'

'Zoals ik al zei, ik heb gezorgd dat ik hem voor was.'

'Hoe dan?'

'Toen hij zich bukte om zijn laarzen dicht te maken, stootte ik mijn knie midden in zijn gezicht. Eén stoot. Keihard. Ik voelde zijn neus breken. Het was hij of ik en ik wilde het niet zijn. Zin in een ijsje?'

'Voelde je zijn neus breken?' vraag ik vol afschuw. 'Shit, Euan.'

'Ik heb gedaan wat ik moest doen,' zegt hij. 'Soms is het gewoon niet anders.'

Ik pak mijn jas en we lopen gearmd naar het dorp. Callum is er al en loopt iedereen te vertellen wat er is gebeurd. Zo te horen is Shugs zwaargewond, maar Euan heeft, zoals dat bij jongens gaat, zijn respect verdiend, zodat er geen represailles zullen volgen.

Ik ben trots op Euan, maar tegelijkertijd zie ik dat hij een kant heeft die ik niet ken, een meedogenloze kant die mij helemaal vreemd is.

Wanneer we weer naar huis lopen, zegt hij: 'Je was echt bezorgd om me.'

'Ik was doodsbang. Je bent als een broer voor me.'

'Een broer?'

'Geen echte broer natuurlijk,' krabbel ik terug. 'Maar wel meer dan zomaar een vriend.'

'In dat geval' – hij doet opeens net alsof hij heel verlegen is – 'mag je me wel kussen als je wilt.'

Het is inmiddels aardedonker; er staan geen sterren aan de hemel en de maan is maar een heel dun sikkeltje. Ik weet eigenlijk niet of ik hem wel wil kussen. Ik ben de hele avond gek van bezorgdheid geweest, maar ik ben geschrokken van zijn verhaal over het gevecht. Dit is niet de Euan die ik ken. Niet dat ik vind dat hij het niet had mogen doen. Ik vind alleen dat hij het ook anders had kunnen oplossen, zonder geweld. Ik wilde niet dat hij gewond zou raken, maar ook niet dat hij een ander zou verwonden.

Maar ik kus hem toch, omdat hij moedig is geweest en omdat hij blij is en omdat ik denk dat hij, als ik hem niet kus, een ander meisje zal zoeken dat het wel doet. En dat wil ik niet.

13

Het is donderdag. Het is een week geleden sinds ik Orla in Edinburgh heb ontmoet. En hoewel het al drie uur 's middags is, ben ik nog niet wezen werken. Ik ben de hele dag met van alles en nog wat bezig geweest. Mijn mobieltje staat uit – ik probeer Euan nog steeds te ontwijken – en ik heb mijn tijd goed besteed. Ik heb Murphy uitgelaten en over het verleden en het heden lopen nadenken in een poging verband te leggen tussen wat toen is gebeurd en wat er nu gebeurt. Maar ik heb meer informatie nodig en ik weet maar één manier om daaraan te komen.

Ik roep Murphy en we lopen terug naar de auto. Hij gaat op zijn dekentje liggen slapen en ik rijd over de kustweg terug naar het dorp. Het huisje dat Orla heeft gehuurd staat op de landtong die uitkijkt over de Noordzee. Ik stop op enige afstand van de meest voor de hand liggende parkeerplek en zie dat Orla's auto er niet staat. Mooi zo. Ik aai Murphy even over zijn kop, sluit de auto af en loop de honderd meter over het gras naar de voordeur.

Van buitenaf ziet het huis eruit alsof het jarenlang zwaar verwaarloosd is. De stenen hebben het zwaar te verduren gehad van de wind en het opspattende zoute zeewater en zijn op de hoeken en onder de ramen lelijk aan het afbrokkelen. Hier en daar zijn wat dakpannen omlaag gezakt en sommige liggen in scherven op de grond. De tuin is overwoekerd met zuring en netels en stug, bijna kniehoog gras. De deurklopper hangt nog aan één schroef. Ik houd de bovenkant vast en laat de onderkant een paar keer hard op de deur neerkomen. Er wordt niet opengedaan. Voor alle zekerheid probeer ik het nog een keer en dan houd ik mijn handen aan weerskanten van mijn gezicht en tuur door het vuile raam naar binnen. Ik zie niemand.

Ik heb nog nooit ergens ingebroken. Ik zou niet weten hoe ik zoiets moest aanpakken. Ik stel me zo voor dat ik er, als ik geen ruit in wil slaan of met een bijl de deur wil openbreken, stukjes ijzerdraad voor nodig zou hebben om mee in sleutelgaten te wroeten, of pasjes die moeiteloos in de ruimte tussen de deur zelf en de deurlijst door glijden en het slot vanzelf open laten springen. Maar ik hoef het gelukkig niet uit te proberen, want de sleutel ligt op net zo'n plekje als waar Orla's moeder hem altijd achterliet toen wij klein waren: onder een vrij grote steen naast de voordeur.

Ik steek hem in het slot, kijk intussen snel even over mijn schouder en ga naar binnen. Binnen is het al net zo verwaarloosd en naargeestig als de buitenkant doet vermoeden. Er hangt een muffe, vochtige stank, alsof het huis al jaren niet is gelucht of schoongemaakt. In de gang komt het behang van de muren en er lopen bruine strepen van lekkages over het plafond en langs een van de muren. De gordijnen in de woonkamer hangen aan nog maar een paar haakjes; het tapijt is versleten en ligt vol dierenharen. De haard is bedekt met stof en roet en ziet eruit alsof hij al jaren niet meer heeft gebrand. Hij is van gietijzer en aan weerskanten van het voetstuk zitten twee bijzonder kindonvriendelijke punten.

Er is geen enkele poging gedaan om het een beetje in te richten. Er hangen geen schilderijen of foto's en er liggen geen persoonlijke spulletjes op de schoorsteenmantel of op de eettafel, geen sleutels en geen tijdschriften. Niets. Het enige teken dat er onlangs nog iemand is geweest zijn twee lege whiskyflessen en de restanten van een afhaalmaaltijd.

Ik loop de woonkamer uit en ga de keuken binnen. De ouderwetse stenen gootsteen zit vol theeaanslag en het fornuis is bedekt met een dikke laag vet. Ik blijf er niet langer dan nodig is – Orla kan elk moment terugkomen. Ik werp een vluchtige blik in de badkamer en open dan de deur naar de laatste kamer: de slaapkamer. Wat ik zie doet mijn adem stokken. Ik knipper een paar keer met mijn ogen en moet mezelf eraan herinneren dat ik me dit niet inbeeld. Ik doe zelfs de deur weer dicht en opnieuw open, in de verwachting iets anders te zullen zien, maar dat is niet zo. Orla heeft haar hele tienerkamer gereconstrueerd. De sprei is van een zachtblauwe stof met een geel bloemenpatroon waarvan ik me nog goed kan herinneren dat we hem in een catalogus voor haar hebben uitgezocht. Hetzelfde geldt voor haar pantoffels. Haar nachtkastje is hetzelfde solide eiken geval met drie laden en ook de kast en zelfs het bed zijn dezelfde die ze als tiener had, met stickers die er kriskras op zijn geplakt en haar sieraden die aan een haakje aan de rand hangen.

Wanneer ik de kamer binnenloop, heb ik het gevoel dat ik terugga in de tijd. Ik durf amper adem te halen. De posters zijn dezelfde die ze destijds aan haar muren had hangen: Tears for Fears, Guns N' Roses en nog meer. We schreven en tekenden altijd langs de randen: opmerkingen, boodschappen en hartjes met pijlen erdoor. Ik herken mijn eigen handschrift: Heb je gezien in *Top of the Pops*! Je zag er geweldig uit, Morten! Geschreven met een rode viltstift langs de zijkant van de a-ha-poster.

Mijn benen voelen slap en ik laat me op het bed zakken. Ik kan bijna niet geloven dat ze al deze spullen heeft bewaard. Na vierentwintig jaar heeft ze nog hetzelfde bed, het kastje, zelfs de sneeuwbol die ze toen ze twaalf was tegen de achterkant van de garderobekast heeft gesmeten. Ik pak hem op en schud hem heen en weer om de sneeuw over de Eiffeltoren te zien vallen.

Het is doodstil in huis, eng stil. Het voelt griezelig om hier tussen al die herinneringen te zitten: griezelig en gevaarlijk, alsof ik door hier te zitten rampspoed over mezelf afroep. Mijn nekharen prikken en ik kijk telkens om om te zien of er niemand achter me staat. Ik sta op met de bedoeling weg te gaan, maar mijn hak blijft haken achter het handvat van een koffer en trekt hem een stukje onder het bed vandaan. Ik buk me om erin te kijken. Heel even maar. Meer niet. Ik maak hem open.

Er zitten geen kleren in of vuile was. Er zit een grote en kostbare digitale camera in met een forse zoomlens. Daarnaast ligt een stapeltje van een stuk of vijf, zes gele enveloppen van A4-formaat. Ik aarzel geen moment. Ik kijk in de eerste. Die bevat een stapeltje, ongeveer zo dik als een pocketboek, bankbiljetten van twintig pond. Ik stop het terug en kijk in de tweede envelop. Drie gloednieuwe, in cellofaan verpakte injectiespuiten met naalden en een klein pakje bruinachtig poeder. Ik denk aan wat Angeline heeft gezegd over Orla en haar drugsverslaving. Heroïne? Ik heb geen idee. Ik zou niet weten hoe dat eruitziet. In de derde envelop zitten foto's. Ik laat ze op de vloer glijden en spreid ze met mijn handen uit. Ik zie mezelf en Paul, Euan, Ella en Daisy; Euan en ik met de honden, Paul voor de universiteit, Ella en Daisy die uit school komen en lachend de straat oversteken.

Ik weet dat Orla een paar maanden geleden in het dorp is geweest, maar om dit zo te zien… En Paul en mijn meisjes… Ik word misselijk en druk mijn hand tegen mijn maag tot het gevoel wegtrekt. Dit is nog veel erger dan ik dacht. Dit is geen kwestie van zomaar iemand een kwaad hart toedragen, een plotselinge drang om herrie te gaan trappen, dit is een langdurige obsessie, die in geen enkel opzicht normaal te noemen is. Ze heeft in het diepste geheim plannen gemaakt en informatie verzameld.

Ik hoor een klapperend geluid en besef dat het mijn eigen tanden zijn. Ik ben ijskoud vanbinnen, maar nu ik eenmaal ben begonnen met rondneuzen, wil ik niet meer ophouden. Ik gooi de volgende envelop leeg op de vloer. Krantenknipsels. Ik raap er een op. Het is afkomstig uit een Canadese krant van zeven jaar geleden. Het artikel is in het Frans geschreven. Ik begrijp niet elk woord, maar het komt erop neer dat er een man is gearresteerd voor de moord op een andere man. De naam van de vermoorde man is Patrick Vornier. Ik zoek Orla's naam en zie hem ergens halverwege staan. Zij is de echtgenote van de dode man. Ik heb Angeline dus inderdaad verkeerd verstaan en gedacht dat ze Fournier zei, terwijl ze Vornier heeft gezegd, vandaar dat Euan op internet niets over Orla's misdrijf heeft kunnen vinden. Wanneer ik verder lees, zie ik dat ze is gearresteerd als een *complice de meurtre* – medeplichtige aan moord.

Wanneer ik de volgende zin probeer te vertalen, zie ik opeens een schaduw langs het raam schieten. Ik verstijf en begin onmiddellijk alles terug te leggen waar ik het heb gevonden, behalve de twee krantenknipsels, die ik in mijn zak stop. Dan spring ik overeind en kijk naar buiten. Ik zie niemand. Ik kijk van links naar rechts en ga op mijn tenen staan, maar ik zie niets anders dan het glooiende grasland dat langzaam afloopt naar de zee. Gerustgesteld wil ik me omdraaien, maar net op dat moment verschijnt er een gezicht, dat het kleine raampje vult met een starende blik. Ik slaak een gil. Het is een man. Hij grijnst; ik niet. Hij mist twee voortanden en de andere zijn rot en staan schots en scheef. Zijn schedel is kaalgeschoren en langs het randje van zijn linkeroor draagt hij een hele rij oorringetjes. Het is Shugs McGovern en hij ziet er nog net zo dreigend uit als toen we tieners waren.

Ik ren het huis door en probeer als eerste de voordeur te bereiken. Ik haal het niet.

'Alles kits, Grace?' We treffen elkaar in de gang. Hij komt binnen en trekt de deur achter zich dicht. Zijn stem klinkt schor en hij heeft een tic in zijn rechterooglid. 'Zoek je iemand?'

'Orla.'

'Is dat nog steeds een vriendin van je?'

'Niet echt,' zeg ik, me afvragend wat Shugs het recht geeft hier zomaar binnen te lopen. Als kind had Orla al de pest aan hem en liet ze geen gelegenheid onbenut om hem dat te laten weten. En dan begrijp ik het opeens. 'Jij komt zeker drugs afleveren?' Het is eruit voordat ik er erg in heb.

'Ze heeft me het een en ander over jou verteld.' Hij staat nu heel dichtbij en laat me zijn tanden weer zien. Ik zet een stap naar achteren. 'Jij bent niet het preutse kleine vrouwtje dat je pretendeert te zijn, hè?'

Mijn maag draait om. Ik probeer een beetje vaag en onbezorgd te glimlachen. 'Ik ga weer eens.' Ik loop doelbewust naar de deur, maar hij blijft tussen mij en de enige uitweg in staan.

'Waar ga je naartoe?'

'Ik moet nu echt naar huis.' Ik blijf staan en probeer mijn stem niet te laten trillen, maar ik denk niet dat ik daarin slaag. 'Paul zal zich wel afvragen waar ik blijf.'

Ik probeer opnieuw langs hem heen te komen, maar hij stoot me aan met zijn schouder en ik val tegen de muur. 'Oeps!' Hij zet grote ogen op, alsof hij zich verontschuldigt en pakt een handvol van mijn haar. 'Nog steeds een natuurlijk blondje?' Tatoeages van slangen kronkelen als touwen om zijn onderarmen en polsen. Zijn vingers zijn, net als zijn hele lichaam, lomp en sterk. Hij laat ze door mijn haar glijden, van mijn hoofdhuid tot aan de haarpunten. Ik houd hem niet tegen. Ik heb geen gevoel meer in mijn armen en benen en in mijn hoofd is het een chaos van angst en lawaai.

'Jij hebt jezelf altijd beter gevonden dan de rest, hè, Grace?' Zijn gezicht is vlak bij het mijne. Hij heeft een gelige beurse plek onder zijn linkeroog. Hij stinkt naar verschaald bier en sigaretten. Ik moet bijna kokhalzen. 'Arrogant kreng.' Met zijn gezicht in mijn nek fluistert hij: 'Hoog tijd om er ook een graantje van mee te pikken. Wat dacht je van een kusje voor Shugsie?'

De gedachte aan zijn mond op de mijne geeft me kracht; mijn knie komt omhoog in zijn kruis en hij klapt kreunend dubbel. Ik steek mijn hand uit naar de deurknop. Hij kijkt naar de grond en grijpt met één hand naar zijn kruis en met de andere naar mij, maar ik ben al buiten en ren zo snel als ik kan de heuvel op. Normaal gesproken ben ik niet zo'n hardloper, maar nu word ik gevoed door adrenaline en walging. Ik kom aan bij mijn auto, leun op de motorkap, blijf even staan uithijgen en kijk achterom naar het huisje. Shugs is me niet gevolgd. Hij staat bij de voordeur en steekt een sigaret op.

Wanneer ik mijn portier wil opentrekken, zie ik dat het raampje is ingeslagen en dat er allemaal glas op de stoelen ligt. 'Shit!' zeg ik hardop en ik kijk nog een keer om naar Shugs, die tegen de muur geleund staat. 'Klootzak,' zeg ik, ditmaal binnensmonds, en dan zie ik een bloedvlek op de vloer. Murphy. Hij zit niet in de auto. 'Lieve god.' Ik kijk naar Shugs en dan naar de weg, in de hoop dat Murphy ergens in de berm loopt, snuffelend naar konijnen en vossen, maar ik zie hem niet en ook al sta ik een paar minuten te roepen en te fluiten, hij laat zich niet zien. 'Wat heb je met mijn hond gedaan?' gil ik naar Shugs, maar mijn stem wordt meegevoerd door de wind en hij geeft geen enkel teken dat hij me heeft gehoord.

Murphy kent deze omgeving goed en kan hiervandaan best de weg naar huis vinden, ware het niet dat hij totaal geen gevoel heeft voor het verkeer. Hij heeft gewoon nooit begrepen dat auto's gevaarlijk zijn. Ik heb al visioenen dat hij ergens bloedend langs de kant van de weg ligt, veeg snel het glas van mijn stoel en start de motor. Ik rijd met een slakkengangetje naar huis en zoek onderweg de trottoirs en de zijstraten af en ook de grasvelden en winkeletalages. De wind waait door het open gat waar het raampje hoort te zitten en ik slik mijn tranen in, blij met de zeelucht die mijn gezicht verkoelt.

Wanneer ik thuiskom, spring ik snel uit de wagen en ren naar binnen om hulp te halen. Maar wanneer ik door de gang naar de achterkant van het huis ren, zie ik Murphy op de keukenvloer liggen. Daisy zit naast hem en Ella zit aan de andere kant. Hij geniet van alle aandacht en wanneer hij mij ziet neemt hij niet eens de moeite om op te staan, maar roffelt alleen een paar keer met zijn staart op de grond. Ik laat me bij hem neervallen en druk mijn gezicht in zijn vacht. 'Je bent thuis!' Hij likt me vriendelijk. 'Wat ben je toch een brave, brave hond!'

'We hebben geprobeerd je te bellen, maar je had je mobieltje niet aanstaan.' Paul komt naar me toe om me te begroeten. 'Was Murphy van je weggelopen? Wat is er gebeurd?'

'Iemand heeft mijn auto opengebroken.' Ik ga op mijn hurken zitten en kijk naar hem op. 'Het raampje was ingeslagen en er lag bloed op de grond. Is hij gewond?'

'Hebben ze je auto opengebroken?' Paul legt zijn hand op mijn voorhoofd. 'Mankeert jou niets? Hebben ze iets meegenomen?'

'Mij mankeert niets en nee, ze hebben niets meegenomen.' Ik knuffel de hond nog een keer. 'Murphy zal wel door het raampje zijn ontsnapt.'

'Hij heeft alleen een klein sneetje in zijn kop, maar dat bloedt al niet meer. Wat een geluk, hè, dat Orla hem heeft gevonden?' zegt Daisy en ik schiet meteen rechtovereind. 'Hij had wel onder een auto kunnen komen.'

Ik sta snel op en draai me tegelijkertijd om. Daar staat ze. Ze draagt een gebroken wit zomerjurkje, dat haar schouders bloot laat. De zoom is versierd met blauwe vergeet-mij-nietjes. Ze ziet er fris en flirterig uit. Ze heeft een van mijn mooiste kristallen glazen in haar hand en draait de steel rond tussen haar vingers. Ze loopt naar het dressoir, pakt er nog een glas uit, schenkt het vol en reikt het mij aan.

'Champagne,' zegt ze. 'Ik wilde mijn terugkeer naar het dorp vieren. Dat vind je toch niet erg?'

Woede borrelt in me op als een geiser. Ze zit in mijn huis gezellig te doen met mijn gezin en doet net alsof ze onze hond heeft gered. Ze moet zijn teruggekomen naar haar huis voor haar afspraak met Shugs en de kans hebben aangegrepen om mijn auto open te breken en Murphy te stelen. Het messenblok staat pal naast me. Ik kan er zonder een stap te zetten bij. Ik zou het grootste mes kunnen pakken; het mes dat ik gebruik voor het doorsnijden van pompoenen. Ik zou de houten greep kunnen pakken en het lemmet in haar kunnen steken. Net zo lang totdat haar bloed vloeit. Ik vraag me af hoe dat zou voelen, of ik hard zou moeten duwen of dat het staal er gemakkelijk in zou glijden. Ik vraag me af of ze zou gillen.

'Waar heb je Murphy gevonden?'

'Op straat.' Ze neemt een slokje. 'Verdwaald.'

'Hoe wist je dat het onze hond was?' Mijn stem klinkt effen, onvriendelijk. Ik voel dat Paul en de meisjes naar mij en vervolgens naar elkaar kijken.

'Hij heeft een halsband om met jullie achternaam en telefoonnummer erop.'

'Nou, bedankt.' Ik pak het glas uit haar hand. Ik denk aan de foto's van mijn gezin op de vloer van haar slaapkamer: het altaar voor haarzelf als tiener. 'Ga nu maar weg.'

'Grace!' Paul begint aarzelend te lachen. 'Ik heb Orla uitgenodigd om iets te blijven drinken.' Hij slaat een arm om mijn schouders en schudt me zachtjes door elkaar. 'Ze heeft ons een enorme dienst bewezen door Murphy bij ons terug te brengen.'

'Nee Paul, ze heeft ons helemaal geen dienst bewezen.' Ik klink heel koel. Inwendig kook ik. 'Ze kan nu beter weggaan.'

Orla legt even een hand op Pauls arm; het is bijna een strelende beweging. 'Ik wil geen problemen veroorzaken.' Ze kijkt hem met grote ogen aan, tegelijk onschuldig en kwetsbaar, en ook al is Paul echt niet achterlijk, Orla's toneelspel is een Oscar waard.

Wanneer ik zijn blik zie verzachten, krijg ik een bittere smaak in mijn mond. 'Jij bent me er eentje.' Ik neem een besluit. Ik weet dat ik het risico neem dat zij de inzet ook gaat verhogen – als ik nu stelling tegen haar neem kan het zijn dat ze de waarheid over Rose' dood er in één keer uitgooit – maar wat ik zojuist in haar slaapkamer heb gezien, de schade aan mijn auto en de manier waarop ze langzaam maar zeker de affectie van mijn familie weet te winnen, voelt veel dringender dan een vierentwintig jaar oud geheim. Ik wijs in de richting van de voordeur en zeg zacht: 'Maak verdomme dat je mijn huis uit komt.'

'Grace?'

'Mam!'

Paul en de meisjes staan mij aan te staren. De meisjes met open mond en Paul fronsend en hoofdschuddend. Orla deinst achteruit alsof ik haar heb geslagen, met een angstige blik en tranen in haar ogen.

Paul pakt mijn arm en neemt me mee naar de gang. 'Wat mankeert jou in 's hemelsnaam?'

'Orla is geen vriendin van ons,' zeg ik tegen hem. 'Ze is gevaarlijk en ze is, ze is – ik probeer een passende term te vinden – 'instabiel. Ze is instabiel, Paul. En ze manipuleert en bedriegt. Ze is verknipt en kwaadaardig en zou met alle liefde onze hond hebben doodgemaakt. Ze is in staat om zonder met haar ogen te knipperen ons hele gezin te gronde te richten.'

'Wat?' Paul kijkt me ongelovig aan. 'Hoe kom je daar opeens bij?'

'Zij heeft mijn autoraampje ingeslagen. Zij heeft Murphy pijn gedaan.'

'Hoe weet je dat? Heb je haar gezien?'

'Nee. Maar ik weet waartoe ze in staat is en niemand anders kan het hebben gedaan,' zeg ik kwaad. 'En Shugs McGovern was bij haar thuis. Hij was daar om haar drugs te verkopen.'

'Dat lijkt me uitermate vergezocht.' Hij doet echt zijn best me te geloven. 'Hoe kan jij dat weten? En wat je auto betreft, er is wel eens vaker sprake geweest van vandalisme in het dorp. Ik begrijp niet waarom je Orla er de schuld van wilt geven.'

'Omdat ze het heeft gedaan!' Ik sla mijn handen ineen en overweeg een ogenblik hem te vertellen over haar kamer, de foto's en de rest. Maar vervolgens bedenk ik dat dat er onvermijdelijk toe zou leiden dat ik hem over Rose zou moeten vertellen en dat kan ik niet. Ik pak zijn hand en zeg: 'Ik weet dat dit belachelijk lijkt. Ik weet dat het lijkt alsof ik het allemaal uit mijn duim zuig, maar dat doe ik niet, Paul. Vertrouw me alsjeblieft. Oké?'

Hij kijkt op en schenkt me een halfslachtig glimlachje. 'Natuurlijk vertrouw ik je.'

'Vraag haar dan alsjeblieft om weg te gaan.'

Hij blijft me nog een paar tellen aankijken. 'Oké, dat zal ik doen.' Hij zucht. 'Maar laten we het wel beleefd houden.'

We lopen samen terug naar de keuken. De meisjes zijn inmiddels bekomen van de schrik om mijn uitbarsting.

'Kijk eens, mam!' Ella houdt een bedrukt T-shirt omhoog. 'Kijk eens wat Orla voor ons heeft meegebracht!'

Daisy heeft er ook een, in een andere kleur en met een andere opdruk, maar van hetzelfde dure merk. Wanneer ze het labeltje ontdekken, geeft Ella een gil en rent Daisy naar Orla toe om haar te omhelzen.

'Verlate verjaarscadeautjes,' zegt Orla, zo luchtig als een zangvogeltje, zo schaamteloos als een aasgier. 'Voor jou heb ik ook wat, Paul.' Ze kust hem op beide wangen en geeft hem een in glanzend papier gewikkeld, boekvormig pakje. 'Eigenlijk wilde ik dit zondag meebrengen om je te bedanken voor je gastvrijheid, maar' – ze kijkt met een veelzeggende blik naar mij – 'ik liep vanmorgen Grace' moeder tegen het lijf en die vertelde me dat jullie gaan vissen.'

Ik reageer niet. Dus ze is erachter gekomen dat de lunch zondag niet doorgaat? Geen probleem. Dan spreken Euan en ik wel een ander tijdstip af om haar te ontmoeten, met haar af te rekenen, te doen wat we moeten doen.

'Eh...' Paul geeft een knikje met zijn hoofd, maar neemt het pakje niet aan. 'Ik stel je vrijgevigheid zeer op prijs, Orla, maar we hebben nu echt even andere dingen aan ons hoofd.'

'Wat voor dingen?' zegt Ella. 'Maak nou gewoon open, pap!' Ze neemt het pakje uit Orla's hand en probeert het in de zijne te duwen. 'Het is een cadeautje!'

Ik voel een bijna overweldigende aandrang om het pakje te grijpen, het in Orla's handen te drukken en haar naar buiten te werken, maar dat wil ik niet doen omdat ik dit door Paul moet laten opknappen. Hij heeft me gevraagd beleefd te blijven en hoewel ik niet kan wachten tot ze vertrekt voordat ze nog meer schade kan aanrichten, wil ik Paul niet tegen me in het harnas jagen.

Ella kan haar ongeduld niet langer bedwingen en scheurt het papier eraf. Zijn cadeau is de autobiografie die ik voor hem had gekocht en per ongeluk onder de tafel heb laten liggen in het restaurant in Edinburgh. 'Goeie keus!' zegt Ella. 'Dit boek wilde papa echt graag hebben, hè pap?'

Ik zie de triomfantelijke schittering in Orla's ogen.

'Inderdaad,' geeft Paul toe; Orla staat zelfvoldaan voor hem, en slaagt erin zowel koket als engelachtig te kijken.

Ze beschikt over een uitgebreid repertoire en ik kan het niet laten om op te merken: 'Je bent je roeping misgelopen. Jij had aan het toneel moeten gaan.'

Paul werpt me een verbaasde blik toe, maar Orla doet net of ze niets heeft gehoord. 'En dit is voor jou, Grace.' Ze probeert me een doosje te geven. 'Omwille van die goeie ouwe tijd.'

Ik duw haar weg. 'Ik wil het niet hebben.'

'Maar het is gewoon voor jou gemáákt! Hier.' Ze haalt het dekseltje eraf en houdt het voor mijn gezicht. Zodra de geur in mijn neus dringt, komt er een herinnering naar boven die zo intens is dat mijn hart een slag overslaat en mijn maag zich omdraait. Ik krijg geen lucht en kan geen woord uitbrengen. Ik kan haar alleen maar aanstaren.

'Ben je er niet blij mee? Dit was toch altijd al je lievelingsgeur?' Ze doet net alsof ze schrikt. 'Lelietjes-van-dalen. Dat had ik toch goed onthouden, of niet?'

Ik sta weer bij het meertje; Orla staat te schreeuwen. Rose ligt op de grond. Haar gezicht is opgezwollen en de blauwe aderen op haar slapen steken af tegen haar grauwe huid. Armen strak langs haar lichaam, borstkas roerloos, ogen die in het niets staren. Dood. Door mij.

Een gevoel van duizeligheid maakt zich van me meester. Ik adem moeizaam in en voel de zweetdruppels op mijn voorhoofd verschijnen. Een paar tellen lang leun ik voorover, met mijn handen op mijn knieën en dan gris is het doosje zeep uit haar handen, trek de terrasdeur open en smijt het de tuin in.

Wanneer ik de kamer weer binnenkom, staat Paul tegen Orla te praten. 'Ik weet niet wat hier allemaal gaande is, maar het is wel duidelijk dat je Grace erg overstuur maakt en daarom wil ik je vragen om weg te gaan.' Hij draait zich om naar de tweeling. 'Meisjes, geef mij die shirtjes en ga naar boven.'

'Maar…' Ella klemt het hare tegen haar borst. 'Moet dat echt?'

'Geef ze aan mij en ga naar boven.' Ditmaal klinkt hij streng en beide meisjes doen onmiddellijk wat hij zegt. Hij reikt Orla de cadeautjes aan. 'Pak aan en ga nu weg.'

Orla verroert zich niet. 'Wat heb jij daarop te zeggen, Grace?'

De spanning bezorgt me kramp in mijn maag en ik kan haar alleen maar aanstaren. Paul wordt ongeduldig, pakt haar bij haar schouders en leidt haar naar de voordeur. Ik wacht tot ze opeens de waarheid uit zal schreeuwen, maar dat doet ze niet. Ze laat zich door hem naar buiten voeren en de deur achter haar dichtdoen.

Het is stil. Ik krijg weer lucht. Dit is niet het einde van de wereld. Mijn benen zijn slap en ik laat me in een leunstoel vallen.

Paul trekt er nog een stoel bij en komt tegenover me zitten, zodat onze knieën elkaar raken. Hij neemt mijn beide handen in de zijne. 'Ga je me nu eindelijk vertellen wat er aan de hand is?'

'Orla is een slecht mens,' zeg ik langzaam. 'Toen we jong waren deed ze mee aan allerlei…'

'Vorige week,' valt hij me in de rede. 'Toen we aan het praten waren. Voordat Sophie langskwam voor pa. Toen was je ook overstuur. Kwam dat door Orla?' Zijn vingers vinden de ronding van mijn trouwring en hij schuift hem zachtjes heen en weer en streelt mijn handpalmen. 'Is zij degene die iets van jou weet?' Ik verstijf. Hij voelt de spanning in mijn handen en begint ze te masseren. 'Je hoeft het me niet te vertellen,' zegt hij. 'Maar misschien maak je het jezelf wat gemakkelijker als je het wel doet.'

Ik kan hem niet aankijken. Het is doodstil in de kamer. Het enige wat ik hoor is het geluid van mijn eigen bloed dat in mijn oren gonst. Ik herinner me een van de zinnen uit het krantenknipsel: 'Een tijdje geleden… nou ja… ze heeft in de gevangenis gezeten. Ze is veroordeeld als medeplichtige aan de moord op haar man.'

Hij leunt naar achteren in zijn stoel, een zorgelijke frons op zijn voorhoofd. 'Eerlijk?'

Ik knik. 'Het heeft in de krant gestaan. Overal waar ze komt zorgt ze voor problemen. Zo is ze nu eenmaal. En…' Ik zwijg. Ik wil Paul niet over de slaapkamer vertellen. Dat mag hij niet weten. Ik sta op. 'Ik ga het glas uit mijn auto vegen en dan breng ik hem naar de garage voor een nieuwe ruit.'

'Dat doe ik wel voor je, lieverd.' Hij staat erop dat ik weer ga zitten. Hij pakt een stoffer en blik uit de keukenkast en gaat naar buiten.

Ik leun ontspannen achterover in mijn stoel, sluit mijn ogen en denk aan wat er zojuist is gebeurd en in het bijzonder aan wat er niet is gebeurd. Ze is slim, Orla. Alles wat ze doet, doet ze met een reden. Daarnet had ze de kans om Paul alles over Rose te vertellen, maar die heeft ze niet aangegrepen. Ze wacht haar tijd af. Kennelijk heeft ze nog iets anders voor mij in petto en wat het ook is, ik moet haar tegen zien te houden voordat ze het ten uitvoer kan brengen.

Mei 1982

'Shugs McGovern is een engerd,' zeg ik.

We liggen in de duinen, beschut tegen de wind, verscheuren stengels helmgras en gooien de stukjes over onze schouder.

'Hij is erger dan een engerd, hij is een psychopaat,' antwoordt Orla. 'Wreedheid tegen dieren – dat is een van de eerste tekenen. Ik heb erover gelezen. De meeste psychopaten beginnen met het martelen en doden van dieren.'

'Faye gaat het aan haar vader vertellen, dus die zal er wel iets aan doen.'

'We zouden er zelf iets aan moeten doen.'

'Wat dan?' Ik denk aan die arme kat met zijn in brand gestoken staart en ik huiver, spring dan overeind en veeg het zand van mijn korte broek. 'Als we vlug zijn hebben we nog net tijd voor een ijsje voordat het café sluit.'

'Godsamme, Grace! Dit is belangrijk! Soms moet je opkomen voor je principes en voor wat juist is.'

Sinds Orla veertien is geworden, vloekt ze heel veel. Ik kijk om me heen, bang dat iemand ons zal horen. Callum en Euan rennen over het zand en schoppen een voetbal naar elkaar toe. Wanneer ze dichtbij genoeg zijn zet ik mijn handen als een toeter aan mijn mond en roep naar Euan: 'Weet jij of Faye haar vader al heeft verteld over Shugs McGovern en die kat?'

'Nog niet.' Hij komt aangerend, laat zich naast Orla in het zand ploffen en legt zijn armen onder zijn hoofd. 'Haar vader is nog aan het werk op het boorplatform. Hij komt pas in het weekend thuis.'

'Dan is iedereen het alweer vergeten.' Orla gaat zitten en trekt haar schoenen aan. 'We moeten nu iets doen!'

'Daar ben ik vóór,' zegt Callum, terwijl hij de bal met één voet hooghoudt. 'Ik heb hem al een lesje willen leren sinds de vijfde klas van de lagere school, toen hij dat raam had ingegooid en mij ervoor liet opdraaien.'

'We gaan ons er niet toe verlagen hem in elkaar te slaan, Callum,' zegt Orla tegen hem. 'Zo primitief pakken wij het niet aan. Als we hem een lesje willen leren, dan moeten we zorgen dat hij er langdurig last van heeft.'

'We moeten geen kwaad met kwaad vergelden,' zegt Euan. 'We zouden hem gewoon moeten aangeven bij de politie. Laat die hem maar aanpakken.'

'Alsof we daar iets mee opschieten!' zegt Orla smalend. 'Dan zegt hij gewoon tegen de politie dat hij het niet heeft gedaan en dan geloven ze hem en daarmee is de kous af. Noem je dat rechtvaardig?'

'Ja maar… als hij een psychopaat is, dan kunnen wij hem ook niet tegenhouden, of wel soms? Ik bedoel, als hij nu eenmaal zo is, dan…' Ik haal mijn schouders op.

Orla loopt al weg. Haar hakken laten afdrukken achter in het zand. 'Kom je nog of hoe zit dat?' roept ze achterom.

Ik kijk naar Euan. Hij loopt alweer te voetballen met Callum. 'Ik zou me er maar niet mee bemoeien als ik jou was,' zegt hij, terwijl hij de bal in de richting van de zee trapt. 'Wij gaan naar Di Rollo voor een ijsje. Als je wilt mag je wel mee.'

Ik weet niet wat ik moet doen. Ik kijk naar Orla's rug. Ze is mijn vriendin. Ik wil achter haar aan rennen, haar een arm geven en met haar meegaan, maar aan de andere kant ook weer niet omdat ik weet dat zij, als ze eenmaal iets in haar hoofd heeft, niet meer op andere gedachten te brengen is. Ik weet niet wat ze voor Shugs in petto heeft, maar ik denk dat Euan gelijk heeft en dat ik me er beter buiten kan houden.

De volgende dag op school lijkt Orla Shugs alweer helemaal vergeten. Het eerste uur hebben we Engels. Terwijl mevrouw Jessop op het bord staat te schrijven, draai ik me om naar Orla, maar die is druk bezig de vragen over te schrijven. Wanneer de les is afgelopen, lopen we de twee trappen naar boven, naar het scheikundelokaal. Ze geeft me een arm en vraagt me of ik zin heb om in het weekend met haar naar St. Andrews te gaan. Haar vader wil ons wel brengen en dan kunnen we gaan zwemmen en vis eten in de hoofdstraat.

Wanneer we biologie hebben, staan allebei de docenten met hun handen voor zich gevouwen voor het bord. Mevrouw Carter ziet eruit alsof ze heeft gehuild.

'Ga zitten en doe het snel en rustig,' zegt meneer Mason. Hij staat zichtbaar te trillen. We glijden in onze banken en wachten af. Zelfs de slechtstgemanierde jongens van de klas durven geen kik te geven.

'Toen ik hier vanmorgen binnenkwam heb ik Peter dood aangetroffen.'

Een paar meisjes houden hun adem in en dan wordt het doodstil. Peter is het klassenkonijn. We hebben drie cavia's, een slang en een stuk of zes woestijnratten. Meneer Mason brengt zijn vak graag tot leven.

'Alleen déze klas heeft vóór schooltijd toegang tot dit lokaal. Alleen déze klas voert de dieren. Alleen déze klas kent de cijfercombinaties van de dierenkooien.'

Orla zit naast me. Ik werp haar een zijdelingse blik toe. Ze zit met halfopen mond een pluk haar om haar vinger te draaien.

'Wie heeft vanmorgen de dieren gevoerd?'

Breda Wallace staat op. 'Dat heb ik gedaan, meneer.'

'Leefde Peter toen nog?'

'Ja, meneer.' Haar stem trilt. 'Toen ik wegging zat hij een wortel te eten.'

'Ga zitten, Breda.' Hij loopt heen en weer en balt en ontspant zijn vuisten. 'Is er iemand die me iets te vertellen heeft?'

De seconden tikken voorbij. Niemand zegt iets.

'Leg de inhoud van jullie tassen op tafel.'

De spanning is voelbaar. We kijken eerst meneer Mason aan, dan elkaar en vervolgens doen we wat hij zegt. De tafeltjes liggen bezaaid met boeken, etuis, broodtrommeltjes en gymspullen. We schudden elk verdwaald kwartje en elk leeg chipszakje uit onze tassen. Op de achterste rij breekt een hevig rumoer los en we draaien ons allemaal om.

'Ik heb het niet gedaan, meneer. Eerlijk waar!' Er ligt een mes voor Shugs. 'Dat is mijn mes niet!'

Meneer Mason gebruikt een papieren zakdoekje om het mes op te pakken. 'Wil je beweren dat dit mes niet van jou is, McGovern? En toch zat het in je tas?'

'Ik heb niet eens zo'n mes!' Hij kijkt de jongens naast hem aan, op zoek naar bevestiging. 'Iemand moet het in mijn tas hebben gestopt.' Niemand schiet hem te hulp. En het wordt nog erger.

'Maar je hebt ook de staart van die kat in de fik gestoken,' zegt de jongen rechts van hem.

'Het was Fayes kat,' zegt iemand anders.

Ik kijk naar Orla. Zij houdt haar hand voor haar mond en lijkt net zo geschokt als wij allemaal.

Meneer Mason pakt Shugs bij zijn arm en neemt hem mee naar voren. 'We zullen zien wat de politie hiervan gaat zeggen. De rest van de klas slaat bladzijde zesentwintig op en neemt het diagram van de krebscyclus over.' Hij kijkt ons een voor een aan. 'En waag het niet om het mevrouw Carter lastig te maken.'

Hij vertrekt met Shugs, die aan één stuk door loopt te roepen dat hij onschuldig is en wij pakken onze tassen weer in en slaan onze boeken open. Er hangt een doodse stilte in het lokaal en dan zegt Faye: 'Mevrouw Carter, wat is er precies met Peter gebeurd?'

'Zijn keel is doorgesneden.' Ze slikt. 'Heel zijn witte vachtje zit onder het bloed. Zo akelig om te zien.'

Hier en daar worden zachtjes dingen gemompeld als 'wat afschuwelijk' en 'arme Peter' en dan gaan we verder met de les.

Meteen na de les, bij het verlaten van het lokaal, pak ik Orla bij haar schouder en draai haar om zodat ik haar gezicht kan zien. 'Jij hebt Peter toch niet vermoord?'

'Ik?' Haar ogen hebben de kleur van vulkanisch glas, obsidiaan, net zwarte knikkers. 'Natuurlijk niet! In vredesnaam, Grace! Bewaar je fantasie voor wanneer we Engels hebben.' Ze rent met twee treden tegelijk de trap af en kijkt dan nog even omhoog. 'Maar het is wel fijn dat hij nu is gepakt, hè?'

14

Ik heb opnieuw een onrustige nacht. Mijn dromen zijn vol met Orla en Rose, foto's, water, bliksem en het misselijkmakende gevoel van spijt. Tegen de tijd dat ik 's ochtends weer opsta voel ik me niet uitgeruster dan toen ik naar bed ging. En om het allemaal nog erger te maken is Paul, ook al weet hij de helft nog niet en kan ik hem ook niet meer vertellen, oprecht ongerust over de dreiging die Orla voor ons gezin vormt. Wanneer hij terugkomt met een huurauto waarin ik kan rijden tot mijn raampje is vervangen, vertelt hij me dat hij het visuitstapje naar Skye gaat afzeggen. Ik probeer hem ervan te overtuigen dat hij zich over ons geen zorgen hoeft te maken, maar hij weigert ons alleen te laten. Dus beloof ik hem dat wij naar hem en Ed toe zullen komen. Ik zal er laat in de middag heen rijden, na de zeillessen van de meisjes.

Ik loop er nog steeds over te piekeren: *Waarom heeft Orla gisteren de kans niet aangegrepen om Paul alles te vertellen? Bereidt ze soms een laatste grote confrontatie voor die mij in het openbaar in diskrediet zal brengen en zal vernederen?* Ik moet ook haar krantenknipsels nog vertalen. Euans Frans is veel beter dan het mijne en ik besluit straks naar hem toe te gaan en hem te vragen me ermee te helpen.

Terwijl ik de meisjes aanspoor om goed te ontbijten, wordt de post bezorgd; Paul is aangenomen voor zijn sabbatical. We vertrekken over een kleine twee maanden naar Australië. Het winnen van de loterij had me niet gelukkiger kunnen maken. Melbourne. Paul opent een fles champagne en we combineren het met jus d'orange en proosten op ons geluk. Mijn eigen stilzwijgende wens is dat we het er allemaal zo naar ons zin zullen hebben dat we niet meer terugkomen.

De meisjes vertrekken voor een dagje zeilen met de jeugdvereniging, Paul en Ed zijn gepakt en gezakt om naar Skye te rijden en ik verheug me op een dagje alleen zodat ik kan nadenken. We gaan met z'n drieën aan tafel voor een laat ontbijt.

'Sorry hoor, Grace,' zegt Ed. 'Ik kom met mijn mes niet door de bacon heen.'

'Is hij een beetje taai geworden?' Ik leg mijn eigen mes en vork neer en haal onze borden weg. 'Wil je nog koffie?'

'Het valt wel mee, schat.' Paul neemt een slok water. 'Je moet gewoon wat harder kauwen.'

Dat is lief van hem. Ik kan me niet concentreren. Ed kijkt ernstig. Hij kijkt fronsend naar Paul. 'Waar is je moeder?'

'Ze is er even niet, pa. Ze zal het wel ergens druk mee hebben.'

Ed kijkt mij aan. 'Jij bent mijn dochter niet. Jij bent Alison niet.'

'Ik ben Grace.' Hij draagt een nieuwe coltrui en ik pluk een pluisje van zijn kraag en strijk hem glad. 'Ik ben de vrouw van Paul, je zoon.'

Hij begint te lachen. 'Ik geloof er niets van. Ben jij niet getrouwd met die jongeman met wie ik je laatst zag zoenen in Marketgate? Dat was een paar dagen geleden toen ik op weg was naar het bowlen. Je stond bij zijn hek.'

Ik besef dat zijn herinnering op waarheid berust en krijg het benauwd. Ik probeer door te ademen, maar het lukt niet. Hij heeft het over maandag, nadat we de liefde hadden bedreven. Ik had nog de straat in gekeken, maar niemand gezien. Toen hadden we gezoend. Waarschijnlijk was Ed toen net langsgekomen. Daarom wilde hij dus niet tegen me praten. Als je dat zelf niet weet, ga ik het je niet vertellen. Hij heeft er toen niets over gezegd, maar nu komt de herinnering opeens naar boven.

Ik kijk Paul niet aan. Dat hoeft ook niet. Ik voel dat hij rechtovereind op zijn stoel zit, volkomen roerloos en in afwachting van wat ik ga zeggen. 'Dat kan ik niet zijn geweest, Ed,' zeg ik. 'Ik ben met Paul getrouwd.' Ik steek mijn hand uit om die van Paul te pakken, maar een seconde voordat ik hem vast heb trekt hij hem terug.

'Nou en of jij het was!' Ed grinnikt. 'En als je niet met die jonge architect getrouwd bent, dan zou je dat alsnog moeten doen!' Hij schenkt zichzelf nog een kop koffie in. 'Ik heb zelden zo'n hartstochtelijke omhelzing gezien.' Hij kijkt over de tafel naar Paul. 'Ik moest meteen aan vroeger denken, toen je moeder en ik verkering hadden. Zij was het mooiste meisje in de wijde omtrek. Zo schattig en vrolijk als…' Hij fronst. 'Waar is ze trouwens? Ze is toch niet weer aan het winkelen?'

Paul zit nog steeds te wachten. Ik voel zijn ogen op mijn gezicht. Ik heb tijd nodig om iets te verzinnen, maar die heb ik niet en ik krijg een kleur als vuur.

Ed kijkt op. 'Heb ik het mis? Neem me niet kwalijk.' Opeens lijkt hij ons allebei weer te zien en kijkt van de een naar de ander. 'Wat heb ik allemaal gezegd?'

'Niks, pa.' Paul staat op. Hij ziet grauw en zijn mond trilt. 'Waarom begin jij niet alvast alles in de auto te laden? Het visgerei ligt bij de voordeur.'

'Goed, ja, vishengels, mooi zo!'

Hij loopt fluitend weg en Paul draait zich naar mij om. 'Grace?'

Ik hoop dat mijn gezicht weer een beetje tot rust is gekomen. Ik ben volkomen overrompeld. Ik loop nu al een week te piekeren hoe ik hem het nieuws over mijn betrokkenheid bij Rose' dood moet vertellen en in plaats daarvan word ik opeens geconfronteerd met mijn andere verraad. Ik probeer tijd te winnen. Ik stapel de borden op. Hij houdt mijn hand tegen en pakt allebei mijn polsen stevig vast.

'Heb jij Euan gezoend?'

'Nee. Niet op die manier! Natuurlijk niet!' Ik probeer een stap naar achteren te doen, maar hij laat me niet los. 'We hebben elkaar omhelsd,' geef ik toe. 'Ja. Omdat ik een nieuwe opdracht heb en hij me daarmee feliciteerde.'

'Een nieuwe opdracht?' Hij houdt zijn hoofd een beetje scheef. 'Sinds wanneer? Dat heb je me helemaal niet verteld.'

'Een kennis van Margie Campbell.' Ik probeer normaal adem te halen, maar zelfs in mijn eigen oren klinkt het hortend en paniekerig. 'Zij had gehoord wat ik voor Margie aan het maken ben en belde me op mijn mobieltje.'

'Hoe heet ze dan?' vraagt hij snel.

'Elspeth Mullen. Ze woont even buiten Glasgow.'

'Waarom heb je mij dat niet verteld?'

'Ik weet het niet.' Ik haal mijn schouders op. 'Ik had het te druk met andere dingen. Het feestje van de meisjes en de dag van Rose…'

Ik zwijg. Hij gelooft me niet. Ironisch genoeg is het gedeeltelijk nog waar ook: wat die opdracht betreft dan. Alleen had ik het nog aan niemand verteld, ook niet aan Euan, omdat ik belangrijker zaken aan mijn hoofd had.

Paul laat mijn polsen los en slaat zijn armen over elkaar. 'Dus als ik Euan nu zou bellen, zou hij het weten van die Elspeth Mullen en zou hij me hetzelfde verhaal vertellen als jij?'

'Ik heb liever dat je me gewoon gelooft.' Mijn stem klinkt zwak. Ik kan hem niet aankijken. Ik werk mezelf er steeds dieper in en alles wat ik nu nog zeg zal het alleen maar erger maken. Ik ben misselijk van schaamte. Het liefst zou ik nu willen roepen – *Dit was helemaal niet de bedoeling!* – om me vervolgens in een donker hoekje te verstoppen.

'Ik heb je vriendschap met Euan altijd getolereerd…' Hij stopt even, roffelt met zijn vingers op de tafel en denkt na. 'Niet getolereerd, aangemoedigd. Ik heb je vriendschap met Euan altijd aangemoedigd omdat ik weet hoeveel jullie om elkaar geven, maar Grace, als je een verhouding met hem hebt, God help me, dan…' Hij haalt diep adem en balt zijn vuisten. 'Als jij ons gelukkige gezinsleven in gevaar brengt voor…'

'Paul, alsjeblieft!' Ik weet dat ik, om de leugen vol te kunnen houden, nu beledigd moet reageren. Ik moet mezelf opwerken tot een soort hoe-kun-je-zoiets-van-me-denken woede die me van alle blaam zal zuiveren. Maar ik kan het niet. Dit is een heel slecht moment om erachter te komen dat ik, wanneer het er echt op aankomt, niet tegen mijn man kan liegen. Ik kan het gewoon niet. Ik leg een hand op mijn borst. 'Paul, je moet geloven dat ik van je houd.'

'En is dat dan met heel je hart?' Hij klinkt ijzig. 'Of slechts een deel ervan?'

'Ik… ik ben niet…'

'Is dit de reden waarom je Orla hier weg wilde houden?' vraagt hij hees. 'Omdat zij het weet van jullie?'

'Nee! Dat is niet waar. Alles wat ik over Orla heb gezegd is waar!'

'Dus dit is iets anders?' Hij torent boven me uit, bleek van woede, zijn huid over zijn jukbeenderen gespannen alsof die op het punt staat te scheuren. 'Iets anders wat je me niet kunt vertellen?'

'Paul, alsjeblieft, laat me…'

'Houd je mond maar.' Hij steekt zijn hand op. 'Ik denk dat je genoeg hebt gezegd.' Hij draait zich om, loopt de deur uit en slaat hem achter zich dicht.

Ik doe de deur weer open en volg in zijn kielzog als afvalwater achter een vrachtschip. 'Paul, kunnen we hier alsjeblieft over praten?'

'Wanneer ik naar je kijk zie ik iemand die nog steeds bezig is haar verhaal op orde te krijgen, Grace. Me dunkt dat je daar wel een paar dagen voor kunt gebruiken.'

'Paul, toe nou!' Ik wil zijn arm pakken, maar hij is me te snel af en dan komt Murphy ertussen en verlies ik een paar kostbare seconden. Wanneer ik Pauls kant van de wagen bereik, heeft hij de motor al gestart en rijdt weg. Ik ga weer naar binnen. Het is nog niet eens middag, maar ik schenk mezelf een whisky in. Ik denk na. Ik denk aan mijn gezin, mijn fouten, mijn schuldgevoel over mijn geheimen. Ik gruw van de rotzooi die ik ervan heb gemaakt. Ik ben wanhopig. En dan doe ik het enige wat ik nog kan doen. Ik bel Euan.

'Ik wil net het water op gaan. Ben je aan het werk?'

'Euan.' Ik haal een keer diep adem. 'Ed heeft ons maandag zien zoenen. Toen we bij het hek stonden. Hij kwam er zojuist tijdens het ontbijt opeens mee op de proppen.' Ik begin te huilen. 'Ik zit zo ongelooflijk in de nesten en dit is nog maar het begin.' Ik haal een papieren zakdoekje uit mijn zak en snuit mijn neus. 'Paul is woest op me en nu zijn ze naar Skye vertrokken.'

Verder zeg ik niets meer en Euan ook niet. Het lijkt wel of er minuten voorbijgaan voordat hij zegt: 'Wat zei Paul?'

'Niet veel. Hij was gekwetst, kil.' Ik fluister, want ik schaam me zo dat zelfs de muren me niet mogen horen. 'Hij reageerde heel waardig. Ik voel me zo'n vreselijk rotwijf. Hij is wel de laatste die het verdient om zo te worden behandeld.'

'Christus.' Op de achtergrond hoor ik stemmen Euans naam roepen. 'Grace, ik moet me nu even met al die kinderen bemoeien. Kom aan het eind van de dag naar me toe, oké?'

'Goed. En ik moet je ook spreken over Orla,' zeg ik, met mijn vrije hand naar de krantenknipsels voelend die nog steeds in de zak van mijn spijkerbroek zitten. 'Er is gisteren heel veel gebeurd.'

We zeggen elkaar gedag en ik leg de telefoon neer en mijn hoofd ernaast. Paul en ik zijn meer dan twintig jaar getrouwd en al die tijd heb ik nooit één dag zonder hem willen zijn. Ik weet dat ik dubbelhartig ben. Ik weet dat Euan en ik nooit een verhouding hadden moeten beginnen. Sommige mensen zouden waarschijnlijk zeggen dat ik van twee walletjes wil eten. Ik zou antwoorden dat ik zonder Paul geen plek zou hebben in de wereld. Hij is mijn familie, mijn alles.

En Euan? Hij geeft me houvast, aan mezelf en aan het moment. Wanneer hij naar me kijkt, ziet hij me zoals ik ben. Niet de Grace die moeder is, of echtgenote of dochter, maar die Grace die... gewoon Grace is. Hij neemt mij – houdt van mij – zoals ik ben. Tegenover hem hoef ik nooit te veinzen. Is hij een luxe? Zo voelt het niet. Hij voelt heel essentieel, net zo essentieel als mijn eigen armen en benen.

Maar de verhouding is de minste van twee kwaden. Ik weet zeker dat Paul er kapot aan zal gaan als Orla's nieuws hier ook nog bij komt. Ik weet als geen ander dat hij Rose nooit is vergeten. Als hij te horen krijgt dat zijn vrouw hem niet alleen ontrouw is, maar ook betrokken is geweest bij de dood van zijn dochter – ik weet niet wat dat met hem zal doen.

September 1995

Wanneer beginnen de dingen verkeerd te gaan? Ik zou het niet weten. Zelfs achteraf kan ik het exacte moment niet aanwijzen. De eerste jaren van ons huwelijk wonen we in Boston, waar de meisjes worden geboren, waar we gelukkig zijn en een goed leven hebben. En dan gaan we terug naar Schotland. Dat is niet goed voor mij. Ik ben moe. Ik krijg de ene griep na de andere. Ik raak mijn enthousiasme voor tekenen kwijt. De witte vellen papier stemmen me moedeloos. Ik begin Rose' aanwezigheid weer te voelen. Ik zie haar in de schaduwen, soms als een vage gestalte, meer een gevoel dan een aanwezigheid, maar andere keren heel duidelijk: haar ogen, haar glimlach, haar piekerige blonde haar. Ik begin naar haar uit te kijken, haar in de kamer om me heen te voelen, of vlak voor me op het trottoir. Ik weet dat ik irrationeel ben. Ik weet dat ik hulp nodig heb, maar ik heb niemand die ik in vertrouwen kan nemen. Ik houd van Paul. Hij is lief en grappig, ontspannen, een fantastische man en vader, maar ik kan hem nooit over Rose vertellen en ik leer accepteren dat ik een deel van mezelf verborgen zal moeten houden, koste wat kost. Heel langzaam en verraderlijk groeit dit besef, als doornstruiken rond een clematis, en ik weet niet hoe ik het tegen kan houden. Ik word waakzaam, bang dat ik ontmaskerd zal worden als diegene die ik in werkelijkheid ben: een bedriegster en een leugenaar. We zijn alweer acht maanden terug in het dorp, de meisjes zijn amper drie en ik lijd aan anorexia en trek me terug in mezelf.

Hoe meer ik argwanend om me heen kijk, hoe meer ik zie dat ik niet de enige ben met geheimen. Paul is er de man niet naar om zonder verklaring weg te blijven. Hij is voor de volle honderd procent een familiemens. Hij verheugt zich op lange weekends met de meisjes en mij. Op zaterdag gaat hij altijd met de meiden zwemmen en op zondag doen we dingen met het hele gezin: wandelen, kastelen en parken bezoeken, of op visite bij de opa's en oma's. Maar wanneer we weer in Schotland wonen, kom ik tot de ontdekking dat Paul soms niet rechtstreeks naar zijn werk gaat. Het duurt een paar maanden voordat dit tot me doordringt: het komt een paar keer voor dat ik de universiteit bel en dat hij er nog niet is, ook al is hij al meer dan een uur van huis weg; wanneer hij thuiskomt zitten de banden en de zijkanten van de auto soms onder de modderspetters terwijl er tussen ons huis en zijn werk geen onverharde wegen liggen. En het gebeurt altijd op een dinsdag, wanneer hij het eerste uur geen les geeft. Kennelijk brengt hij die tijd ergens anders door. Als iemand die zelf ook een geheim heeft, vind ik niet dat ik het recht heb me met zijn zaken te bemoeien, maar het mysterie knaagt wel aan me. Heeft hij iemand anders? Heeft hij een verhouding? Gokt hij? Wat?

Ik kan hem volgen. Hij zet eerst de meisjes af bij het kinderdagverblijf en rijdt dan door naar zijn werk. Ik zou achter hem aan kunnen rijden, zo ver dat hij me niet ziet, maar wel dichtbij genoeg om te kunnen zien waar hij naartoe gaat. Dat voelt als bedriegen, spioneren, dus neem ik me voor hem er op de man af naar te vragen. Ik zoek een moment waarop ik erover kan beginnen. Het kan in elk geval niet voordat de meisjes naar bed zijn en dan, wanneer ze er eenmaal in liggen en wij in de woonkamer zitten te lezen of televisie te kijken, klinkt de vraag zo groot in mijn hoofd, zo formeel, zo opdringerig, dat hij niet over mijn lippen wil komen. Zouden de woorden misschien minder beschuldigend klinken als ze veilig in het donker worden uitgesproken? Ik probeer het. Wanneer we zelf in bed liggen, probeer ik hem fluisterend een vraag te stellen, maar of mijn stem is te zwak, of hij ligt al te slapen. Een intiem moment, denk ik, dát is het juiste moment en dus probeer ik het, nadat we de liefde hebben bedreven, wanneer we heel stil tegen elkaar aan liggen, aan hem te vragen. *Waar ga je naartoe, Paul? Waarnaartoe?* Maar weer kan ik het niet, omdat het... gevaarlijk voelt. Ik? Van Paul vragen zijn geheim met me te delen? Hoe kan ik? Waar leidt het toe?

Dus blijf ik maandenlang met mijn nieuwsgierigheid in mijn maag zitten, voel die uitgroeien tot angst, en besluit er dan uiteindelijk toch iets aan te doen. Ik ga hem volgen. Het wordt dinsdag, ik stop de vestjes van de meisjes in, trek hun onderbroekjes en maillotjes op, knoop bloesjes en overgooiertjes dicht, duw armpjes in jasmouwen en voetjes in laarzen, zet mutsen op hoofden, geef ze allebei een kus, geef Paul een zoen en zwaai hen net als altijd uit. Dan start ik mijn wagen en rijd achter hem aan. Ik zie hoe hij de meisjes bij hun juf aflevert. Hij laat eerst het ene handje los, dan het andere, en blijft nog even op de stoep staan kijken hoe ze naar binnen rennen. Wanneer hij weer achter het stuur zit, begeef ik me ook tussen het verkeer en rijd achter hem aan naar de grote weg, maar in plaats van rechtsaf te slaan naar de universiteit, slaat hij linksaf.

We rijden weg van de zee, landinwaarts. Wanneer we een kilometer of acht hebben gereden en hij een onverharde weg inslaat, voel ik mijn hart ineenkrimpen. Ik minder snelheid, houd afstand, parkeer op een plekje ongeveer vijftig meter achter hem en volg hem te voet over het pad dat regelrecht naar het meer leidt. In tegenstelling tot al die jaren geleden hoeven we ons niet meer door doornstruiken te vechten en over stukken woeste grond, want het pad is behoorlijk platgetreden. Ik kom een paar mensen tegen die hun hond uitlaten en een eenzame jogger, maar tegen de tijd dat ik het water bereik, heb ik alleen Paul nog maar voor me. Ik blijf op discrete afstand staan, mijn lichaam verborgen achter de stam van een den. Paul zit op een rotsblok, hetzelfde rotsblok waar ik ooit zelf op zat voordat ik de jas in het water zag drijven, de jas die Rose bleek te zijn. In al die jaren ben ik hier nooit meer terug geweest. Een aantal dingen is veranderd: de bomen zijn hoger en er groeien planten waar dat eerst niet het geval was, maar verder ziet het er nog precies hetzelfde uit als toen en ik heb het gevoel dat mijn leven achterover buigt, als een turnster die zich naar achteren laat vallen om haar eigen voeten vast te pakken.

Ik voel me misselijk, beschaamd, onwaardig. Ik wil me omdraaien en wegrennen, maar kijk vol ontzag naar mijn man. Hij zit volkomen stil. Hij staart naar de overkant van het meer waar een beekje kabbelt, hoewel de stroming het glasheldere, kalme water nauwelijks in beroering brengt. Boven de bomen is de hemel zo blauw als turkoois en de enkele wolkjes die er zijn kringelen zo fragiel als pluizende paardenbloemen in het briesje. Merels roepen naar elkaar, hun lied hoog en helder, een late zomermelodie. Uit niets blijkt dat hier ooit een kind is gestorven.

Paul haalt een boek uit zijn zak en begint hardop te lezen. Ik kan de woorden niet verstaan, maar zijn toon is teder en vol humor. Opeens begrijp ik alles. Al die maanden heb ik me afgevraagd waar hij naartoe ging. Mijn achterdocht is beschamend. Natuurlijk bezoekt hij de plek waar zijn kind haar laatste ogenblikken heeft beleefd. Natuurlijk komt hij hier om aan haar te denken. Hoe heb ik ooit kunnen denken dat hij eroverheen was?

Ik ben opeens als de dood dat hij me zal zien en keer zo snel als ik kan op mijn schreden terug. Ik rijd naar huis en vul de rest van de dag met nuttige dingen: schoonmaken, koken, de meisjes voorlezen en met ze spelen.

Wanneer Paul thuiskomt van zijn werk is hij zoals hij altijd is en dat geldt ook voor mij. Er wordt niets gezegd. Wanneer ik, zoals gewoonlijk, om een uur of drie 's nachts wakker word, sta ik op en ga naar beneden. Ik haal het boek uit zijn jaszak. Het is een schrift van meer dan tweehonderd bladzijden, met een harde kaft. Ik sla het open op de eerste pagina. In Pauls sobere handschrift staat daar een titel: Brieven aan Rose. Ik blader erdoorheen. Het boekje is bijna helemaal vol. Sinds haar dood heeft hij haar bijna elke week een brief geschreven. Ik lees niet verder, sla het dicht en stop het terug waar ik het heb gevonden.

Rose is niet alleen mijn geheim, maar ook het zijne.

15

Paul en Ed zijn al bijna vier uur weg. Sinds het telefoongesprek met Euan heb ik op dezelfde plek zitten nadenken over wat ik heb gedaan en wat er nu gaat gebeuren. Mijn ingewanden zijn helemaal van slag van ongerustheid en schaamte en de angst voor de catastrofe die boven ons hoofd hangt. Ik zie steeds Pauls gezicht voor me toen hij wegging, strak van verdriet en teleurstelling. En verder? Orla, onevenwichtig en vastberaden, gaat de geheimen van die rampzalige avond in het gidsenkamp onthullen. Hoe zal het verdergaan met mijn huwelijk? Kan ik misschien zelfs het gevang in draaien? Welke invloed zal het op de meiden hebben? Hoe kunnen ze van een moeder houden die hun vader bedriegt? En nog erger, hoe kunnen ze van een moeder houden die onvoorzichtig genoeg is om hun halfzusje met een duw de dood in te jagen?

Ik weet niet wat ik moet doen. Ik heb het gevoel dat ik moet koorddansen in het donker. In de loop van de ochtend heb ik al zes keer geprobeerd Pauls mobieltje te bellen. Elke keer heb ik een boodschap ingesproken. Ik heb niets teruggehoord, dus uiteindelijk begin ik hem het ene sms'je na het andere te sturen, waarin ik hem vraag me te bellen... alsjeblieft. Ik weet dat ik niet het recht heb het hem te vragen, maar ik moet hem spreken. Ik weet niet wat ik zal zeggen, maar ik vind het onverdraaglijk dat ik hem pijn heb gedaan.

Murphy zit rechtop naast me op de bank en kijkt me aan. Af en toe laat hij even zijn poot over mijn arm glijden. Het voelt alsof hij me wil troosten, maar ik weet dat hij naar een wandeling zit te hengelen. De achtertuin is niet goed genoeg. Hij kent onze routine en inmiddels had hij zijn wandeling over het strand al gehad moeten hebben. Ik trek mijn jas aan en neem hem mee naar buiten. Hij rent voor me uit. Ik gooi een stok ver in zee en hij zwemt erachteraan en brengt hem terug, waarna hij het water uit zijn vacht schudt en me hijgend aankijkt alsof hij de gelukkigste hond op aarde is. Over het algemeen werkt zijn joie de vivre heel aanstekelijk, maar ik kan onmogelijk vrolijk zijn bij de gedachte aan wat er staat te gebeuren. Het aftellen is begonnen, mijn bedrog wordt uitgerold als een tapijt waar de hele wereld overheen kan lopen en het helpt ook al niet te weten dat het allemaal mijn eigen schuld is. Ik verwacht van niemand medelijden of begrip, en van mijn man nog wel het allerminst.

Er komt de hele dag niets uit mijn handen en dan is het eindelijk laat in de middag en rijd ik naar de zeilclub, waar ik met Euan heb afgesproken. Ik voel me somber maar resoluut, zo stil en grauw als de zee naast me. Met elke afgelegde kilometer neemt mijn vastberadenheid toe. Geen spelletjes meer. Geen Orla meer. Mijn huwelijk is al beschadigd genoeg. Hier houdt het op.

Ik zet de auto op de parkeerplaats en kies een plekje dat uitzicht biedt op het strand. De zeilboten zijn al terug. Het zijn kleine tweepersoonsboten. Ik weet nog dat ik zelf in soortgelijke bootjes heb leren zeilen. Ik heb het nooit echt leuk gevonden en greep het plastic met stijve vingers en stijve glimlachjes vast omdat Euan er zoveel plezier in had. Ik had er geen gevoel voor. Hij schreeuwde dingen als: 'Oploeven! Vlug! De wind gaat ruimen!' En hoe ik ook mijn best deed zijn instructies op te volgen, ik begreep er helemaal niets van.

Wanneer ik uitstap, staat Callum opeens naast me. 'Ik dacht dat ik jouw meiden thuis zou brengen. Paul heeft Jamie gisteren thuisgebracht.'

'Ik was in de buurt,' zei ik. 'En ik moet Euan spreken. Over het werk.'

'Ze hebben een mooie dag gehad. Aan de zee te zien krijgen we morgen storm. Er komt zwaar weer aan vanuit het noorden.' We lopen het stuk zandstrand op waar de boten aan land zijn getrokken. 'Daar heb je Euan, kijk!' Hij wijst. 'Hij staat met iemand te praten.'

Euan staat vijftig meter verderop. Een van de jongens praat tegen hem en Euan antwoordt terwijl zijn armen eerst diagonale en dan ronddraaiende bewegingen in de lucht maken.

'Overstag gaan,' zegt Callum met verstand van zaken. 'Sommigen doen er een tijdje over voordat ze het goed doorhebben. Maar hij is een goede leraar. Heeft het geduld van een heilige. Kom je ook naar het septembergala?'

'Tuurlijk,' zeg ik, in de wetenschap dat er een goede kans bestaat dat ik niet zal komen. Ik hoop dat we tegen die tijd in Melbourne zijn, maar ik heb het Euan nog niet verteld en nu – stel dat Paul besluit om zonder mij te gaan? En de meiden met hem mee willen? Ze zijn oud genoeg om zelf te beslissen.

Ella en Jamie staan innig verstrengeld naast de opslagschuur. Hij heeft zijn handen op haar billen en trekt haar tegen zijn onderbuik. Ik wend mijn blik af.

Callum heeft minder scrupules. 'Moeten jullie niet helpen de uitrusting op te bergen?' vraagt hij op scherpe toon. Ze maken zich met tegenzin van elkaar los. 'Schiet op met je luie reet.' Hij geeft Jamie een stevige por. 'Er is nog genoeg te doen.' Hij kijkt naar mij. 'Zou jij een jongen hebben staan aflebberen waar je moeder bij stond?'

'Weinig kans. Ze zou me met haar theedoek voor mijn kop hebben geslagen. Andere tijden, hè?'

'Vertel mij wat. Mazzelaars! O, waren we maar weer jong, wat jij, Grace?'

'Liever niet, Callum.' *Tenzij ik de kans kreeg dingen anders te doen.* 'Ik vond het de eerste keer zwaar genoeg.'

Callum en Jamie lopen samen in de richting van het water. 'We zijn heus gaan zeilen, als je soms dacht van niet,' zegt Ella.

'Dat dacht ik helemaal niet.'

'We waren vroeg.' Ze slaat zand van haar sportschoenen en kijkt omhoog door haar haren. 'Toen Monica Sarah kwam afzetten vroeg ze me nog naar Orla. Zij mag haar ook al niet. Zij mag haar écht niet.' Ze kijkt me met grote ogen aan. 'Wat is er zo verschrikkelijk aan haar?'

'Ze is een onruststookster,' zeg ik en ik denk weer aan de foto's onder haar bed: foto's van mijn meiden, van mijn gezin. 'Je moet ver bij haar uit de buurt blijven, Ella.' Ik pak haar bij haar schouders, zodat ze me wel moet aankijken. 'Het is heel belangrijk dat je dat goed begrijpt.'

'Mij best.' Ze schudt mijn handen van zich af. 'Je zegt het maar.'

Ik wil nog meer zeggen – sterker nog, ik wil de meisjes het liefst ergens opsluiten totdat Orla weg is – maar ik wil hen niet bang maken en bovendien denk ik niet dat Orla het op de meisjes gemunt heeft. Ik ben degene die ze wil straffen – Euan en mij. 'En hebben jullie nog hard gewerkt op Monica's zolder?' Ik doe mijn best om opgewekt te klinken.

'Wat denk je zelf?' Ze zet haar handen op haar heupen en kijkt me aan op dezelfde manier als hoe ik haar aankeek toen ze zeven was en ik haar op een leugentje betrapte.

'Ik denk van wel.'

'Inderdaad en trouwens, niet boos worden, maar ik heb een hele doos spullen om mee naar huis te nemen.'

'Ella, niet nog meer rommel op je slaapkamer!' Callum en Jamie zijn bij de boten bezig de zeilen te strijken, maar ik praat toch zachtjes. 'Niet nu we naar Australië gaan.'

'Nou, dat wordt wat mij betreft pas echt wanneer ik het aan iedereen kan vertellen.'

'En dat mag je ook. Na het weekend. Zoals we je hebben beloofd.'

'Het is gewoon een kwelling,' klaagt ze. 'Ik vind het vreselijk om geheimen te hebben voor Jamie. Hij mag me toch wel komen opzoeken, hè? En Sarah ook?'

'Natuurlijk,' zeg ik. Hoewel het onwaarschijnlijk is dat Sarah ooit zal komen. Als Euans dochter – hoe zou dat kunnen? Diep in mijn hart heb ik het gevoel dat ik voorgoed afscheid ga nemen en vraag ik me af hoe het zal voelen om dit alles achter te moeten laten. Ik zal het missen: mijn vrienden, het strand, de lucht, zelfs het weer zal ik missen. En Euan; ik zal zijn gezelschap missen, zijn glimlach elke ochtend, zijn vertrouwdheid, de ontspannen gesprekken, de ontspannen stiltes. En ja, ik zal het missen om met hem naar bed te gaan. Euan kwijtraken zal bijna ondraaglijk zijn, maar ik win er ook iets mee – gemoedsrust bijvoorbeeld. Dat valt met geen geld te betalen.

En dan zijn er natuurlijk mijn ouders. Ik hoopte eigenlijk dat ze tegen Kerstmis een poosje zouden komen. En daarna – wie weet? Misschien bevalt het ze wel zo goed dat ze bij ons blijven wonen. Maar als papa niet in orde is…

'Ella, Callum brengt jou en Daisy naar huis,' zeg ik, terwijl ik mijn mobieltje uit mijn zak haal. 'Ik ga eerst oma even bellen en daarna moet ik Euan spreken.'

'Oké.' Ze overhandigt me twee zwemvesten. 'Neem jij deze dan vast mee?'

'Dat is goed.'

Ik toets het nummer van mijn ouders in en mijn moeder neemt meteen op. Wanneer we de gebruikelijke beleefdheden hebben gehad, vraag ik haar naar mijn vader.

'Gek genoeg heeft de dokter hem zelf gebeld om eens langs te komen. Hij is vanmorgen geweest.'

Ik mag niet vergeten Monica daarvoor te bedanken.

'De dokter denkt dat het een maagzweer zou kunnen zijn. Nu heeft hij een verwijzing voor zo'n onderzoek waarbij ze met een cameraatje naar binnen gaan.'

'Dat is heel goed, mam,' zeg ik. 'Klinkt niet al te ernstig.' Ik vertel haar bijna over Australië, maar wil het lot niet tarten – de kans bestaat per slot van rekening dat ik van Paul niet eens mee mag, en eerst moeten we nog van Orla af zien te komen. Ik sluit het gesprek af en loop in de richting van het botenhuis. Euan is binnen aan het opruimen.

'Ik zat er net aan te denken hoe jij me hebt leren zeilen,' zeg ik.

'Dat was alleen maar een excuus om je aan te kunnen raken.'

'We waren dertien. Toen vond je me nog helemaal niet leuk.'

'Ik vind je al leuk sinds mijn' – hij pakt de reddingsvesten van me aan – 'ik weet niet, negende? Toen ik je aan die boom had vastgebonden.'

'Toen waren we acht,' zeg ik en ik denk terug aan de tijd dat we hutten bouwden en aan onze kinderlijke plannen en geheimpjes waar we een hele zomer plezier mee hadden totdat mijn moeder me vond en alles bedierf. 'We hebben wel een leuke tijd gehad, hè?'

'Nou en of.' Voor het eerst sinds ik in het botenhuis ben kijkt hij me echt aan. 'Heb je nog iets van Paul gehoord?'

Ik schud mijn hoofd.

'Heb je Orla nog gezien?'

Ik knik. 'Toen ik gisteren thuiskwam was zij er.' Ik vertel hem het verhaal in omgekeerde volgorde: hoe Paul haar vroeg om weg te gaan, de geur van de zeep, dat ze mijn dochters probeerde in te palmen, de snee in Murphy's kop, de schade aan mijn auto en Shugs McGovern. 'Hij wilde me niet laten gaan. Hij wilde me dwingen hem te zoenen.'

'Wat?' Hij fronst geschrokken. 'Waarom heb je mij dan niet gebeld?'

'Ik denk niet dat hij me echt kwaad wilde doen.' Ik schud mijn hoofd. 'Dan was het me nooit gelukt om weg te komen. Daar is hij veel te sterk voor. Ik heb hem een knietje in zijn ballen gegeven, maar ook weer niet zó hard. Hij heeft me laten ontsnappen. Hij wilde me alleen de stuipen op het lijf jagen.'

'Maar toch.' Hij streelt mijn wang. 'Je had me toch moeten bellen.'

'Volgens mij was hij daar om haar van drugs te voorzien,' zeg ik, terwijl ik achter Euan aan naar de achterkant van het botenhuis loop. 'Best ironisch als je bedenkt wat een ontzettende hekel ze aan hem had toen we jong waren.'

'Drugs, gevangenis, geweld.' Hij hangt de reddingsvesten aan hangers aan een touw. 'Ze hebben heel wat met elkaar gemeen.'

'En nu we het daar toch over hebben.' Ik vertel hem over de slaapkamer, de posters, de foto's, het geld, de drugs en de krantenknipsels. 'Ze is niet goed bij haar hoofd,' besluit ik. 'Echt niet. Hier.' Ik haal de knipsels uit mijn zak. 'Sommige dingen snap ik wel, maar jij moet het ook maar eens proberen. Ik had haar achternaam verkeerd verstaan. Daarom kon je natuurlijk niets vinden op internet.'

Hij pakt de papieren uit mijn hand, begint te lezen en vertaalt tegelijkertijd de tekst voor mij. 'Medisch deskundigen voeren een lijkschouwing uit op een man die dit weekend is vermoord in het centrum van Quebec. De eenendertig jaar oude Patrick Vornier werd dood aangetroffen in zijn slaapkamer. Een buurman hoorde om elf uur 's avonds lawaai en sloeg alarm. De politie heeft verslaggevers medegedeeld dat een man genaamd Sucre Gonzalez en meneer Vorniers echtgenote Orla reeds gearresteerd zijn in verband met zijn dood. Meneer Vornier kwam oorspronkelijk uit de Franse stad Perpignan, maar woonde al geruime tijd in Canada. Hij is vermoedelijk met een mes in de borst gestoken. Het vermoeden bestaat dat meneer en mevrouw Vornier, die twee jaar getrouwd waren, op de avond van zijn dood heroïne hebben gebruikt.'

Euan wiegt heen en weer op zijn voeten en zegt: 'Godsamme.' Vervolgens vertaalt hij het tweede artikel, dat dezelfde informatie bevat, alleen wordt Orla ditmaal aangemerkt als medeplichtige van Gonzalez en wordt zij tot zes jaar gevangenisstraf veroordeeld. 'Dus Angeline heeft niet overdreven,' zegt Euan, terwijl hij de knipsels aan mij teruggeeft. 'Volgens mij bewijst dit wel dat Orla tot alles in staat is.'

Ik knik. 'Aanvankelijk verbaasde het me dat ze Paul niet over Rose vertelde toen ze er de kans voor had, maar ik denk dat ze naar iets spectaculairs toe werkt. Ze heeft het krankzinnige idee dat wij gestraft moeten worden. En ze kan het niet hebben dat wij gelukkig zijn. Ook al ben ik dat inmiddels niet meer.' De herinnering aan vanmorgen, aan Pauls vertrek, overspoelt me in een golf van schaamte en angst. Ik weet mezelf overeind te houden tot de golf weer wegebt. 'Eigenlijk wilde Paul me vanmorgen niet alleen laten, vanwege Orla's gedrag van gisteren, maar nu denkt hij dat ik haar alleen maar weg wilde hebben omdat zij het wist van jou en mij. Ik was eigenlijk van plan straks met de meisjes naar Skye te rijden om me bij hem en Ed te voegen.' Ik haal mijn schouders op. 'Maar nu hoeft dat niet meer.' Ik kijk naar mijn voeten. 'Euan, ik kan haar niet toestaan Paul over Rose te vertellen. Dat mag gewoon niet.'

'Ik regel het wel.' Hij draagt een wetsuit en heeft het bovenstuk tot aan zijn middel afgestroopt. Hij pelt zich uit het beschermende shirt dat hij eronder draagt.

'Ze weet dat Paul gaat vissen, dus ze komt zondag niet langs.'

'Oké.' Hij denkt even na. 'Dan ga ik morgen wel bij haar langs.'

'Zal ik meegaan?'

'Nee.'

'Lijkt het je niet beter als ik er ook bij ben?'

'Nee.'

Na wat we juist hebben ontdekt, ben ik ongerust geworden. Ik pak zijn hand en houd hem vast. 'Euan, je moet geen risico's nemen.'

Hij begint te lachen. 'Ik ben heus niet bang voor haar.'

'Maar stel dat ze je aanvalt met een mes?' Ik raak zijn naakte borst aan, leg mijn hand op zijn hart en voel het door mijn palm heen kloppen. 'Voor hetzelfde geld is Shugs er ook.'

'Shugs houdt zich er heus wel buiten. Die wil niet weer naar de gevangenis. Hij is niet meer zo'n keiharde als vroeger.'

'Hij zag er niet goed uit,' geef ik toe. 'Hoe laat ga je morgen?'

'In de loop van de middag, denk ik. Ik sms je wel.' Hij kijkt naar me op – 'Jij kunt mooi mijn alibi zijn' – en wendt dan zijn blik weer af, terug naar het touw dat hij staat vast te knopen.

'Oké.' Het is wel het minste wat ik kan doen. 'Weet je het zeker?'

'Ja.'

Ik moet het vragen. 'Wat ga je tegen haar zeggen?'

Hij haalt zijn schouders op. 'Dat weet ik nog niet. Ik ga proberen haar te overreden.'

'Ik denk niet dat dat zal werken. Ze…'

Hij legt een hand over mijn mond. Hij is koud en zijn vingertoppen zijn gerimpeld van het water. 'Je hoeft de details niet te weten, Grace. Ik regel het wel.'

'Toen ik haar op het kerkhof tegenkwam, zei ze dat wij haar mochten vermoorden,' zeg ik luchtig. 'En dat we het er dan uit moesten laten zien als een ongeluk.'

'Geen gek idee.' Zijn toon is droog, maar de staalharde blik in zijn ogen verontrust me.

'Je gaat toch niets…' Ik aarzel. 'Niets definitiefs doen, hè?'

'Als ik dat niet doe gaat ze niet weg, of wel soms?'

'Je gaat haar toch niet vermoorden?' vraag ik snel.

'Waar zie je me voor aan?' Hij fronst zijn wenkbrauwen om me duidelijk te maken dat ik nu toch echt te ver ga, maar ik ben niet helemaal overtuigd.

'Waarom dan dat alibi?'

'Voor het geval er iets misgaat, maar weet je wat? Je hebt gelijk. Laat dat alibi maar zitten.' Hij glimlacht verwaand. 'Ik heb het niet nodig.'

Hij trekt de rest van zijn wetsuit uit en ik draai me om, duw mijn trillende handen in mijn zakken en herinner mezelf eraan dat Euan dit voor mij doet en dat, als Paul erachter komt dat ik Rose heb gedood, ook al was het per ongeluk, het leven zoals ik dat ken voorbij is. Een verhouding is iets waar echtparen overheen kunnen komen, maar dit zal Paul me nooit kunnen vergeven. Dit is zo'n enorm verraad.

'Het spijt me.' Ik kijk Euan weer aan. Hij staat zijn jeans dicht te ritsen. 'Natuurlijk bezorg ik je een alibi. Je moet niet denken dat ik aan je twijfel.' Er waait zand naar binnen vanaf het strand en ik gebruik het als een excuus om de spanning van mijn gezicht te wrijven. 'Je ruikt naar de zee. Ik houd van de geur van de zee.' Ik leg mijn voorhoofd tegen zijn borst en voel de warmte in mijn wangen trekken.

'Ik moet de boten nog controleren.' Hij legt zijn hand in mijn nek en geeft me een vluchtige kus. 'Ik bel je morgen.'

Ik kijk hem na, loop naar mijn auto en rijd naar huis.

Wanneer ik door de achterdeur binnenkom zijn de meisjes er al. Daisy staat een boterham te smeren en Ella eet muesli. Ik trek mijn laarzen uit en loop op mijn sokken de keuken in. 'Sorry, ik was er nog niet aan toegekomen om eten klaar te maken.'

Er is geen plek meer voor ze aan tafel. Ella heeft de spullen van Monica's zolder op de keukentafel uitgestald. Ik zie een aantal stoffige gebonden boeken en oude kledingstukken, een doos met knopen en een paar oude ansichtkaarten. 'Ik dacht dat ik er misschien wel iets van kan verkopen op eBay,' zegt Ella.

Ik pak een oud tennisracket op en zwaai ermee.

'Dat is een verzamelobject,' zegt ze afwerend en grist het uit mijn handen.

Tussen de rommel ligt ook een zilveren bedelarmbandje. Het kettinkje is heel teer en heeft een hartvormige sluiting. De zes bedeltjes hangen er op regelmatige afstanden aan. Het eerste is een piepklein waaiertje. Wanneer je het openmaakt, staat er aan de ene kant 'ESPANA' in gegraveerd en aan de andere kant 'MALAGA.' Het tweede bedeltje is een Wels draakje, het derde een spinnewiel, het vierde een roos, het vijfde een kinderlijke interpretatie van een Vikingschip en het zesde bedeltje is een gondel. Het is heel klein en perfect van vorm, compleet met een gondelier en een verliefd stelletje dat gearmd achterin zit. Op de boeg van de boot staat 'VENETIË'. Ergens in mijn achterhoofd heb ik het idee dat ik het armbandje eerder heb gezien. Ik draai het om en om in mijn handen en denk na, maar ik kan het niet thuisbrengen. 'Heeft Monica gezegd dat je dit mocht hebben?'

'Ja.' Ella heeft haar muesli op en rommelt in de koelkast.

Ik houd het omhoog. 'Maar heeft ze het ook echt gezien, Ella?'

'Ja, dat zeg ik toch!' Er bungelt een rietje uit haar mondhoek. 'Mogen we geld voor friet?'

Ik laat mijn vingers over de zilveren bedeltjes glijden. 'Pak maar wat uit mijn portemonnee. Die zit in mijn tas bij de voordeur. Pak maar genoeg om er ook wat vis bij te nemen.' Mijn vingers zoeken het gondeltje en voelen langs de rand. 'En voor iets te drinken. Pak ook maar geld voor iets te drinken.'

'Zullen we daar dan maar eten?' zegt Daisy, terwijl ze Murphy's waterbak vult. 'Moeten we voor jou ook wat meenemen?'

Ik schud mijn hoofd. 'Ik heb geen honger.' Ik denk aan het verziekte ontbijt, Eds woorden en wat daarna gebeurde. Ik proef gal in mijn mond. Ik slik het weg en mijn ogen beginnen te tranen.

De meisjes slaan de voordeur achter zich dicht en ik ga zitten, doodmoe, overweldigd door de wending die de dag heeft genomen. Ik wil huilen, maar ik weet dat ik dan niet meer kan stoppen, dus zal ik moeten wachten tot de meisjes naar bed zijn. Ook al is Paul op Skye, zijn schaduw is overal in huis. Zijn schoenen staan bij de deur, zijn scheerspullen staan bij de gootsteen en het boek waarin hij bezig is ligt naast zijn stoel; aan de boekenlegger die eruit steekt te zien is hij op de helft. Murphy loopt hem te zoeken. Hij drentelt de studeerkamer in en uit, loopt naar boven, naar onze slaapkamer, en komt weer naar beneden, de keuken in. Ten slotte gaat hij op het kleedje bij de voordeur liggen en legt zijn kop op zijn voorpoten.

Ik houd het armbandje op mijn schoot. Het zit me nog steeds dwars. Waar heb ik het eerder gezien? Ik begin weg te doezelen, wat verrassend ontspannend is, en laat me meevoeren in die fascinerende leemte tussen slapen en waken, waar willekeurige gedachten als beelden op een film aan me voorbijgaan. Ik kruip wat dieper weg op de bank, mijn ogen loodzwaar, en dwaal door fragmenten van herinneringen: de meisjes als baby's, mollig, rode wangetjes, propperige enkeltjes, nageltjes als roze paarlemoeren schelpjes; een weekendje New York, Pauls hand die de mijne vasthoudt wanneer we over plassen springen, van de ene stoep naar de andere rennen, door Forty-Second Street, laat voor een toneelstuk; Euan die tegenover mij in het wandelwagentje zit, Mo die ons vertelt dat mijn ogen zo groen zijn als gras en de zijne zo blauw als de hemel; Ella en ik die de zakloopwedstrijd voor moeders en dochters winnen en elkaar lachend omhelzen.

Heen en terug door mijn leven, tot ik uiteindelijk beland waar ik moet zijn. Ik reik naar de herinnering, grijp haar vast en leg het verband. Mijn ogen schieten open. Ik kijk naar het armbandje op mijn schoot. Ik houd het voor me. Mijn hart bonkt in een hectisch ritme en lijkt dan helemaal stil te staan. Het armbandje – ik weet weer waar ik het eerder heb gezien.

April 1987

Paul en ik brengen onze wittebroodsdagen door aan de kust van New England. Als uitvalsbasis kiezen we Cape Cod, waar het weer ons goedgezind is. Het is elke dag hetzelfde: stralende zon en een zachte bries. Perfect. We slenteren langs de brede zandstranden, fietsen landinwaarts en bezoeken de ontelbare vuurtorens die de wacht houden over de kustwateren. De allereerste avond ontdekken we een restaurant aan het strand dat onmiddellijk onze favoriete eetgelegenheid wordt. Zeevruchten op New Englandse wijze: kabeljauw, sint-jakobsschelpen, kreeft en allerlei andere soorten schaal- en schelpdieren, bedekt met zeewier en gaargestoomd en gebakken in houtskool en vervolgens opgediend met in vochtig kaasdoek gewikkelde Red Bliss-aardappelen.

We praten en we lachen en vrijen elke ochtend en avond. Aanvankelijk ben ik verlegen, bang om toe te geven aan het aanzwellende gevoel in mij en ik druk het automatisch weg, maar algauw leer ik me te laten gaan en reageert mijn lichaam op het zijne. Ik doe niets liever dan hem aanraken, overal, voortdurend. We zijn vrijwel altijd samen. Hij gaat het postkantoor binnen en ik blijf bij de fietsen. Binnen een paar minuten hunker ik naar hem. Wanneer hij terugkomt grijp ik hem vast en kus hem tot de hunkering wegebt.

Ik wil dat er geen einde komt aan onze huwelijksreis. Ik wil de momenten in gelei vangen en erbij springen zodat ik weer dat gevoel van volmaaktheid kan ervaren waarin alle verlangens worden vervuld en alle fouten uit het verleden worden uitgewist.

We vinden het allebei heerlijk om in Boston te wonen. We hebben een huis in een buitenwijk waar de tuin uitloopt in een boomgaard. Paul studeert bij professor Butterworth aan de State University en wij worden opgenomen in een vriendenkring die bestaat uit Amerikanen en Europeanen. Binnen een jaar heb ik een plekje op een kunstopleiding en begin met de verwezenlijking van mijn droom om kunstenaar te worden.

We zijn vier jaar getrouwd wanneer we besluiten dat we graag een kind willen. Vrijen is teder, bijzonder, elke zaadlozing, elke lange zwempartij; nu kan het gebeuren, dit kan onze baby zijn, de versmelting van ons beiden tot een volledig nieuw en prachtig mensenkind. De eerste maand, niets, de tweede maand ben ik twee weken over tijd. Dan word ik op een ochtend wakker en moet meteen overgeven. Ik bel een van de andere vrouwen en zij gaat met me mee naar de gynaecoloog. Ik ben zwanger: blij, dolgelukkig, ongelooflijk zwanger.

Wanneer ik het Paul vertel, valt hij op zijn knieën, slaat zijn armen om me heen en streelt mijn buik. Ik giechel. Hij is een model-aanstaande-vader. Die eerste drie maanden geef ik zowel 's ochtends als 's avonds over. Hij brengt me droge kaakjes en slappe thee op bed. Hij doet alle boodschappen en kookt elke dag; hij gaat met me mee voor de eerste echo.

'Kijk eens aan!' zegt de dokter, terwijl hij ons lachend aankijkt.

We wachten, onze glimlach bevroren op ons gezicht, want we weten nog niet hoe breed we hem moeten maken.

'Daar klopt een hartje, en daar zit er nog een! Twee voor de prijs van één. Wat vinden jullie daarvan?'

'Een tweeling?' We kijken elkaar aan en beginnen dan ongelovig te lachen. Het is een schok, maar wel een fijne.

Ik vind het heerlijk om zwanger te zijn. Ik voel me alsof ik bezig ben een wonder uit te broeden, twee wonderen om precies te zijn. Ik zit soms urenlang te proberen me een voorstelling te maken van mijn kindjes, hoe ze eruit zullen zien, hun lachjes en kirrende geluidjes, het geluid van hun ademhaling. Wanneer ze beginnen te bewegen voelt dat als het gefladder van vlindervleugeltjes en naarmate de maanden verstrijken worden hun bewegingen krachtiger, echte schopjes, hikjes waarvan mijn almaar groeiende buik heen en weer schudt.

De baby's worden geboren, de tijd verstrijkt en Daisy wordt zo licht en vrolijk als een zomerdag met appelronde wangen. En ze is een tevreden kind. Ze heeft geen haast om groot te worden. Ze kijkt naar Ella en leert van haar fouten. Het is niet Daisy die haar hoofd stoot aan de rand van de salontafel of haar pols breekt omdat ze aan een tak van de vlierbesboom slingert.

Ella is een kat. Ze wil alleen aandacht op haar voorwaarden en wenst haar lot in eigen hand te houden. Zij bereikt als eerste alle mijlpalen. Ze lacht als eerste, kruipt en loopt als eerste. Haar eerste woordje is 'papa'; het tweede 'hond'.

'Volgens mij moeten we zes kinderen krijgen,' zeg ik tegen Paul. 'En op het platteland gaan wonen. Op een boerderij met kippen en geiten en…'

Hij komt net van zijn werk en geeft me een kus. 'Tja. Het punt is, Grace, dat het tijd wordt dat ik ga solliciteren naar een hoogleraarschap. En nu mag je drie keer raden.'

'Wat?' Ik help hem uit zijn jasje en hang het over de rugleuning van een stoel.

'Er komt binnenkort een vacature in St. Andrews, hoe vind je dat?' Hij pakt mijn hand. 'Hoe zou je het vinden om weer naar huis te gaan?'

Ik geef geen antwoord. Ik weet niet wat ik moet zeggen. Ik had het idee om ooit weer terug te gaan naar Schotland allang opgegeven. Ik beschouw het niet langer als mijn thuis.

'Je vader en moeder zouden kunnen helpen met de tweeling,' gaat hij verder. 'En mijn ouders ook. Skye ligt niet zo ver bij het dorp vandaan. Fijn voor vakanties, vissen, wandelen. Een ideale plek om kinderen groot te brengen.'

Ik begrijp hem wel. Maar teruggaan? Ik weet het zo net nog niet. We hebben een heerlijk leven opgebouwd in New England. Ik ben hier een heel ander mens.

'Wat vind je ervan?'

Hij is opgewonden. Hij pakt allebei mijn handen en wacht lachend mijn reactie af. Ik wil hem gelukkig maken. Na alles wat hij mij heeft gegeven, wil ik iets terugdoen. 'Als het de baan van je dromen is, dan moeten we ervoor gaan,' zeg ik.

Hij tilt me op en draait me rond en dan ploffen we op de bank en beginnen plannen te maken. Wanneer Paul aan het werk is, pak ik in. Ik ben een paar dozen aan het uitzoeken wanneer ik hem vind. Het is een close-upfoto van Paul en zijn eerste vrouw Marcia. Ze zijn getrouwd op het bureau van de burgerlijke stand in Edinburgh. Het is zomer en zij draagt een jurkje met korte mouwen. Ze staan allebei te lachen en houden hun handen naar voren om hun trouwringen te laten zien. Om Marcia's pols zit een zilveren bedelarmbandje. Twee van de bedeltjes kan ik duidelijk zien: een Vikingscheepje en een gondel. Wanneer Paul thuiskomt van zijn werk vraag ik hem ernaar.

'Het Vikingschip herinnerde haar aan haar oma die op de Shetlandeilanden woonde.' Hij wijst op de gondel. 'Het voorjaar voor ons huwelijk zijn we naar Venetië geweest,' zegt hij. 'Toen heb ik op een van de markten op het plein dat bedeltje voor haar gekocht. Ik weet nog dat ik heb staan onderhandelen over de prijs.'

'Het is een mooi armbandje.' Ik laat mijn vinger over de foto glijden. 'Waar is het gebleven?'

'Dat weet ik eigenlijk niet,' zegt hij. 'Toen Marcia overleed heb ik het aan Rose gegeven. Ze had het altijd om, maar het slotje was een beetje lam. Ze had het ook bij zich toen ze meeging op kamp.' Hij haalt zijn schouders op. 'Waarschijnlijk heeft ze het daar ergens verloren. Ik ben nog verschillende keren teruggegaan om ernaar te zoeken, maar ik heb het nooit gevonden.'

16

'Wat is hier aan de hand?' Ella staat aan de voet van de ladder omhoog te kijken. 'De hele gang staat vol rotzooi.'

Het is de volgende ochtend en ik heb de kast onder de trap al overhoopgehaald en klim nu naar de zolder. 'Ik zoek iets.'

'Als je een wedstrijdje doet met Monica, dan kun je meteen wel ophouden. Wij hebben tien keer zoveel troep als zij.'

'Heb je zin om me te helpen?'

Ze trekt een gezicht en verdwijnt in haar slaapkamer. Een paar tellen later hoor ik het gebonk van muziek. Ik klim verder tot ik op de zolder sta. Ik hang een lamp aan een van de dwarsbalken en overzie het tafereel. We hebben meer dozen vol boeken en rommel dan ik voor mogelijk had gehouden. Vrijwel elke vierkante centimeter van de ruimte wordt in beslag genomen door een doos of een vuilniszak vol spullen. Ik wou dat ik er ooit systeem in had aangebracht, maar dat was een van die klusjes waar ik nooit aan toe ben gekomen. Ik moet die foto van Paul en Marcia's huwelijk zien te vinden, al moet ik er het hele huis voor op zijn kop zetten. Ik wil zeker weten dat mijn geheugen me geen verbanden laat leggen die er niet zijn. En als het dezelfde armband is, hoe is Monica er dan aan gekomen? En waarom heeft ze hem al die jaren bewaard?

Ik begin de zakken en dozen te doorzoeken en probeer me niet te laten afleiden door al het andere wat ik tegenkom, maar wanneer ik de foto van de echo vind die tijdens mijn zwangerschap is gemaakt, met Ella en Daisy, dicht tegen elkaar aan, de voetjes van de een bij het hoofdje van de ander, opgaand in elkaars ritme, blijf ik er even naar zitten kijken. Af en toe speel ik dat spelletje: als je jezelf in één woord zou moeten beschrijven, welk woord zou dat dan zijn? Negen van de tien keer zou het antwoord luiden: moeder. Ik ben meer moeder dan wat dan ook en mijn liefde voor hen is nog net zo rotsvast en oprecht als de dag dat ik voor het eerst die echo zag en de twee hartslagen hoorde. Tegen de tijd dat ze ter wereld kwamen, met zesendertig weken en vijf dagen, hield ik al meer van ze dan ik ooit voor mogelijk had gehouden.

En ik herinner me een andere keer. Ik ben vijf maanden zwanger en wanneer ik midden in de nacht wakker word is Pauls kant van het bed leeg. Ik tref hem aan in de woonkamer, slapend in zijn stoel, met deze foto in zijn handen. We hebben samen twee kinderen, wonen in hetzelfde huis, vrijen, hebben plezier, en maken plannen voor onze toekomst. Waarom kon dat niet genoeg zijn voor mij?

Ik leg de echofoto weg en zoek verder. De wind fluit van west naar oost door de zolderruimte en de lamp schommelt heen en weer en verlicht eerst de ene hoek en dan de andere, vol spullen die niet langer relevant zijn in ons leven, maar die we op de een of andere manier ook niet weg kunnen gooien.

Ik loop voorzichtig over de hardboardplanken die dienstdoen als tijdelijke vloer, buk mijn hoofd onder de balken en sla de kartonnen dozen met Pauls oude speelgoed, soldaatjes en modelvliegtuigjes over. Daar ligt een vuilniszak vol oude kleren. Ik kijk er even in en zie mijn serveerstersuniform. Ik denk terug aan Donnie's Bites, waar ik Paul zijn maaltijden bracht en me intussen voornam van hem te houden en voor hem te zorgen.

De laatste dozen die ik tegenkom zien eruit alsof ze er waarschijnlijk al een tijdje staan. Sinds onze terugkeer naar Schotland? Dat lijkt me niet onmogelijk, gezien de hoeveelheid stof en spinrag die erop ligt. Zodra ik de eerste open, heb ik het gevoel dat ik goed zit. Het zijn alle foto's die Paul heeft genomen voordat wij elkaar kenden. Ik bekijk alleen de bovenste en besluit de doos dan mee naar beneden te nemen, zodat ik niet meer op de tocht hoef te zitten.

Ella komt net haar slaapkamer uit en schrikt wanneer ik de doos met foto's vlak voor haar voeten laat ploffen. Ze kijkt erin en haalt haar neus op voor het stof en spinrag. 'Wat is dit allemaal?' zegt ze.

Ik til de doos op en ga naar beneden.

Zij loopt achter me aan. 'Waar is papa trouwens?'

'Vissen met opa. Dat wist je al.'

'Als je maar niet denkt dat ik al die troep weer ga opbergen.' Ze wijst met een donkerrood gelakte nagel in de richting van de leeggeruimde kast. De gang ligt bijna helemaal vol: tennisrackets, regenjassen, oude schoenen, een kapotte faxmachine, een stuk of tien dozen vol oude schoolboeken en schriften van de tweeling en dan heb ik de helft nog niet genoemd.

'Dat verwacht ik ook niet van je,' zeg ik tegen haar.

Ik klauter over alles heen, voel iets langs en duns onder mijn voet doorbuigen en breken, loop door en ga op de bank zitten. Ik gooi de doos leeg op de grond en neem de tijd om elke foto te bekijken tot ik hem eindelijk vind. Het is een professionele opname, van tien bij vijftien centimeter. Paul en Marcia lachend voor het bureau van de burgerlijke stand. Ik leg het armbandje naast de foto op tafel en vergelijk de afbeelding met het echte sieraad. Ze zijn allebei van zilver, beide kettinkjes hebben een opvallend visgraatpatroon en de twee zichtbare bedeltjes aan Marcia's pols zijn het Vikingscheepje en de gondel, naast elkaar, net als aan het echte armbandje.

Het is precies wat ik al verwachtte, maar ik kan het bijna niet geloven en het werpt vragen op die ik vooralsnog niet kan beantwoorden. Hoe komt Monica aan deze armband? Waarom heeft ze hem niet aan de politie gegeven? Waarom heeft ze hem al die tijd nooit aan Paul teruggegeven? Toen ik na de ruzie terugging naar de tent, was Monica nog op. Stel dat Rose weer naar bed is gegaan nadat ik haar een duw heb gegeven? Misschien heb ik onbewust zelfs gezien dat alle meisjes in hun slaapzakken lagen. Misschien is ze later weer opgestaan, zoals Euan altijd heeft gesuggereerd.

Kan het zijn dat ik niet de laatste ben geweest die Rose in leven heeft gezien?

Er wordt aangebeld en Ella doet open. 'Ik waarschuw je maar vast,' hoor ik haar zeggen. 'Ze is in een rare bui vandaag.'

De woonkamerdeur gaat open. Het is Euan. Ik laat het armbandje in de achterzak van mijn jeans glijden. Hij kijkt om zich heen naar de puinhoop. 'Wat is hier aan de hand?'

'Ik ben aan het opruimen.'

'Opruimen?' Hij doet de deur achter zich dicht. 'Het lijkt wel of er een tornado is geweest.'

'Ik wilde wat oude foto's uitzoeken en…' Ik lach hem opgewekt toe. 'Stel niet uit tot morgen wat je vandaag kunt doen.'

Hij kijkt me aan. Hij ziet er moe uit. Ik wil hem aanraken.

'Gaat het een beetje met je?' vraagt hij.

'Ja, hoor.' Ik haal achteloos mijn schouders op.

'Wat verberg je voor me?'

'Wat bedoel je?'

Hij wijst naar mijn handen. Die heb ik nog steeds op mijn rug. Ik breng ze naar voren en laat zien dat ze leeg zijn. Hij kijkt over zijn schouder naar de dichte deur en leidt me dan naar de zijkamer, waar we niet onmiddellijk worden gezien als een van de meisjes binnenkomt. 'Heb je Paul nog gesproken?'

'Nee. Ik heb een paar keer zijn voicemail ingesproken, maar hij belt niet terug.'

Hij steekt zijn handen in zijn zakken en blaast.

'Hij bevindt zich in elk geval buiten bereik van Orla,' zeg ik, in een poging de positieve kant ervan in te zien. 'Maar ik weet niet wat hij gaat doen wanneer hij weer thuiskomt; misschien komt hij wel naar jou toe.'

Ik verwacht dat hij zorgelijk zal kijken, maar dat doet hij niet. Het halve glimlachje waarmee hij me aankijkt is berustend, meevoelend. 'Het moest ook wel een keer uitkomen.'

'Ga jij het Monica vertellen?'

Hij streelt met de rug van zijn hand langs mijn wang. 'Alles op z'n tijd. Vind je het nog steeds oké om mijn alibi te zijn?'

'Ja.' Ik moet toegeven dat ik wel mijn bedenkingen heb gehad. Stel dat Euan Orla iets aandoet? Stel dat ik voor de rechter moet liegen? Onder ede? Wat dan? Maar iemand moet Orla nu eenmaal tegenhouden en Euan en ik kenden elkaar al voordat we allebei zelfs maar konden praten. Wij kennen elkaar door en door. Zo goed dat we elkaars stemmingen en principes hebben geabsorbeerd. Ik vertrouw hem blindelings.

'Ik sms je wel.'

'Euan.' Ik zwijg even. Het armbandje brandt een gat in mijn kontzak. 'Heeft Monica wel eens iets gezegd over de dood van Rose?'

'Waarom zou ze?' Hij fluistert. We fluisteren allebei.

'Laat ook maar.' Ik schud mijn hoofd. 'Het was zomaar een idee.'

Hij legt zijn rechterhand in mijn hals, vlak onder mijn oor en begint me met zijn vingers te masseren. 'Vertel.'

'Nou…' Ik ben bang dat het, als ik het hardop zeg, zo onbeduidend zal klinken – stukjes informatie die ik in elkaar heb geknutseld tot een vorm die meer verbeelding is dan werkelijkheid. 'Ik vertel je dit niet om moeilijk te doen, maar Monica was die avond ook uit bed. Ik zag haar toen ik terugging naar mijn tent.'

'Dus?'

'Toen Orla vorige week opeens op het feestje van de meiden verscheen, zag Monica ons ruziemaken en raakte daar helemaal overstuur van. En toen ik laatst samen met Monica op het strand was, was ze…'

'Grace.' Hij pakt mijn schouders vast. 'Dit is een beroerde situatie en ik begrijp waarom je je aan elke strohalm vastklampt.'

'Dat doe ik niet.'

'Heb je vandaag al wat gegeten?'

'Nou nee, maar…'

'Dit heeft niets met Monica te maken en alles met ons.' Hij schudt me zachtjes door elkaar. 'Je moet er wel met je hoofd bij zien te blijven. Houd Monica erbuiten. Ik meen het. Niemand zal er ooit achter komen wat er werkelijk met Rose is gebeurd. Het spoor loopt dood.' Hij neemt me mee naar de keuken. 'Je moet eerst iets eten en dan wat slapen.' Hij pakt kaas en ham, boter en augurken uit de koelkast, snijdt een paar boterhammen, slaat zijn armen om me heen en maakt de sandwiches klaar terwijl ik tussen hem en het aanrecht in sta.

Ik doe mijn ogen dicht en leun tegen hem aan. Ik kan hem het armbandje wel laten zien, maar ik wil niet dat hij er een logische verklaring voor verzint. Ik wil me vasthouden aan wat ik weet: Monica had een armbandje dat van Rose is geweest. Sinds Orla in het dorp is teruggekeerd is ze op van de zenuwen. Dat heeft iets te betekenen. Ik weet het zeker.

Euan overhandigt me een uitpuilende sandwich en ik wil de helft aan hem geven. Hij schudt zijn hoofd. 'Ik heb een lunchafspraak met Callum in de Anchor.'

'Gezellig.' Ik neem een hap.

'Hij overweegt dat leegstaande vispakhuis aan de haven te kopen en er appartementen van te maken. Hij wil het samen met mij doen.'

'Oké.'

'Grace.'

'Wat?'

'Monica heeft niets met de dood van Rose te maken.'

Ik neem nog een hap en kijk al kauwend naar de grond.

'Waarom ga je niet mee naar de pub?'

'Nog even en ik zit barstensvol.'

'Dan neem je toch alleen een sapje? Kun je mooi een paar oude mannen gezelschap houden.'

'Nee, je hebt gelijk.' Ik glimlach, pak een glas water en neem een slok. 'Ik moet even gaan liggen.' Ik drink het glas leeg en houd het tegen mijn maag.

Euan loopt peinzend heen en weer. Dan komt hij voor me staan. 'Wat sta je hard in dat glas te knijpen? Straks breekt het nog.' Hij neemt het glas uit mijn hand en houdt zijn lippen vlak bij mijn oor. 'Vergeet niet wie hier de vijand is.' Hij bijt zachtjes in mijn oorlelletje. 'Ik sms je aan het eind van de middag.'

Ik loop achter hem aan naar de gang en kijk uit het raam. Wanneer zijn wagen de hoek om is, start ik mijn eigen auto en rijd de andere kant op. Het moet net lukken om het met Monica uit te praten voordat Euan terugkomt uit de pub. Ik rijd naar hun huis en ik ben er bijna wanneer ik toch heel even begin te twijfelen. Ik zet de auto langs de kant van de weg. Misschien kan ik het beter niet doen. Misschien heb ik al genoeg in het verleden zitten spitten. Rose is dood. Al vierentwintig jaar. Zijn de details nu werkelijk nog zo belangrijk?

Ja. Voor mij zijn die details heel erg belangrijk. Ze vormen de basis waarop ik mijn hele leven heb opgebouwd. Misschien heeft het armbandje niets te betekenen, misschien heeft Monica er een heel plausibele verklaring voor hoe ze eraan is gekomen, maar ik laat me de kans om daarachter te komen niet ontglippen. Volgens Angeline doet het verleden er niet toe, maar het is juist het verleden waar ik zo mee worstel en dit is misschien een kans om alles beter te begrijpen. Ik laat dit moment niet aan me voorbijgaan. Zelfs niet voor Euan.

Ik parkeer, sluit de wagen af, haal een keer diep adem en bel aan.

Monica doet open en kijkt me aan. Zo te zien heeft ze gehuild en ze lijkt opeens tien jaar ouder. 'Je kunt maar beter binnenkomen,' zegt ze.

Het huis ruikt naar verbrande toast. Ik loop achter haar aan naar de keuken en ga op een van de hoge krukken zitten. Het is een puinhoop in de keuken, een doodgewone gezinspuinhoop, opgestapelde vuile borden, flessen ketchup en saus, vieze messen en vorken. Zo heb ik het hier nog nooit gezien.

Ik wil zeggen: *Wat is er aan de hand, Monica? Wat is er met Rose gebeurd? Wat, Monica? Wat?* Maar iets in mij zegt dat ik het rustig aan moet doen, heel rustig aan. Ik ben er nu zo dichtbij en ik wil niet dat Monica dichtklapt. 'Is alles in orde?'

Ze staart me aan. Ze fronst haar wenkbrauwen alsof dit wel een heel domme vraag is en ze op de volgende zit te wachten. Misschien dat ze daar dan antwoord op zal geven.

'Heeft dit te maken met wat er is gebeurd toen we allemaal zestien waren?'

Niets. Alleen die blik.

'Dat jaar, in 1984?' Ze geeft nog steeds geen antwoord, dus antwoord ik met een volgende vraag. 'Dit?'

Ik haal het armbandje uit mijn zak en leg het op het buffet.

Ze kijkt er even naar en loopt dan naar de ketel. 'Koffie?'

'Als je wilt.' Ik kijk om me heen. Aan de muur hangt een tekening die ik vier jaar geleden heb gemaakt. Het is een simpele potloodtekening van Murphy en Muffin toen ze nog puppy's waren. Sarah vond hem prachtig en heeft hem opgehangen tussen de muur en het raam. Het heeft me altijd verbaasd dat Monica hem nooit van de muur heeft gehaald. Ik weet dat ze geen hoge pet opheeft van mijn werk – een hobby – geen echt werk zoals de geneeskunde. In de meeste opzichten zijn we tegenpolen: Monica is gedisciplineerd, gedreven, ambitieus en heeft altijd alles onder controle. Mijn ambities zijn beperkt, ik ben meer van laissez-faire dan gedreven en ben geen controlfreak zoals zij. Maar nu zit haar toch iets dwars en ik ben vastbesloten erachter te komen wat het is.

Ze zet een kop koffie voor me neer. 'We komen nooit echt los van ons verleden, hè?'

Ik steek mijn hand uit over het tafelblad, kan net niet bij de hare, maar laat hem toch liggen en zeg: 'Wat zit je toch zo dwars?'

'Het is niet zozeer…' Ze dwaalt af, neemt een slokje van haar koffie en slaakt een diepe zucht.

'We hebben allemaal wel ergens spijt van. Dingen die we anders hadden willen doen.'

Ze lacht. 'Waar kun jij nu spijt van hebben, Grace. Jij lijkt altijd zo goed aangepast, volmaakt gelukkig met Paul en je meiden en je schilderen.'

'We hebben allemaal onze duistere kanten.' Ik tik met mijn vinger naast het armbandje. 'Dit armbandje. Daar kom ik eigenlijk voor.'

Ze kijkt er weer naar. 'Daar weet ik niets van.'

'Pak het op en bekijk het eens goed.'

Ze doet het. Ze laat het aan haar vingertoppen bungelen, houdt het tegen het licht en kijkt hoe het beweegt. 'Het is dof, maar toch een mooi dingetje.' Ze legt het neer bij mijn hand. 'Hoe dan ook, ik heb dringender zaken aan mijn hoofd.'

'Het lag bij jou op zolder,' zeg ik luchtig. 'Ella zei dat jij had gezegd dat ze het wel mocht hebben.'

'Heb ik dat gezegd?'

'Ja, dat heb jij gezegd.'

Ze haalt haar schouders op. 'En wat dan nog?'

'Het is van Rose geweest.'

'Rose van Paul?'

Ik knik.

Ze werpt er nog een korte blik op. 'Nou, ik heb geen flauw idee hoe het tussen mijn spullen terecht is gekomen.'

'Tijdens het kamp had ze het bij zich.'

'Nou, dan zal dat het zijn. Dan is het tussen mijn kampeerspullen terechtgekomen.'

'Maar jij sliep niet eens in haar tent.'

Ze kijkt me geïrriteerd aan. 'Wat wil je dan dat ik zeg? Dat ik het heb weggenomen?'

'Paul heeft zich altijd afgevraagd wat ermee was gebeurd. Ze had het altijd om. Het was van haar moeder geweest. Na de dood van haar moeder droeg ze het altijd en overal.'

'Nou, dan zal ik naar Paul toe gaan en hem mijn excuses aanbieden.' Haar toon is ongeduldig. 'Maar kunnen we het dan intussen alsjeblieft over Orla hebben?'

'Ik heb de afgelopen vierentwintig jaar in de waan geleefd dat ik de laatste was die Rose in levenden lijve heeft gezien,' zeg ik zacht. 'Dat ik haar dood misschien had kunnen voorkomen als ik maar had geluisterd naar wat ze me wilde vertellen. Ik heb al die tijd gedacht, Monica, gedácht, dat ze, toen ik haar wegduwde, in het water is gevallen en is verdronken.'

Ze loopt naar de gootsteen en kijkt naar me om. 'Waar heb je het in vredesnaam over?'

Ik sta op en ga bij haar staan. 'Orla en ik hadden die avond ruzie. Rose kwam naar me toe om me iets te vragen. Ik duwde haar weg. De volgende dag vond ik haar in het water, precies op de plek waar ik haar een duw had gegeven.'

Monica heeft haar armen over elkaar geslagen en tikt met haar voet op de grond. 'Heb je soms gedronken?'

'Nee!'

'Dus jij denkt dat je Rose hebt vermoord?'

'Ja.'

We staren elkaar aan.

'En dat is dus wat Orla van jou weet?'

Ik knik.

'Christus!' Ze wankelt naar achteren, houdt zich vast aan het aanrecht en kijkt me aan alsof ik gek ben geworden.

'Ik weet het.' Ik houd mijn handen omhoog. 'Het is afschuwelijk. Maar nu heb ik onlangs, nou ja, er klopt gewoon iets niet en ik heb behoefte aan duidelijkheid in mijn hoofd. De volgorde van de gebeurtenissen. Heb jij Rose die nacht gezien? Is ze naar jou toe gekomen?' Ik wijs naar het armbandje. 'Waarom heb jij haar armbandje?'

Monica staart langs me heen terwijl ze in gedachten de klok terugdraait. 'Dus toen ik rond middernacht bezig was de voorraden op te bergen en jij terugkwam naar de tent...'

'Toen had ik haar al geduwd.'

Ze schudt vluchtig haar hoofd. 'Dan heb jij het niet gedaan. Rose was al tien minuten eerder teruggekomen naar de tent.'

Even blijf ik doodstil staan en dan grijp ik Monica bij haar schouders en roep: 'Weet je dat absoluut zeker?'

'Ja! Anders had ik je wel verteld dat er iemand uit jouw groepje uit haar bed was.'

De immer praktische Monica. Echt iets voor haar om zich ervan te overtuigen dat alle meisjes in hun tenten lagen alvorens zelf te gaan slapen. Zij vatte haar taak serieus op. Terwijl Orla en ik ruzie hadden staan maken om Euan, had Monica zich verantwoordelijk gedragen.

Ik begin te trillen. Ik zak door mijn knieën en plof hard op de kruk neer. *Ik heb het niet gedaan. Ik heb Rose niet vermoord. Ik heb het niet gedaan.* Ik heb behoefte aan frisse lucht en loop langs Monica naar de achterdeur. Ik probeer langzaam en diep te ademen. Na een paar minuten ga ik weer naar binnen en laat een glas water vollopen. 'Weet je het echt absoluut zeker?' vraag ik nogmaals en meteen zie ik Rose' lichaampje voor me, dat helemaal blauw en opgezwollen was tegen de tijd dat ik haar vond. Ik sla mijn hand voor mijn mond, klem mijn kiezen op elkaar en concentreer me op het wegtrekken van de golf misselijkheid die me overvalt.

'Ja. In 's hemelsnaam zeg! Dat heb ik destijds toch ook al tegen de politie gezegd!'

'Echt waar?' Aan de ene kant voel ik een opluchting, een vervoering, een lichtheid, een ongeloof, een behoefte om te lachen, een behoefte om te huilen, een behoefte om mijn onschuld van de daken te schreeuwen. Aan de andere kant ervaar ik een verpletterend, slopend gevoel van verlies. Jaren van schuldgevoelens en zelfverwijt en allemaal voor niets. Was ik destijds maar naar de politie gegaan, dan hadden ze me meteen kunnen vertellen dat ik er onmogelijk iets mee te maken kon hebben.

'Grace, je bent met haar vader getrouwd! Je kunt toch niet werkelijk hebben geloofd dat ze door die duw van jou is overleden? Ze moet later die nacht zijn opgestaan en in het water zijn gevallen. Zulke dingen gebeuren.' Ze gaat tegenover me zitten. 'Kunnen we het nu dan alsjeblieft over Orla hebben?'

'Ze kan me niets maken,' zeg ik. 'Helemaal niets.'

'Ja, nou… bof jij even!' Ze heeft een gekwelde blik op haar gezicht. Ze leunt op het tafelblad en staart me aan. 'Orla mag onder geen beding in het dorp blijven.'

'Waarom niet?'

Ze aarzelt. Ik zie haar twijfelen en dan zegt ze: 'Beloof je me dat dit onder ons blijft?'

Ik knik en durf amper adem te halen. Ik hoor mijn mobieltje piepen dat ik een bericht heb, maar ik negeer het en wacht gespannen af wat ze me gaat vertellen.

Ze kijkt langs me heen. 'Ik houd van Euan, Grace. Ik hield al van hem toen we nog op school zaten. Ik weet dat ik niet meetelde. Ik weet dat ik niet bij het groepje populaire leerlingen hoorde, maar hij was altijd de enige voor mij, en dat is hij nog steeds.'

Ik zeg niets. Ik ben blij dat ze me niet aankijkt, want het schuldgevoel staat op mijn gezicht te lezen. Ik voel dat ik een kleur krijg als een boei.

'De geschiedenis herhaalt zich. Toen ik jong was, maakte Angeline mijn familie kapot en nu wil Orla mijn kinderen hetzelfde aandoen.'

'Ik begrijp niet…'

'Ze is teruggekomen voor Euan,' zegt ze snel.

'Ze is teruggekomen voor Euan?' Ik schiet bijna in de lach. Ik denk aan zijn gezicht in het klooster. Hij voelt zich niet aangetrokken tot Orla. Totaal niet. Dat weet ik absuut zeker. Goed, hij is ooit een keer met haar naar bed geweest, toen hij zestien was, maar daarna nooit meer. Dat heeft hij me verteld en ik geloof hem. Ik grijp Monica bij haar schouders. 'Euan en Orla? In geen honderdduizend jaar! Als dat het is waar jij je zorgen om maakt dan denk ik toch werkelijk dat je het bij het verkeerde eind hebt.'

Ze ademt diep in. 'Ik weet dat wij nooit dikke vriendinnen zijn geweest, maar je moet me helpen hem tegen haar te beschermen.'

Tot mijn schande knik ik. De ironie van het feit dat Monica aan mij vraagt haar man te beschermen ontgaat me geenszins, maar ik wil dit gesprek zo snel mogelijk beëindigen. Ik wil de tijd versnellen: een maand, een halfjaar, hoelang het ook duurt voordat ik zover ben dat ik verder kan met mijn leven. Ik wil denken en alles bevatten, genieten van de wetenschap dat ik Rose niet heb vermoord. Ik wil het goedmaken met Paul en ik wil in Melbourne wonen en van mijn gezin genieten.

Monica is nog steeds aan het woord. 'Ze kan Euans leven verwoesten. En waarvoor?' Haar mondhoeken trillen. Ik zie dat het haar moeite kost om haar lippen in bedwang te houden. 'Het was Mo die het me vertelde. Ze zei tegen me: *Ik heb een slecht gevoel over dat meisje. Daar ben je nog niet vanaf.* En Mo had gelijk, zoals Mo altijd gelijk had.'

Ergens in mijn achterhoofd gaat een alarmbelletje rinkelen. 'Waar had Mo gelijk in?'

'Dat Orla een bedreiging was. Dat ze terug zou komen voor Euan. Dat ze het er niet bij zou laten zitten.'

'Dat ze wat er niet bij zou laten zitten?' Het is zo stil in huis dat ik door de dubbele beglazing heen de zee kan horen ruisen.

'Op haar zestiende…' Ze zwijgt. Er rollen tranen over haar wangen. Ze laat ze de vrije loop, trekt haar schouders naar achteren en zegt op luide toon: 'Op haar zestiende heeft Orla een abortus ondergaan. Het kind was van Euan.'

Ik ben zo geschokt dat ik geen woord kan uitbrengen. Ik kijk haar met open mond aan. Eerst geloof ik het niet en zegt alles in mij dat het onmogelijk waar kan zijn en dan begin ik in gedachten verbanden te leggen: Euan die er zo zeker van was dat Orla rancuneuze gevoelens had, hun verhitte discussie in het klooster, Orla die hem in zijn gezicht spuugde. *Waarom heeft hij me dat nooit verteld?* Langzaam begint het tot me door te dringen. Ze neemt dus ook wraak op Euan. 'Wanneer heeft ze die abortus gehad?'

'Eind augustus 1984.'

Euan heeft mij verteld dat hij het maar één keer met haar heeft gedaan, toen ze grotten gingen onderzoeken voor aardrijkskunde. Dat was eind april. In augustus moet ze dus al meer dan zestien weken zwanger zijn geweest. Dat verklaart achteraf misschien haar onberekenbare gedrag tijdens het gidsenkamp. Toen moet ze het al hebben geweten. En ik neem aan dat het in haar brieven heeft gestaan. De brieven die ik nooit heb gelezen.

'Euan is er altijd van overtuigd geweest dat het kind niet van hem was,' zegt Monica. 'Dat was een van de dingen waar Orla zo kwaad om was. Het feit dat hij haar niet wilde geloven. Wist je dat ze een zelfmoordpoging heeft gedaan?'

Ik knik.

'Weet je nog dat Euan opeens bij zijn oom ging wonen?'

Ik knik weer.

'Orla bezorgde hem zoveel problemen, telefoontjes, brieven, opeens voor de deur staan. Ze verhuisden wel naar Engeland, maar het ging gewoon door. Ze stuurde hem per post afbeeldingen van dode baby's en ze schreef naar de directeur van de school. Daarom is Euan in Glasgow gaan wonen. Daar kon ze hem niet bereiken.'

Ik ben sprakeloos. Hoe kan het dat ik dit nooit heb geweten? Euan en ik hadden een hechtere band dan de meeste broers en zussen, maar ik wist niet dat hij problemen had. Ik liet me zo opslokken door wat er met Rose was gebeurd dat het helemaal aan me voorbij is gegaan. Ik kan het nauwelijks geloven en toch geloof ik tegelijkertijd dat het waar is. Orla is eropuit ons allebei te straffen omdat wij haar geen van beiden hebben geholpen, en het feit dat wij nu een verhouding hebben komt haar alleen maar goed uit.

'Het blijft wel tussen ons, hè?' zegt Monica.

'Natuurlijk.' Ik wilde dat Euan me over die abortus had verteld, maar ik ben wel de laatste die het recht heeft iemand kwalijk te nemen dat hij er geheimen op na houdt.

Ik stop het armbandje weer in mijn zak en sta op. Ik moet naar hem toe, om hem te vertellen dat Orla mij helemaal niets kan maken, en alles goed en wel – maar wat kan ze hem nu eigenlijk maken? Misschien heeft hij haar niet gesteund op de manier zoals zij had gewild, maar wat dan nog? Al laat ze de waarheid in de krant zetten, dan nog zal het hem weinig schade berokkenen. Hij is volwassen en, afgezien van mij, heeft hij zich sindsdien voorbeeldig gedragen. De mensen hebben respect voor hem en mogen hem graag. Daar kan Orla geen verandering in brengen.

17

Geen geheimen. Voor het eerst in vierentwintig jaar heb ik niets te verbergen. Er komt niemand voor me aan de deur. Ik word niet afgevoerd naar het politiebureau. Ik hoef mijn gezin niet langer te beschermen tegen wat naar ik dacht de waarheid was.

Ik heb Rose niet vermoord.

Ik zit op het stoepje voor Monica's huis en staar recht voor me uit. De lucht ruikt zilt en vochtig. Er staat een harde wind van zee en ik trek mijn jas om me heen. Er gaan allerlei gedachten en beelden door mijn hoofd: Rose aan mijn voeteneind, lelietjes-van-dalenzeep, Mo's stem die me vertelt dat mijn ogen zo groen zijn als zomergras, het jasje in het water, het moment dat ik mijn meisjes voor het eerst in mijn armen houd, achter Euan aan over het strand rennen, Paul op onze trouwdag.

Ik heb het niet gedaan. Mijn hele volwassen leven heeft in het teken gestaan van iets wat nooit is gebeurd. Ik loop terug naar mijn auto en stap in. 'Al die jaren heb ik gedacht dat ik haar had vermoord, maar ik heb het niet gedaan,' zeg ik hardop. 'Ik heb Rose niet vermoord.'

Ik kan onmogelijk beschrijven wat een enorme last er van mijn schouders is gevallen en ik geniet van het gevoel van licht en lucht. Mijn huwelijk staat nog steeds op springen – dat ben ik niet vergeten – maar overspel is minder erg dan moord.

Euan. Ik kan niet geloven dat hij me niet over die abortus heeft verteld. Ik begrijp er niets van. Hij was nog maar zestien, dé leeftijd voor het begaan van vergissingen. Ik zou hem hebben geholpen en gesteund. Bijna twee weken loop ik nu al te klagen over Orla en haar beweegredenen en het feit dat dit mijn probleem was, niet het zijne, en al die tijd had hij zijn eigen grote geheim.

Er springt een rode kater op mijn motorkap. Stilletjes en glanzend zit hij zijn pootjes te likken en wast zich dan achter zijn oortjes. Hij is volmaakt in harmonie met zichzelf. Dan houdt hij even op met wassen en kijkt mij door de voorruit aan. 'Mijn huwelijk staat op instorten, maar ik heb in elk geval niemand vermoord,' zeg ik tegen hem. 'Alles is betrekkelijk.'

Voor het eerst sinds Orla weer van zich heeft laten horen, heb ik niet dat gevoel van naderend onheil. Ik kijk naar de kat. Heen en weer drentelend over de motorkap kijkt hij de straat in. Af en toe miauwt hij klaaglijk en dan springt hij er opeens af en glipt door de heg heen de tuin van de buren in.

Voordat ik de motor start, kijk ik eerst nog even op mijn mobieltje. Ik heb een berichtje van Euan. Ik kijk naar de tijd waarop hij het heeft verzonden en kijk dan op mijn horloge. Drie kwartier geleden. Ik probeer hem te bellen, maar zijn voicemail staat aan, dus rijd ik naar Orla's huis. Euans auto staat er niet, maar er brandt wel licht binnen. Het is pas drie uur 's middags, maar de lucht is zwaarbewolkt. Boven zee regent het al. De wind kondigt de naderende storm aan en de golven spatten nerveus op, alsof ze weten wat er komen gaat. De lucht lijkt te vibreren en meeuwen verzamelen zich, met wijd opengesperde snavels en klapperende, zwevende vleugels, alvorens neer te komen, hun pootjes gevaarlijk balancerend op enkele centimeters rotsrichel.

Ik klop op de deur. Orla doet open. 'Kijk eens wie we daar hebben!'

Ze ziet er tot in de puntjes verzorgd uit. Ze draagt een rode satijnen jurk die strak om haar borsten en heupen spant en die aan de zijkant een hoge split heeft. Verder draagt ze een nauwsluitende zwarte kralenketting om haar hals en bijpassende oorhangers die bijna tot op haar sleutelbeenderen hangen. Haar haar is op een ogenschijnlijk willekeurige manier hoog opgemaakt, maar er ontsnappen op precies de juiste plekken wat krulletjes om haar jukbeenderen te accentueren. Ik vraag me af of ze wist dat Euan zou komen.

'Ik kom niet voor jou,' zeg ik. 'Ik wil Euan spreken.' Ik zie hem achter haar staan.

Hij lijkt niet blij me te zien. Hij komt naar buiten en we lopen een paar meter bij het huis vandaan. 'Wat doe jij hier?'

'Ik heb zojuist een ontdekking gedaan. Monica heeft het me verteld. Ik kan Rose onmogelijk hebben vermoord,' zeg ik ademloos. 'Ze was alweer in de tent voordat ik terug was. Toen ik in mijn slaapzak kroop, lag zij gewoon in de hare.' Ik verwacht dat hij blij zal zijn, maar hij toont geen enkele emotie. Het is net of hij me niet heeft gehoord. 'Euan?' Ik schud hem door elkaar. 'Hoor je wat ik zeg?'

Zijn gezicht is uitdrukkingsloos. 'Weet Monica dat zeker?'

'Absoluut! Ze was er zelf bij. Ze herinnert het zich nog heel goed. En je kent Monica; die vergist zich niet. Is het niet fantastisch?' Ik schud hem opnieuw door elkaar. 'Euan?'

'Ja, dat is het zeker.' Hij zegt het zonder enig enthousiasme en kijkt langs me heen, waar achter mij de storm in kracht toeneemt en over zee in onze richting komt.

Ik voel de eerste regendruppels op mijn haar.

'Begrijp je wel wat dat betekent?' Hij staat nog steeds naar de horizon te staren, met zijn gedachten heel ergens anders. 'We kunnen dit allebei achter ons laten.'

Geen reactie.

Ik pak zijn hand. 'Je had het me best kunnen vertellen.'

Hij kijkt me weer aan.

'De abortus,' zeg ik. 'Ik wou dat je het me had verteld.'

Zijn gezicht ontspant zich. Als ik niet beter wist zou ik denken dat hij opgelucht is.

'Ik dacht dat wij geen geheimen voor elkaar hadden.' In dit licht zijn zijn ogen van korenbloemblauw donkerder geworden tot het lilablauw van verbascum. Het geeft hem iets verdrietigs. 'Ik ben de laatste om iemand te mogen bekritiseren omdat hij geheimen heeft, maar ik heb nooit geheimen voor jou gehad.'

Hij schraapt zijn keel. 'Het is lang geleden en ik heb er nooit echt in geloofd dat het kind van mij was. Ik was niet de enige jongen met wie ze naar bed was geweest. Je weet hoe goed ze kon liegen.'

Ik knik. 'Ik begrijp het. Je hebt er een zware prijs voor moeten betalen. Zoals je zei, je bent maar één keer met haar naar bed geweest.' Ik zwijg even en probeer hem in de ogen te kijken. Ik heb het gevoel dat hij iets voor me verzwijgt. 'Het wás toch maar één keer, nietwaar?'

'Toen we op expeditie gingen in die grotten.'

'Weet je…' Ik aarzel. De regen begint nu door te zetten en ik ben moe en verlang naar huis. Ik wil zo snel mogelijk bij Orla weg, maar eerst moet ik Euan nog vertellen dat het over moet zijn tussen ons. 'Ik heb altijd van je gehouden en een deel van mij zal dat altijd blijven doen.' Ik houd zijn hand vast. 'Ik wil mijn huwelijk redden, Euan. Ik wil dat Paul het me vergeeft.' En we verhuizen naar Australië. 'Ik wil dat alles weer goed komt.'

'Dit klinkt als een afscheid.' Hij probeert te lachen. 'Wat is hier aan de hand?"

'We moeten verder met ons leven.'

'Zonder elkaar?' Zijn uitdrukking is een mengeling van pijn en scepsis. 'Dat hebben we al eens geprobeerd.'

'Ik weet het. Maar Monica houdt van je en jij houdt van haar. Dat weet ik. En wat er tussen ons is?' Ik schud mijn hoofd. 'Dat heeft geen toekomst.' Ik adem diep in. 'Ik hoop dat Paul het me zal vergeven en dat we weer een gezin kunnen zijn. Hij neemt een sabbatical in Melbourne. We vertrekken in augustus.'

Hij doet een stap naar achteren, maar veert onmiddellijk weer terug. 'Grace?'

'We hebben onze kans gehad toen we jong waren. We hebben hem niet gegrepen. Nu is het te laat.' De wind giert om onze oren. Ik buig me naar hem toe. 'Als we met elkaar naar bed gaan vreet het schuldgevoel aan ons en als we elkaar elke dag zien en we gaan niet met elkaar naar bed dan is dat weer een heel ander soort kwelling. We moeten elkaar helemaal loslaten.'

'De kinderen zijn bijna groot…'

'We hebben het hier al eerder over gehad!' Ik moet nu bijna schreeuwen. 'Wij willen geen van beiden onze partners in de steek laten.'

'Grace.' Hij legt een hand onder mijn kin. 'Ik houd van je.'

Ik zou liegen als ik zou zeggen dat ik niet in de verleiding kom om de strijd op te geven, bij Paul weg te gaan en opnieuw te beginnen met Euan. Maar diep in mijn hart weet ik dat dat roekeloos zou zijn. Zulke dingen gaan bijna nooit goed. De kinderen zijn dan wel tieners, maar hebben nog steeds hun ouders nodig en een stabiele omgeving. En er is niets mis met onze relaties. Ik kan niet bij Paul weggaan, ik houd van hem en bovendien wil ik Euan niet hebben als hij Monica's hart moet breken om bij mij te kunnen zijn. Ik wil verder. Ik wil een nieuw leven beginnen in een nieuw land, waar ik een verbeterde uitvoering van mezelf kan zijn. 'We moeten elkaar opgeven.'

Het regent nu heel hard en hij trekt me Orla's huis binnen.

'Je moet me laten gaan, Euan.'

'Een kibbelpartijtje tussen twee geliefden?' Orla staat naar ons te kijken. Ze leunt met haar schouders tegen de muur, maar duwt de rest van haar lichaam uitdagend naar voren. Haar pupillen zijn speldenknoppen en haar hoofd zit los op haar schouders. 'Probeert ze je te lozen, Euan?'

'Bemoei je met je eigen zaken,' zeg ik tegen haar.

'Wordt het geen tijd dat we het haar vertellen?' zegt ze, met een stem als warme stroop. 'Wil jij het doen of doe ik het?'

Euan luistert niet naar haar. Hij kijkt me indringend aan, alsof hij me daarmee op andere gedachten kan brengen. 'Ik weet het al van de abortus,' zeg ik tegen Orla. 'Het spijt me voor je dat je dat hebt moeten meemaken, maar…'

'Wat is ze lief, hè?' Ze komt naar ons toe en laat haar vingers over mijn natte wangen glijden. 'Lief en onschuldig.'

'En ik weet ook dat ik Rose niet heb vermoord.' Ik probeer haar ogen vast te houden, maar ze lijkt moeite te hebben met focussen en haar blik glijdt van me weg. 'Ze was alweer in de tent toen ik terugkwam.'

Ze haalt haar schouders op. 'Dat is maar de helft van het verhaal.'

'Dus je kunt mij helemaal niets maken,' besluit ik. Ik voel me sterk. Ik heb een marathon gelopen en nu is de finish in zicht. Een laatste krachtsinspanning en ik ben er. 'Het spel is afgelopen, Orla.' Ik open de voordeur. 'Hoog tijd voor jou om te vertrekken en iemand anders lastig te gaan vallen.'

'Je begrijpt het nog niet helemaal, hè? Wil je niet weten wat er werkelijk met Rose is gebeurd?'

Ik draai me net op tijd naar hen om, om een blik te zien die Euan en Orla met elkaar wisselen. Het is een waarschuwende blik, een waag-het-niet blik waarvan mijn nekharen rechtovereind gaan staan en mijn maag zich omdraait. En dan laat hij zijn vingers kraken, een voor een, eerst links en dan rechts. 'Euan?' Zijn blik is weer gesloten.

'Zullen we haar een aanwijzing geven?' zegt Orla.

'Ga naar huis, Grace.' Euan pakt mijn elleboog en probeert me de deur uit te werken, maar ik duw hem weg. Hij kijkt me smekend aan. 'Alsjeblieft.'

Ik kijk van de een naar de ander. Mijn instinct vertelt me Euan te vertrouwen. Orla is giftig, onbetrouwbaar, kwaadaardig. Het zou haar oneindig veel plezier doen een wig tussen Euan en mij te kunnen drijven – dat weet ik. Maar toch.

'Nee.' Ik doe de deur dicht en loop de kamer weer in.

Ze lopen allebei achter me aan. We staan midden in de kamer bij elkaar. Een driehoek. Orla staat opgewonden te stralen en ik besef dat dit het moment is waarop ze heeft gewacht.

'Zeg het maar, Orla,' zeg ik. 'Dan hebben we het maar gehad.'

'Nou, toen jij naar bed ging,' zegt ze, met wijd opengesperde ogen, 'bleef ik nog een tijdje bij het meer. Ik had daar met Euan afgesproken. We zouden over de baby gaan praten.' Ze legt beschermend een hand op haar platte buik, alsof ze nog zwanger is. 'Ik had hem een week eerder al verteld dat ik zwanger was en ik hoopte…' Ze lacht. Het klinkt zo broos als versplinterd glas. 'Ik hoopte dat hij me zou steunen, maar nee! Hij beschuldigde me ervan dat ik hem erin wilde luizen.'

'Je sliep met Jan en alleman,' zeg ik. 'Je had met zoveel jongens seks.'

'Denk je dat ik over de vader van de baby zou liegen? Dat ik dat een kind zou aandoen?' Ze rilt. De rilling trekt als een ijzige wind door haar hele lichaam. 'Míjn kind?'

'Ja, dat denk ik. Ik denk dat het veel belangrijker voor je was om je zin te krijgen dan om…' Opeens gaan er allemaal gedachten door mijn hoofd en ik stop met praten: Euan was er die avond dus ook; Rose' armbandje lag bij hem op zolder; volgens Monica had Euan daar ook een heleboel oude spullen liggen, dingen waar hij al jaren niet meer naar omgekeken had. Ik haal het armbandje uit mijn achterzak en houd het omhoog. Mijn handen trillen. Ik gooi het hem toe.

Hij vangt het op. Hij ontwijkt mijn blik.

'Daar kwam Ella mee thuis. Het lag bij jou op zolder. Monica had geen idee hoe het er terecht was gekomen.' Ik houd mijn hoofd schuin en vraag dan zacht: 'Alsjeblieft, Euan. Zeg verdomme dat jij het niet was.' Ik ben zo bang voor het antwoord dat ik mijn ogen stijf dichtknijp en wens dat ik heel ergens anders ben, overal liever dan hier.

'Ja, ga je gang,' zegt Orla. 'En graag met alle details.'

De seconden tikken voorbij en nog steeds zegt hij niets. Ik doe mijn ogen open en kijk hem aan. Hij staat met zijn armen langs zijn zijden, schouders naar achteren en handen losjes omlaag. Ik voel dat zijn ontspannen houding geforceerd is. Inwendig gaat hij dood van ellende, daar durf ik mijn leven onder te verwedden.

'Vertel me nu maar gewoon wat er is gebeurd,' zeg ik. 'Alsjeblieft.'

Zijn ogen versmallen zich tot spleetjes en hij kijkt me met tegenzin aan. Hij wil respijt. Hij hoeft het niet eens te vragen; het straalt van zijn gezicht af.

Maar we zijn geen kinderen meer en ik begin mijn geduld te verliezen. 'Nou, schiet op,' zeg ik kortaf.

Hij staart omhoog naar het plafond, waar het pleisterwerk scheuren vertoont die van de ene hoek naar de andere lopen. 'Ik had veel gedronken. Ik heb Rose twee keer gezien: vroeg in de avond voordat ik te ver heen was en later nog een keer.' Zijn stem hapert. Hij schraapt zijn keel. 'De eerste keer dat ik haar zag vertelde ze me dat ze haar armbandje had verloren. Ik zei dat ik ernaar zou uitkijken en nog geen vijf minuten later zag ik het in het gras liggen. Er stak een storm op, ik dronk nog meer wodka en toen ging ik naar Orla bij het meer.' Hij haalt zijn schouders op en kijkt me aan met een blik die half hulpeloos is en half ongelovig. 'Het ging niet goed. Ze was vastbesloten de baby te houden en het mijn ouders te vertellen…'

'Nu moet je mij niet de schuld geven,' zegt zij. 'Jíj was degene die je verantwoordelijkheid niet wilde nemen.'

'Houd je mond!' Ik draai me naar haar om. 'Dit gaat niet om jou.'

'De tweede keer dat ik Rose zag, bleef Orla maar aan mijn kop zeuren en achter me aan lopen. Het was al laat en ik had me half lam gezopen,' vervolgt Euan. 'De storm was overgedreven en ik probeerde de weg naar mijn tent terug te vinden, maar de bodem was glibberig en ik was te dronken om me te realiseren dat ik in kringetjes liep. Ze vroeg me opnieuw of ik haar armband had gezien en ik zei dat ik hem had gevonden maar dat...' Hij zwijgt. Zijn mond trilt. Hij brengt zijn hand naar zijn gezicht en zegt zacht: 'Dat hij voor de eerlijke vinder was. Dat zei ik tegen haar: je hebt pech, want ik heb hem eerlijk gevonden, en toen liep ik gewoon door.'

Ik krimp ineen. 'Euan, die armband was van haar overleden moeder.'

'Ik weet het.' Ik zie jaren van zelfverwijt in zijn ogen vloeien. 'En dat is nog niet het ergste.' Zijn stem trilt alsof de woorden uit een halfverstopte tube worden geknepen. 'Ik zei tegen haar dat ze hem, als ze hem terug wilde, maar moest gaan zoeken en toen deed ik net alsof ik hem in het meer gooide. Ik heb er geen moment bij stilgestaan dat ze er achteraan zou gaan.'

Ik voel vanbinnen alles stil worden, alsof het bloed is opgehouden door mijn aderen te stromen. 'En deed ze dat?'

'Ik zou het werkelijk niet weten. Uiteindelijk liet Orla me met rust en vond ik mijn tent terug. Ik dacht er niet meer aan tot jij zei dat je dacht dat jij het had gedaan en langzaam maar zeker begon ik me alles van die avond te herinneren en weken later, toen ik eindelijk mijn rugzak eens uitpakte, vond ik die armband en wist ik dat wat ik me maar vaag herinnerde echt was gebeurd.'

'Dus jij hebt al die jaren geweten dat Rose niet is gestorven omdat ik haar een duw heb gegeven?'

Het siert hem dat hij me aankijkt wanneer hij antwoordt: 'Ja.'

Mijn hart krimpt ineen tot een harde vuist. Mijn botten voelen zwaar, mijn ingewanden zijn in de greep van de zwaartekracht en ik laat me in een stoel vallen. Ik begin heen en weer te wiegen. Ik wil wel huilen, maar mijn ogen zijn nog nooit zo droog geweest. Ik wil het allemaal uitwissen: de herinneringen, de nachtmerries, het schuldgevoel en nu dit – Euan. Ik heb hem vertrouwd. Onvoorwaardelijk. Ik heb met hem geslapen, heb tranen om hem vergoten, heb hem vastgehouden en verdedigd, ik heb naar hem verlangd.

God in de hemel, ik heb zelfs overwogen met hem weg te lopen. Ik heb Paul pijn gedaan en het geluk van mijn meisjes in gevaar gebracht en al die tijd heeft hij geweten dat ik niets met Rose' dood te maken had.

Ik kijk naar hem op. 'Waarom heb je niets gezegd?'

'Ik heb het wel geprobeerd.'

'Nou, niet hard genoeg.' Mijn woede bereikt een hoogtepunt en ik sta op en geef hem een klap in zijn gezicht, één keer en daarna nog een keer. Hij verweert zich niet en ik ga me er niet beter van voelen. 'Klootzak! Laffe klootzak,' sis ik. 'Je bent al net zo erg als zij.'

'Je hebt het volste recht om boos te zijn…'

'Ik ben niet boos,' schreeuw ik. 'Ik ben woest en gekwetst en verraden en…' Mijn stem breekt. Ik schud mijn hoofd en begin heen en weer te lopen.

'Wanneer was dan een goed moment geweest om het je te vertellen?'

'Elk moment was goed geweest!' Ik loop om hem heen. 'Toen ik mijn bed niet meer uitkwam en geplaagd werd door nachtmerries, toen ik ziek was en jij terugkwam naar Schotland. Verdomme! Zelfs twee weken terug toen Orla opeens weer opdook!' Ik buig me naar hem toe. 'Maar niet op deze manier, Euan. Niet dat ik het van haar moest horen.'

Orla staat in de schaduw. Ze steekt een sigaret op en komt naar me toe. 'Hij heeft je echt bedrogen, Grace. Vind je ook niet?' Ze probeert een hand op mijn arm te leggen.

'Blijf van me af!' Ik duw haar ruw van me af en ze wankelt op haar hoge hakken. 'Raak me niet aan.' Ik kijk naar Euan. 'En jij ook niet.'

Ik ga bij het raam staan. De lucht is nu bijna helemaal donker. De storm hangt vlak boven ons hoofd. Hagelstenen slaan tegen het vensterglas, zonder ophouden, als een lang aanhoudend tromgeroffel. Sommige zijn zo groot als golfballetjes. Als kinderen gingen Euan en ik dan altijd buiten spelen en sprongen op en neer van plezier en pijn wanneer ze onze gezichten raakten en onze huid bezeerden.

'Ik was eerlijk van plan het je te vertellen voordat ik naar de universiteit ging,' zegt hij. 'Maar toen vertelde mijn moeder me dat je verloofd was. Ik dacht dat je het achter je had gelaten. Dat je liefde voor Paul het op de een of andere manier had uitgewist.'

'En toen je later weer in Schotland kwam wonen?' Ik draai me naar hem om. 'Waarom heb je toen niets gezegd? Je kon zelf zien hoe slecht ik eraantoe was.'

'Je was ziek. Ik wilde niet...' Hij stopt en zuigt zijn wangen naar binnen.

'Christus!' Ik zie opeens de waarheid achter zijn gedraai. 'Was je bang dat ik je zou verraden?'

'Je was jezelf niet.'

'Jezus! Dat zou ik toch nooit hebben gedaan!' Ik begin weer te ijsberen. 'En al die jaren daarna? Is het toen ook nooit bij je opgekomen dat je misschien een keer de waarheid moest opbiechten?'

'Voordat Orla opdook, had je het bijna nooit over Rose.'

'Euan, er hangen foto's van Rose bij mij thuis, ik ben met haar vader getrouwd, ze is nooit uit mijn gedachten geweest. Nooit.' Ik probeer mijn stem niet te laten trillen. 'En toen Orla vorige week belde? Had je toen niet iets kunnen zeggen?'

'Luister, ik ben echt niet trots op mezelf.'

'Trots?' Ik houd mijn handen tegen mijn borst. 'Je zou je dood moeten schamen! Dit had ik nooit achter je gezocht.'

'Zijn moeder had er ook schuld aan,' valt Orla mij in de rede. 'Zij was nu eenmaal een enorme controlfreak.' Ze komt weer bij ons staan. 'Meedogenloos wanneer het erop aankwam haar jongen te beschermen.'

'Mam was...'

Ik wijs met mijn vinger naar hem. 'Nu moet je niet Mo de schuld geven.' En dan valt opeens het volgende kwartje. 'Wist Mo ervan?'

'Ik moest het aan iemand vertellen.'

Ik zwaai als een soort pendule weer terug van woede naar verdriet. Het grijpt me bij de keel en ik kreun. Mo heeft dit dus geweten. Ze zorgde voor me en hield van me en was praktisch een moeder voor me en toch heeft ze me laten vallen. Het is te veel, ik kan het allemaal niet meer bevatten.

'Ze wist niet dat je dacht dat jij het had gedaan,' zegt Euan vlug. 'Dan had ze nooit partij gekozen.'

Ik wíl hem wel geloven, maar ik kan het niet. Niet dat ik het Mo kwalijk neem dat ze Euan op de eerste plaats zette – natuurlijk heeft ze haar eigen vlees en bloed verkozen boven mij – ik wilde alleen dat ze het me had verteld. 'Waarom heb je het armbandje bewaard?'

'Ik ben altijd van plan geweest het terug te geven.' Hij kijkt verontschuldigend, wanhopig zelfs, maar ik heb geen medelijden met hem. Niet na wat hij heeft gedaan. 'Ik wilde het je vertellen. Op mams begrafenis…'

'Het is te laat,' zeg ik scherp en draai me om naar Orla. 'Heb jij Rose het water in zien gaan?'

'Doe niet zo belachelijk! Dan had ik haar heus wel tegengehouden. Ik liep achter Euan aan.'

'En de volgende dag. Toen we Rose' lichaam vonden. Toen wist je dus al dat ik het niet had gedaan?'

'Ja.' Ze trekt een pruillip. 'Dat spijt me, maar ik moest Euan beschermen. Hij was de vader van mijn kind. Later, toen ik begreep dat hij me niet zou steunen, heb ik je geschreven, maar…'

'Dus jullie wisten het allebei.' Ik kijk van de een naar de ander. Als het niet zo tragisch was, zou het grappig zijn. 'Mijn vriendje en mijn beste vriendin, en jullie vonden het geen van beiden nodig het mij te vertellen.'

'Ik had immers geen keus?' Orla haalt met geveinsde onschuld haar schouders op. 'Ik moest Euan in bescherming nemen.'

'En de beste manier om dat te doen was mij de schuld in de schoenen te schuiven?' Ik voel mijn woede weer opborrelen. 'Jij was degene die me voorhield dat ik haar had vermoord. Jij was degene die me deed geloven dat ik het had gedaan, terwijl je heel goed wist dat ze nog leefde toen ik naar mijn tent terugging.'

'Maar het had net zo goed jouw schuld geweest kunnen zijn. Je hebt haar per slot van rekening geduwd.'

'Wat is dat nu weer voor verknipte logica?'

'Nou, als je mijn brieven had gelezen…'

'Rot op met je brieven!' Ik beef van woede. 'Jij hebt me ervan weten te overtuigen dat ik schuldig was. Jíj, Orla.' Ik wijs met mijn vinger naar haar gezicht. 'Ik heb vierentwintig jaar in de veronderstelling geleefd dat ik een klein meisje had vermoord.'

Ze lacht triomfantelijk, tevreden met haar eigen bedrog. Het liefst zou ik haar heel hard willen slaan, maar mijn woede wordt overschaduwd door een intens gevoel van droefheid. Rose is gestorven omdat niemand van ons haar wilde helpen en hoewel Euan daar meer schuld aan heeft dan ik, weet ik dat ik haar ook in de steek heb gelaten. Als ik naar haar had geluisterd, had ik misschien de loop der gebeurtenissen kunnen veranderen, maar ik had het te druk met mijn ruzie met Orla.

Ik ga weer bij het raam staan en kijk uit over zee. Ik zie de lichten van een schip dapper door de storm schijnen. Ik stel me voor hoe de mannen aan boord strijd leveren tegen de golven, hoe ze het dek horen kreunen en kraken wanneer het schip in de golven duikt, het laagste punt bereikt en weer omhoog wordt gedwongen en hoe ze bidden dat het dek niet zal breken of dat de lading zal gaan schuiven. Hoe ze volharden tot de storm gaat liggen.

'En wat nu, Grace?' Orla staat als een aasgier te wachten tot ze op het kadaver kan aanvallen.

'Helemaal niets. Ik ga weg.' Ik ben uitgeput. 'Ik wil jullie geen van beiden ooit nog zien.'

'Maar dan mis je een geweldige kans!' Ze wijst naar Euan. 'Hij is hier de grote boosdoener. Nu moeten we ons toch tegen hem keren? Waarom geven we hem niet zijn verdiende loon? Jij en ik? Wat vind je ervan?'

'Wat ik ervan vind is – val dood.' Ik buig me naar haar toe. 'Ik vind jou een manipulerend, gestoord rotwijf dat psychiatrische hulp nodig heeft.'

Dit komt hard aan, maar ze is het meteen weer vergeten en gaat gewoon verder. 'Ik neem aan dat jullie hadden afgesproken dat hij met mij zou afrekenen.'

'Wij zijn geen moordenaars.'

'Vergeef me als ik het mis heb, maar ik heb je eraan zien denken.' Haar ogen kijken me doordringend aan en ik wend me af. 'Het messenblok bij jou thuis. Toen stelde je je voor dat je een mes in mijn lijf zou steken, of niet soms?'

'Inderdaad.'

'Waarom heb je het niet gedaan?'

'Dat heb ik je al verteld.' Ik kijk haar weer aan en verhef mijn stem. 'In tegenstelling tot jou, ben ik geen moordenaar.'

Ze gooit haar hoofd achterover en begint te lachen. Het is een vreugdeloos geluid, dat zich weerspiegelt in de waanzinnige blik in haar ogen. 'Ik maak je helemaal kapot, Grace.' Ze houdt haar hoofd een beetje schuin en trekt een berouwvol pruilmondje. 'Jij moet de eerste klap uitdelen, Grace. Ik meen het.'

'Ik moet helemaal niets. Jij bent mijn probleem niet. Hij is mijn probleem niet. Ik zal het je nog sterker vertellen' – ik haal mijn schouders op – 'ik kan hier met een schoon geweten het huis uit lopen.'

'Maar je hebt vierentwintig jaar lang gedacht dat je Pauls dochter had vermoord.'

'En nu kan ik met volle overtuiging zeggen dat ik dat niet heb gedaan.'

Ze draait om me heen en ik hoor haar zware ademhaling. 'Dan ga ik Paul vertellen dat jullie een verhouding hebben.' Ze gebruikt het beste stukje informatie dat ze nog overheeft. 'Ik ga hem vertellen dat het al jaren aan de gang is.'

'Dan ben je te laat.'

Daar staat ze van te kijken.

'Paul weet het al.'

'Zullen we het Daisy en Ella dan ook maar vertellen? Of ben je liever selectief in het vertellen van de waarheid?'

Ik heb er schoon genoeg van. Ik ben niet vrij van blaam; dat weet ik ook wel. Maar Orla is een aartsmanipulator en ik ben haar spelletjes meer dan zat. 'Jij kunt mij helemaal niets maken.' Ik loop naar de deur en zij komt achter me aan.

'Waag het niet om van me weg te lopen!'

'Reken maar dat ik dat doe.' Mijn gezicht is vlak bij het hare. 'Ik ga Paul zoeken en ik ga voor hem op mijn knieën en smeken en hopen dat hij voldoende mededogen heeft om het me te vergeven.'

'Ik blijf je achtervolgen.' Er verschijnt een akelige glimlach op haar gezicht. 'Ik laat je meisjes niet met rust.'

'Waarom?' Ik schud mijn hoofd. 'Waarom moet je mij hebben?'

'Omdat ik nog niet met je klaar ben.' Haar toon is onvermurwbaar. 'Je bent niet zomaar van me af. Daar zorg ik wel voor.' Ze werpt een snelle blik op Euan. 'Ik heb in de gevangenis veel tijd gehad om aan jullie te denken en toen ik weer terugkwam naar Schotland en ontdekte dat jullie hier een beetje goede sier lopen te maken met jullie leuke gezinnetjes, heb ik me voorgenomen dat ik jullie daar niet mee laat wegkomen. Waaraan hebben jullie zo'n perfect leventje te danken terwijl ik niets heb?'

Haar ogen schitteren van boosaardigheid. Ze klemt haar hand om mijn keel. Haar onderarm trekt mijn borstbeen omhoog en ze drukt me tegen de muur. Ze is verrassend sterk, sterk genoeg om mijn luchttoevoer af te sluiten en hoe ik ook mijn best doe, ik krijg geen lucht meer in mijn longen. Ik word overspoeld door paniek. Ik worstel, zet mijn nagels in haar hand en schop naar haar benen. Mijn longen barsten bijna en ik wil schreeuwen, maar dat kan ik niet. Ik voel een enorme druk achter mijn ogen, maar net voordat ik ze dichtdoe, zie ik hoe Euan haar met geweld van me wegtrekt. Ze valt naar achteren, bijna als in een vertraagde opname, maait met haar armen en haar ogen zijn groot van verbazing. Haar hoofd raakt de gietijzeren haard. Het geluid lijkt op niets wat ik ooit eerder heb gehoord: een kruising tussen de plof van een voetbal tegen een muur en het kraken van een heel grote noot. Ik verroer me niet en Euan ook niet. Haar oogleden trillen nog even en blijven dan dicht.

Een zware stilte zwelt aan en vult de ruimte om ons heen en dan knielt Euan bij haar neer. 'Orla! Hoor je me?' Hij voelt aan haar halsslagader en legt dan zijn oor tegen haar borst. Hij kijkt naar me op. 'Ze ademt niet meer.' Hij begint mond-op-mondbeademing, zoekt de onderkant van haar borstbeen, legt zijn handen op haar ribbenkast en drukt hard op de plek waar haar hart hoort te zitten. Net zoals ik dat bij Rose heb gedaan. Vijftien keer drukken en twee keer blazen, aan één stuk door.

De tijd vertraagt. Ik kijk naar Euan en ik kijk naar Orla. Er stroomt bloed over de vloer. Ik loop om haar lichaam heen om te zien waar het vandaan komt. Haar schedel is opengebarsten op een van de gietijzeren punten op de rand van het haardscherm. Bloed en een sponsachtige, grijze smurrie druipen uit een diep gat aan de onderkant van haar schedel. Ik stop mijn vuist in mijn mond. De lucht om me heen trilt. Ik zie lichtflitsen en zak weg in een herinnering. Euan heeft me vastgebonden aan de grote boom en ik ben in slaap gevallen. Ik droom dat we vliegen. We vliegen hand in hand boven het dorp. Hij en ik. Ik zie onze achtertuinen en roep: 'Kijk, Euan! Daar!' En dan vliegen we weer naar de aarde en komen met een klap neer.

Ik lig op de grond. Ik hoor iemand zachtjes jammeren. Ik ben het zelf. Het is een zwak, flauw geluidje dat niets zegt over hoe wanhopig ik me voel. Mijn ogen doen pijn, mijn hoofd bonkt en wanneer ik hoest krimp ik ineen van pijn. Mijn keel voelt alsof ik glassplinters heb ingeslikt. Ik kruip om Orla's lichaam heen en pak Euans broekspijp. 'Haar hoofd,' zeg ik en ik probeer op te staan, maar mijn benen trillen zo dat ik weer op mijn knieën zak.

Euan buigt zich over haar heen. Hij voelt aan de achterkant van haar schedel, fluistert iets binnensmonds en gaat weer op zijn hurken zitten. Zijn handen zitten onder het bloed. Het ruikt metalig, ijzerachtig en weeïg. Ik proef de geur in mijn keel en begin te kokhalzen. Ik kruip naar mijn handtas en mijn mobiele telefoon. Ik ga een ambulance bellen. Natuurlijk. Die kunnen haar misschien redden. Tegenwoordig kunnen ze zoveel. Ze hebben allerlei hypermoderne technieken om levens te redden en mensen weer helemaal beter te maken. Maar hoe ik het ook probeer, het lukt me niet het nummer in te toetsen. Mijn handen trillen en mijn blik is wazig. Ik begin te huilen, met hartverscheurende snikken.

Ik heb geen idee hoeveel tijd er verstrijkt – één minuut, of vijf minuten, ik zou het niet weten – maar uiteindelijk lukt het me om op te staan. Euan staat op Orla's lichaam neer te kijken.

'Is ze dood?'

Hij knikt.

Ik verman mezelf om naar haar te kijken. Mensen zeggen vaak dat de doden lijken te slapen. Maar Orla ziet er helemaal niet uit alsof ze slaapt. Alle kleur is uit haar gezicht verdwenen. Haar lichaam ligt griezelig stil. Haar jurk is aan één kant opgekropen en ik zie kleine wondjes aan de binnenkant van haar bovenbeen.

'Van de injectienaalden van de heroïne die ze gebruikte,' zegt Euan.

De pink van haar linkerhand ligt naar achteren gebogen. Ik leg hem netjes naast de andere vingers. Hij wil niet blijven liggen. Hij ligt in een vreemde hoek naast haar ringvinger.

Euan gaat in de leunstoel zitten en ik ga vlak bij zijn voeten op de grond zitten en trek mijn knieën naar mijn kin. Een deel van mij is er niet helemaal bij. Het andere deel vraagt: wat nu? Orla is dood. Het is voorbij. Ik heb een hol gevoel in mijn maag. Het is zoals ze op het kerkhof zei: *Euan is er altijd goed in geweest om te doen wat hij moest doen.*

Ik draai me om en kijk hem aan. 'Was het je bedoeling haar te doden?'

'Nee.'

'Weet je dat zeker?'

Hij kijkt gekwetst en zegt op effen toon: 'Ik wist niet dat die punt daar zat en al had ik het wel geweten, dan had ik nooit zo nauwkeurig kunnen mikken.'

Ik denk even over zijn antwoord na en zeg dan: 'Waarom heb je me nooit over Rose verteld?'

Hij fronst zijn wenkbrauwen. 'Lafheid.'

Ik schud mijn hoofd. 'Jij bent geen lafaard.'

'Zeg jij dan maar waarom.' Hij staat op. 'Maar nu moeten we dit afhandelen.' Hij wijst naar Orla's verfrommelde lichaam en we kijken naar het bloed dat zich in een kronkelend stroompje over de vloer verspreidt. Ik zie geen andere mogelijkheid dan de politie te bellen en het hele trieste verhaal te vertellen, te beginnen met Rose en eindigend met Orla's dood, maar Euan zegt: 'Grace? Kijk me eens aan.'

Ik kijk.

'Dit is wat je moet doen. Ga terug naar je auto en wacht daar. Als er iemand het pad naar haar huis op komt, bel je me. Denk je dat dat gaat lukken?'

'Wat ga je tegen de politie zeggen?'

'We kunnen de politie niet bellen.'

'Waarom niet?'

'Omdat ik dan de kans loop te worden vervolgd.' Hij kijkt ernstig. 'En jij ook.'

'We kunnen dit niet verdoezelen!' Ik ga staan. 'Het was een ongeluk! Zelfverdediging. Ze probeerde mij te wurgen en jij hebt haar tegengehouden.'

'Dat kan wel zo zijn, maar het ziet er toch verdacht uit,' gaat Euan verder. 'De politie zal een onderzoek instellen en dan komen ze er zeker achter dat wij reden hadden om haar het zwijgen op te leggen.'

Ik wil bijna akkoord gaan, maar dan denk ik aan de jaren die nog voor me liggen. Altijd bang. Over mijn schouder kijken. Stel dat iemand mijn auto heeft gezien en de politie vertelt dat ik hier ben geweest? Stel dat Orla iemand heeft verteld dat ze bang was dat ik haar iets zou aandoen? Stel dat Euan over een aantal jaren besluit mij te chanteren? Hij is niet langer iemand die ik kan vertrouwen. Hij is bijna net zo'n onbetrouwbaar serpent als zij was. Hij heeft opzettelijk informatie achtergehouden die mijn leven een andere wending had kunnen geven.

'Ga nu maar gewoon, Grace.' Hij wil mijn arm pakken, maar bedenkt zich wanneer ik hem woedend aankijk. 'Loop die deur door en kijk niet meer om.'

Ik pak mijn mobieltje. 'Daar gaat het nu juist om.' Ik blijf hem aankijken. 'Dat ik altijd om zou moeten blijven kijken.'

'Stop! Denk nu eens na,' zegt hij, op dringende toon. 'Denk aan de meisjes en Paul, en Ed, en dat je naar Australië gaat.'

'Nee.' Ik schud mijn hoofd. 'Ik heb dit al een keer meegemaakt. Ik kan niet nóg een keer een geheim bewaren.' Ik bel het alarmnummer en vraag om de politie. Ik verwacht dat Euan zal proberen de telefoon van me af te pakken, maar dat doet hij niet. Hij loopt naar de keuken en wast het bloed van zijn handen. Wanneer hij klaar is komt hij bij me staan, voor het raam.

'Wat ga je hun vertellen?'

'De waarheid.'

'Alles?'

Ik geef geen antwoord.

'We moeten hetzelfde verhaal vertellen,' zegt hij. 'Grace?'

Ik wend me af en wanneer ik de koplampen van de politiewagen aan het begin van het pad zie aankomen, loop ik de regen in om de agenten op te wachten.

Ik zit weer op het politiebureau. Ik ben weer nat en heb een deken om me heen, maar ditmaal zit Orla niet tegenover me. Orla is dood. In haar plaats zit Euan nu tegenover me. We zeggen geen van beiden iets. We worden naar verschillende ruimtes gebracht en verhoord. Ik vertel de waarheid. Het is niet de hele waarheid: ik zeg niets over Rose en ook niet over het feit dat ik eraan heb gedacht Orla te vermoorden, ook al was het maar heel even. Ik geef steeds dezelfde antwoorden: ze had een obsessie voor mij en mijn gezin en voor zichzelf als tiener. Ze had me al bijna twee weken lastiggevallen en ik was naar haar huis gegaan om te proberen haar tot rede te brengen. Ze viel me aan. Ik heb de blauwe plekken van haar vingers op mijn keel en haar huid zit onder mijn vingernagels. Ik bevestig Euans verhaal dat hij haar alleen maar van mij af heeft getrokken en dat ze toen viel en ongelukkig terecht is gekomen. Dat had niemand kunnen voorzien.

Paul en Ed komen meteen terug van Skye. Paul blijft bij me en staat me terzijde tijdens de verhoren en de gefluisterde speculaties die onvermijdelijk volgen. Die eerste paar weken na Orla's dood is hij voortdurend bij me. Voor de buitenwereld staat hij honderd procent achter me, maar wanneer we alleen zijn, zie en hoor ik wat hij werkelijk denkt.

'Ik doe dit voor de meisjes,' zegt hij tegen me. 'Jij. Jij, Grace.' Ik zie mijn verraad in zijn ogen en kijk naar de grond, te beschaamd om hem aan te kijken. 'Ik zal ten eerste nooit begrijpen hoe je een verhouding met Euan kon beginnen en ten tweede snap ik ook niet waarom je me niet hebt verteld over Orla's obsessie voor jou.'

'Ik kon het niet...'

'Maar Euan kon je het wel vertellen?' snauwt hij terug.

Ik zeg niets. De waarheid is... dat ik me niet kan verdedigen. Niets wat ik kan zeggen zal het beter maken. En als ik de volledige waarheid zou vertellen, zou ik het alleen nog maar erger maken. Ik ga bij mijn geweten te rade, maar ik geloof werkelijk dat niemand erbij gebaat is als ik Paul de waarheid vertel over de gebeurtenissen die tot Rose' verdrinkingsdood hebben geleid. Het is te laat om Rose te helpen en voor Paul zou het alleen maar oude wonden openrijten. Ik heb niet het gevoel dat ik Euan of mezelf in bescherming neem. Ik heb het gevoel dat ik maar één ding kan doen en dat is: accepteren dat wat zoveel jaren geleden is gebeurd nooit meer ongedaan kan worden gemaakt en daar zal ik mee moeten leren leven.

Daisy en Ella reageren allebei met zichtbare afschuw wanneer ze horen van Orla's obsessie voor mij. Ella wordt heen en weer geslingerd tussen tranen en een neiging tot overbezorgdheid. Ze zet kopjes thee voor me, ruimt de vaatwasser in en haalt het wasgoed uit de droger. Daisy is in de war. 'Ik snap het niet,' zegt ze voortdurend. 'Waarom wilde ze jou kwaad doen? Ze leek zo aardig.'

Ik ben nog even bang dat Shugs zich bij de politie zal melden om hen een andere kijk op de zaak te geven, maar dat doet hij niet. Ik ben bezorgd dat andere gasten van het restaurant in Edinburgh over de zaak zullen lezen en zich zullen melden om te vertellen dat ze mij Orla hebben horen bedreigen, maar ook dat gebeurt niet.

Orla heeft uiteindelijk haar eigen lot bezegeld en twee weken na haar dood komt de politie bij mij langs om me mede te delen dat noch Euan, noch ik vervolgd zal worden. Ze hebben alles onderzocht. De slaapkamer – een bewijs dat ze wel degelijk heel erg door het verleden werd geobsedeerd. Haar geschiedenis van geestesziekte, haar drugsverslaving en haar veroordeling voor het aandeel dat ze heeft gehad in de moord op haar man. (Ik krijg te horen dat ze dan wel niet degene is geweest die hem heeft neergestoken, maar dat ze de man die dat wel heeft gedaan heeft betaald en heeft toegekeken terwijl haar man stierf.)

Wanneer de politie weer weg is, voel ik een enorme opluchting, die echter wordt getemperd door de groeiende kloof tussen Paul en mij. We gaan nog steeds volgens plan naar Melbourne, maar maken niet langer gezamenlijk plannen: welke uitstapjes we zullen gaan maken, waar we gaan wonen, wat we mee willen nemen en wat we achter zullen laten. Paul neemt alle beslissingen zelf. Hij is beleefd maar kil. Hij mijdt mijn gezelschap. Hij maakt me niet langer deelgenoot van zijn gedachten. We vrijen niet meer.

Ik werp mezelf op het inpakken, blij iets omhanden te hebben, en wanneer ik op een ochtend aan de voorkant van het huis bezig ben de garage uit te ruimen, stopt er een auto voor de deur. Mijn maag krimpt samen wanneer ik Murray en Angeline zie uitstappen. Ik loop ze over het pad tegemoet en zie meteen dat Angeline veranderd is. Ze is zoals altijd onberispelijk gekleed, maar haar tred en de blik in haar ogen zijn minder zelfverzekerd.

'Grace.' Een meter voor me blijft ze staan. 'Het schijnt dat ik me in je heb vergist.'

'Gecondoleerd met je verlies, Angeline. Ik vind het heel erg voor je.'

'Ja? Vind je dat echt?'

'Jazeker,' antwoord ik kalm. 'Ik heb nooit gewild dat dit zou gebeuren. Absoluut niet.'

'En toch is het gebeurd.' Ze buigt zich naar me toe. 'Kijk me recht in de ogen en vertel me dan dat jullie geen van beiden de dood van mijn dochter wilden.' Ik kijk haar aan, maar voordat ik iets kan zeggen, zegt zij: 'Dat dacht ik al.' Ze begint te beven van woede. 'Ik zal dit niet vergeten. Jullie mogen de politie dan een rad voor ogen hebben gedraaid met jullie geloofwaardige verhaal, maar mij niet.'

'Angeline.' Murray pakt haar linkerelleboog en terwijl hij dat doet tilt ze haar rechterarm op en slaat me zo hard in mijn gezicht dat ik mijn tanden in mijn kaken voel rammelen. Ik wankel naar achteren en breng automatisch mijn hand naar mijn wang. Murray trekt Angeline mee en ze lopen terug naar de auto.

Ik ga naar binnen, met tranen in mijn ogen, bonkend hart en een pijnlijk gezicht. Ik trek Murphy naast me op de bank en blijf zo de rest van de middag zitten, met droge ogen en helemaal leeg vanbinnen. Ik word door niemand gestoord. De meisjes komen pas laat in de middag thuis vanwege de repetities voor *Romeo en Julia* – Ella speelt Julia en Daisy doet iets achter de coulissen wat ze heel leuk vindt. Ed komt ook niet thuis. Hij logeert al sinds Orla's dood bij mijn ouders. Ondanks hun aanvankelijke schok en daaropvolgende ontzetting toen de details eenmaal aan het licht kwamen, staan zij alle drie onvoorwaardelijk achter mij. 'Maak je over ons maar geen zorgen – wij redden het hier prima met ons drieën,' zegt mijn moeder, met een opgewekte en optimistische klank in haar stem. 'En we verheugen ons op Australië.'

Ik ben blij dat mijn vader en moeder hebben besloten met ons mee te gaan. Het gaat een stuk beter met mijn vaders maag sinds hij een medicijnkuur heeft gekregen en ze verheugen zich op 'een avontuur', zoals mijn moeder het noemt. 'We blijven niet het hele jaar, maar totdat jullie helemaal gesetteld zijn. En daarna gaan we misschien nog wel wat rondreizen. Ik heb gehoord dat je over de Sydney Harbour Bridge kunt lopen. Misschien krijg ik je vader zelfs nog wel in een korte broek.'

Ik hoop dat Paul voor het eten thuis is. Hij moet nog wat dingen afronden op de universiteit en ik weet nooit van tevoren hoe laat hij thuiskomt. Ik heb de stoofschotel met kip gemaakt waar hij zo dol op is. Hij staat op een laag pitje, voor het geval dat.

Even na zessen komt hij binnen en Murphy gaat hem meteen begroeten. Ik sta op, strek mijn stijve benen en leg even mijn hand op zijn arm. 'De tafel is al gedekt,' zeg ik.

Hij kijkt me niet aan. 'Geef me vijftien minuten.' Hij loopt naar boven om te douchen en ik ga bij het keukenraam naar de golven op het strand staan kijken en probeer nergens aan te denken.

Wanneer Paul aan tafel komt ga ik tegenover hem zitten en schep op. Wanneer ik de eerste hap neem, merk ik dat ik amper kan slikken. Mijn gezicht is gevoelloos en mijn tanden voelen aan alsof ze in de mond van iemand anders thuishoren.

'Ben je nog van plan me te vertellen hoe je aan die plek op je gezicht komt?'

Ik schrik van zijn stem en laat mijn vork vallen. 'Orla's moeder.'

'Is die hier geweest?'

Ik knik.

Hij leunt over de tafel en raakt voorzichtig mijn wang aan. 'Goeie god, ze heeft je goed geraakt.' Hij komt naast me staan, trekt me overeind en draait mijn gezicht naar het licht. 'Waarom heb je me niet gebeld?'

'Ik was bang dat je…' Mijn stem stokt. Ik doe een tweede poging. 'Ik was bang dat je zou vinden dat het mijn eigen schuld was.'

Er verschijnt een droevig glimlachje op zijn gezicht. 'Nee, dat vind ik helemaal niet.'

Hij laat zijn handen over mijn haar, mijn schouders en mijn armen glijden.

Ik sta te beven en begin dan te huilen. Stille tranen stromen over mijn gezicht. 'Paul, alsjeblieft,' fluister ik. 'Zeg alsjeblieft dat er een kans is dat je me vergeeft.'

'Natuurlijk is er een kans.' Hij trekt me naar zich toe en houdt me dicht tegen zich aan. 'Geef me wat tijd, Grace.'

Het is meer dan waar ik op had durven hopen en ik durf me amper te verroeren uit angst dat hij van gedachten zal veranderen en me weg zal duwen. Maar dat doet hij niet. Zonder nog aan eten te denken neemt hij me mee naar boven. We gaan samen op bed liggen. Hij houdt me in zijn armen en we praten. Ik vertel hem hoe het me spijt, hoeveel ik van hem houd, hoe graag ik wil dat het weer goed komt tussen ons en hoe hard ik mijn best zal doen om ervoor te zorgen dat we weer een gelukkig gezin worden.

Een paar dagen voordat we naar Melbourne vertrekken vindt 's avonds de uitvoering van *Romeo en Julia* plaats. Mijn gezicht is nog bont en blauw, maar met behulp van wat make-up weet ik het aardig te verdoezelen. We halen mijn ouders en Ed op en rijden naar St. Andrews voor de voorstelling. Wanneer we de trap op lopen, houdt Paul mijn hand vast. We zitten op de tweede rij, vlak voor het toneel. Ik zit in het midden, met Paul aan mijn ene kant en mijn moeder aan de andere.

Net voordat de voorstelling begint, bedenkt mijn vader opeens dat hij zijn bril in de auto heeft laten liggen. Paul geeft mij zijn sleutels en ik loop door de foyer, langs een paar mensen die nu pas arriveren. Ik pak mijn vaders bril uit de auto en wanneer ik weer naar binnen ga, loop ik Monica en Euan tegen het lijf. Ik heb hen sinds de dag van Orla's dood niet meer gesproken.

Er volgen een paar ongemakkelijke ogenblikken waarin we elkaar voorzichtig opnemen. Monica ziet er opvallend goed uit: haar haar, haar make-up, haar mooie pakje en smetteloze witte blouse. Ze heeft Euans arm vast op een manier die doet vermoeden dat zij degene is die hem overeind houdt. Euans gezicht is gespannen. Hij heeft zich duidelijk al een paar dagen niet geschoren en er trilt een spiertje in zijn kaak. Ik weet niet hoe het er bij hen thuis aan toe gaat, maar in het openbaar gedraagt Monica zich hetzelfde als Paul. Ze is achter Euan blijven staan, steunt hem en schermt hem af tegen zinloos geroddel en nieuwsgierige buren. En ik weet niet of ze van onze ver-houding weet, maar als dat zo is weet ze het goed te verbergen.

'Het is toch nog niet begonnen?' vraagt ze aan mij.

'Volgens mij staan ze op het punt van beginnen.' Ik loop langs hen heen.

'Grace?' Zijn stem klinkt hees. Ik draai me om en merk dat ik hem aan kan kijken zonder hem te haten, zonder van hem te hou-den, zonder ook maar iets voor hem te voelen. 'Het spijt me.'

Ik geef geen antwoord. Net op het moment dat het doek open-gaat, loop ik terug door het middenpad en neem mijn plekje naast Paul in.

'Ben je buiten door iemand aan de praat gehouden?' vraagt hij.

'Er is daar niemand.' Ik leg mijn hoofd tegen zijn schouder. 'Helemaal niemand.'